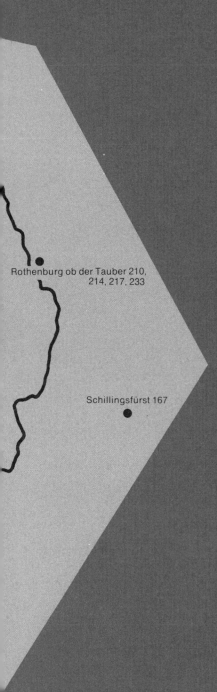

Rothenburg ob der Tauber 210, 214, 217, 233

Schillingsfürst 167

# Das Hohenloher Land

Die Zahlen hinter den Ortsnamen
verweisen auf die Abbildungen.

# Das
# Hohenloher
# Land

Für Tante Ille

von

Anneliese

u. Norbert

Weihnachten 1986

# Das Hohenloher Land

Text:
Georg Kleemann
Fotografie:
C. L. Schmitt

sigloch edition

Titelbild auf Seite 2–3: Frühsommer im Kochertal bei Stein-kirchen. Die stimmungsvoll-sanften Flußschleifen sind ein-geebnete Zeugnisse der Mühen des Wassers, sich einen Weg durch den Muschelkalk zu bahnen. Der Kocher hat sich in den Fels einfressen müssen, und wo das Gestein besonders hart war, sind felsige Steilhänge entstanden, die im Hohenlohisch-Fränkischen »Kleeb« heißen.

Photo des pages 2 et 3: Le début de l'été dans la vallée du Kocher près de Steinkirchen. Les paisibles méandres de la rivière témoignent des efforts de l'eau pour se frayer un passage dans le calcaire coquillier. Le Kocher a dû ronger la roche donnant naissance, là où la pierre était particuliè-rement dure, à des escarpements rocheux appelés «Kleeb» dans le parler franconien de Hohenlohe.

Frontispiece, pp. 2–3: Early summer in the Kocher Valley near Steinkirchen. The picturesque, gentle bends in the river are reminders of wilder days, when the water had to carve its way through the Triassic limestone. Wherever the rock was particularly hard, the banks are now bounded by steep cliffs, called "Kleeb" in the Hohenlohe Franconian dialect.

Abbildung auf Seite 65: Sirius Bildarchiv/Erhard Hehl

© 1985 Sigloch Edition, Künzelsau, Stäfa, Salzburg
Nachdruck verboten. Alle Rechte vorbehalten.
Printed in Germany
Übersetzung ins Französische: Marlène Kehayoff-Michel
Übersetzung ins Englische: Desmond Clayton
Redaktionelle Betreuung und Layout: Günther Schmidt
Einbandgestaltung: Mathias Müller
Satz: Setzerei Lihs, Ludwigsburg
Reproduktionen: Otterbach Repro, Rastatt
Druck: Mairs Graphische Betriebe, Ostfildern
Papier: 150 g/qm BVS der Papierfabrik Scheufelen,
Lenningen
Bindearbeiten: Buchbinderei Sigloch,
Künzelsau und Leonberg
Auslieferung an den deutschen Buchhandel:
Stürtz Verlag, Würzburg
ISBN 3800302500

## Das Hohenloher Land

Weikersheim ist in den Jahrhunderten gebaut worden, in denen sich die Architekten noch nach den Maßen des menschlichen Körpers gerichtet haben. Ein herrscherliches Schloß war schon gewaltig, wenn sich drei Stockwerke auftürmten, und seine Torflügel mußten Postkutschenhöhe haben. Über alles Menschen Maß hinaus ging nur der Kirchturm. Kein Wunder, daß sich der Besucher wohlfühlt, wenn er in Weikersheim aus den heimeligen Gassen der Bürgerhäuser auf den Marktplatz hinaustritt und die vertrauten Maßstäbe findet: den weiten Platz, die hohe Kirche, die Giebelhäuser, den Brunnen in der Mitte und dahinter die geschwungenen Arkaden des Schlosses.
Ich hatte einen ganzen Vormittag im prunkvoll-prächtig erhaltenen Schloß und im Barockgarten mit der reizvollen Orangerie verbracht und mir dann das Heftchen mit den Bildern der Hofzwerge aus Sandstein gekauft, die seit 250 Jahren entlang den Balustraden am Schloßgraben stehen. Ein unbekannter Verseschmied vom Kaliber des Schöntaler Abtes Knittel hat schon vor vielen Jahrzehnten über jede Figur ein frei erfundenes Verslein gemacht. Dem Hoffräulein, das mit einer Hand eine Maske lüftet, die es wohl beim Hofball trägt, wird angedichtet, es erspähe einen anderswo poussierenden Kavalier, »… der Treu ihr schwur/ O Männertreu! Adieux l'amour!«
Das mußte ich wohl laut gelesen haben, denn der junge Mann neben mir seufzte vernehmlich. Nun finden sich im Hochsommer in Weikersheim regelmäßig viele seufzende

## Le pays de Hohenlohe

Weikersheim a été construit à une époque où les architectes bâtissaient encore à la mesure de l'homme. Un château seigneurial était déjà bien imposant s'il avait trois étages et les vantaux de sa grande porte devaient pouvoir laisser passer une diligence. Seul le clocher de l'église avait pour ainsi dire une dimension surhumaine. Il n'est donc pas étonnant qu'à Weikersheim le visiteur se sente bien lorsque sortant des charmantes ruelles bordées de maisons bourgeoises, il débouche sur la place du Marché et retrouve des dimensions familières: la vaste place, la haute église, les maisons à colombage, la fontaine au milieu et dans le fond les arcades élancées du château. J'avais passé toute la matinée dans le somptueux château, fort bien conservé, et son jardin baroque avec sa merveilleuse orangerie et j'avais ensuite acheté la brochure avec les photos des nains de la cour, des sculptures en grès qui, depuis 250 ans, agrémentent les balustrades le long du fossé du château. Il y a plusieurs décennies, un rimailleur inconnu a composé quelques vers pour chacun de ces personnages. L'un s'adresse à une dame d'honneur qui d'une main soulève un masque, qu'elle porte sans doute au bal de la cour, et découvre son cavalier en train de conter fleurette ailleurs et qui pourtant «… lui avait juré fidélité. O amant volage! Adieux l'amour!» J'avais dû lire à haute voix car le jeune homme à mes côtés s'était mis à soupirer. Il faut dire qu'en plein été à Weikersheim les soupirs sont chose courante. Car des musiciens venus de divers pays s'y rencontrent régulièrement pour donner des concerts et représenter

## Hohenlohe Land

Weikersheim Palace was built in the course of several centuries – at a time when architectural scale was still based on the size of the human body. A palace or castle was considered extremely imposing if it extended to three storeys; its main gateway had to be high enough to admit the mail coach. The only building measured by a different scale was the church tower. No wonder that the visitor feels at ease when he emerges from the pleasant little streets of Weikersheim onto the market place and finds everything perfectly proportioned: the spacious square, the tall church, the gabled houses, the fountain in the middle, and, at the back, the sweeping arcades of the palace.
I had spent a whole morning in the splendidly-preserved palace with its Baroque garden and delightful orangery, and had then bought the booklet with pictures of the sandstone sculptures of the Court Dwarfs, which have been standing on the balustrade along the edge of the moat for 250 years. Many years ago, an anonymous writer composed doggerel verses on each of the grotesque figures. One of the verses refers to a figure of a Lady-in-Waiting who, presumably at a court ball, is lifting her mask from her face; she is described as seeing her cavalier flirting with someone else, "… her ever to adore. O faithless lover! Adieux l'amour!"
I must have read this aloud, for a young man standing next to me sighed noticeably. Sighs are by no means uncommon in Weikersheim at the height of summer. For at that time of the year young musicians from many countries

Renaissance und Barock gehen in der Weikersheimer Schloßanlage glücklich ineinander über. Vor der streng-symmetrischen Renaissancefassade des Schlosses weitet sich der verspielte Barockgarten mit der Orangerie. Vom steinernen Zwergen-Hofstaat sind hier zu sehen: der Trommler, der Küchen- und Kellermeister und der Faulpelz.

La Renaissance et le baroque se fondent harmonieusement dans le château de Weikersheim. Devant la façade Renaissance aux lignes d'une symétrie sévère s'étend un charmant jardin baroque avec son orangerie. Des nains de la cour, des sculptures en grès, on voit ici trois exemplaires: le tambour, le chef de cuisine et maître de chai et le paresseux.

Renaissance merges gracefully into Baroque in Weikersheim Palace, the strictly symmetrical Renaissance facade providing a fine contrast to the playful Baroque garden with its orangery. Of the sandstone Court Dwarfs which line the balustrade, we see here: the Drummer, the Master of the Kitchens and Cellars, and the Sluggard.

junge Leute zusammen. Es sind Musiker aus vielen Ländern. Sie geben dort Konzerte und führen sogar kleine Opern auf. Oft genug haben sie Liebeskummer und wandeln dann als einsame Trauergäste dieser schnöden Welt in der milden Luft des Taubertales auf den geometrisch gezirkelten Wegen zur Orangerie hin. Denn längst nicht alle Seufzer lassen sich in Musik ausdrücken, wenn es den Künstler eben nach mehr als nach Noten gelüstet. Der junge Mann neben mir schien beim näheren Zusehen ein Einheimischer zu sein. Allerdings auch keiner vom besonderen Schlag der Hohenloher, denn er sagte auf hochschwäbisch: »Das saget d'Weiber emmer, daß es an ons liegt ond net an ihne!«

Und dann brach's aus ihm heraus. Auf der Muswiese, dem ältesten deutschen Volksfest, wie manche meinen, dort hinten in Musdorf bei Rot am See, dort hatte ihn sein Schicksal gepackt. Seit vielen Jahrhunderten ist dieses hohenlohisch-fränkische Bauernfest ein fröhlicher Heiratsmarkt zu Ehren des heiligen Burkhardt, der im achten Jahrhundert der erste Würzburger Bischof gewesen ist. Das Fest gehört zum Hohenloher Jahresablauf, auch wenn sich manches an den alten Bräuchen geändert hat. Früher, als der Stall noch mehr Arbeit machte, kamen am ersten Tag nur die Alten und erst am zweiten Tag die Jungen. Heute fahren die Familien gemeinsam her. Denn noch immer sind das die Tage, an denen sich die Freunde, die Verwandtschaft oder auch nur die alten Muswiesen-Bekannten treffen und rumhören, was sich

même de petits opéras. Bien souvent aussi ils ont des chagrins d'amour et errent solitaires, l'âme en peine, dans l'air doux de la vallée de la Tauber sur les chemins au tracé géométrique qui mènent à l'orangerie. Car tous les soupirs ne s'expriment pas en musique lorsque l'artiste a envie d'autre chose que de notes. Pourtant en y regardant de plus près le jeune homme à mes côtés semblait être du coin. Mais en tout cas pas de la race spéciale des natifs de Hohenlohe car il s'exprimait en haut souabe: «Les femmes disent toujours que c'est de notre faute et pas de la leur» commença-t-il par dire. Et de me conter ensuite son histoire. Cela avait débuté à la foire de Musdorf, près de Rot am See, que certains considèrent comme la plus ancienne fête populaire allemande. Pendant des siècles, cette fête paysanne de la région franconienne de Hohenlohe a été un marché aux mariages placé sous le patronage de saint Burkhardt qui, au 8e siècle, fut le premier évêque de Wurtzbourg. Cette fête fait toujours partie des réjouissances annuelles du pays de Hohenlohe même si les anciennes coutumes ont subi quelques changements. Autrefois, lorsque l'écurie donnait encore plus de travail, seuls les vieux y venaient le premier jour et les jeunes seulement le lendemain. Aujourd'hui, c'est en famille qu'on s'y rend. Car c'est là qu'on y rencontre les amis, les parents ou simplement d'anciennes connaissances et que l'on se raconte ce qui s'est passé depuis l'année dernière. Mais à Musdorf également il y a encore des paysans qui, fidèles à la tradition, accueillent les visiteurs de la foire dans leur

attend a summer school there, present concerts and even operas; and there are always some who are suffering the pangs of love. They wander along the geometrically laid-out paths towards the orangery, in the mild air of the Tauber Valley, sad and lonely in an uncaring world. For not everything can be expressed in music, especially when the artist's heart is committed to other things. On closer inspection, the young man standing next to me proved to be from the region, if not directly from the land of Hohenlohe, because he said to me in a "High Swabian", and not a Hohenlohe accent: "That's what the women always say – that it's our fault, and not theirs!"

And then he blurted out his story. He had "met his fate" at Musdorf (near Rot am See) where an annual fair takes place which some people consider to be Germany's oldest. For centuries this Hohenlohe/Franconian fair has functioned as a marriage market under the auspices of Saint Burkhardt, Würzburg's first Bishop in the 8th century. The fair is an important occasion in the Hohenlohe year, even though some of the old customs connected with it have changed, for it is still the day when friends, relatives and drinking-companions meet to talk over the events of the past year. And there are still farmers in Musdorf who keep up the tradition of entertaining visitors to the market and fair at their own houses – in fact, the only real strangers are the stall owners and showmen, who come from far away to peddle their goods or services. Karl – as I discovered the young man next to

getan hat im vergangenen Jahr. Noch immer gibt es in Musdorf aber auch Bauern, die traditionsgemäß die Markt- und Festgäste selber auf ihrem Hof bewirten – fremd sind hier eigentlich nur die Händler und Schausteller, die von weiter her kommen.

Beim Vogeljakob war's, als der Karl aus Reutlingen das schwarzhaarige Lockenmädchen mit dem schönen Mund auf eine schon fast zudringliche Weise anstarrte. Der Vogeljakob, der seine Mundpfeifen vorführte, wußte schon, daß auf der Muswiese ein verständiges Publikum vor ihm stand, und ließ auch die Stimmen von selteneren Vögeln hören. Nur die Rohrammer, die pfiff er mit einem viel zu langen Schlenker vor. »Nein – ›zja‹ macht sie, ganz kurz!« korrigierte ihn Karl halblaut und mehr zu der schönen Nachbarin hin, weil er gemerkt hatte, daß ihr die Imitation auch nicht gefallen hatte.

Und von dem falschen Rohrammerschlenker an habe »ei Wort 's andere« gegeben – Karl erzählte mir seine Geschichte in jener typisch schwäbischen Verkürzung von Geschehnissen, die Außenstehende nichts angehen. Ich verstand aber, daß da etwas Ernsthaftes mit ihm passiert war. Der bitter-süße Blitz hatte ihn nur leider kurz vor einem dreimonatigen Aufenthalt in Amerika getroffen, und das Mädchen hatte offenbar nicht so recht glauben wollen an den Zwang dieser Reise. Jedenfalls hatte es eine Verstimmung gegeben, und sie war ihm schon am Tag darauf mitten im Trubel der Muswiese davongelaufen. Diese Margarete oder Marcharet, wie sie hier hieß,

ferme – en fait les seuls étrangers sont ici les marchands et les forains qui viennent de loin.

Karl – ainsi s'appelait le jeune homme à mes côtés – venait de Reutlingen et c'est en écoutant l'imitateur d'oiseaux qu'il avait découvert la jeune fille aux boucles noires et à la jolie bouche et qu'il l'avait dévisagée d'une façon presque indiscrète. L'imitateur qui faisait montre de ses talents savait trouver à Musdorf un public compréhensif et il imitait le chant d'oiseaux très rares. Mais celui du bruant des roseaux n'avait pas été bien réussi et Karl l'avait corrigé à mi-voix, plus pour la jolie voisine car il avait remarqué que l'imitation ne lui avait pas plu non plus.

Et de là la conversation s'était engagée. Karl me racontait son histoire de cette façon succincte, typique qu'ont les Souabes de relater des faits qui ne concernent pas les non-initiés. Mais je compris que l'affaire était sérieuse. Malheureusement c'est juste avant un séjour de trois mois en Amérique qu'il avait eu le coup de foudre et la jeune fille apparemment n'avait pas trop voulu croire à la nécessité de ce voyage.

En tout cas il y avait eu un malentendu et dès le lendemain elle s'était sauvée au milieu de l'agitation de la foire. Cette Margaret ou Marcharet, comme on dit ici, avait disparu, à croire qu'elle regrettait presque d'avoir fait sa connaissance. Et le pire: il ne savait pas où elle habitait. Elle avait certes son adresse à Reutlingen mais lui n'avait pas la sienne dans ce pays de Hohenlohe.

Et depuis cette rencontre franconienne, Karl passait par tous les tourments de l'amour.

me to be called – came from Reutlingen, and had discovered "his" girl at the fair. She had dark curly hair and voluptuous lips, and was listening to the spiel of one of the stallholders – the traditional "birdman", who sells whistles with which the song of various birds can be imitated. Knowing that he had a knowledgeable audience at the Musdorf Fair, the pedlar produced the calls of a few lesser-known birds. But his imitation of the reed bunting's call was evidently not up to scratch. "No – the 'tseek' is much shorter!" said Karl half aloud – a remark addressed more to his lovely neighbour than to the pedlar, because he had noticed that she also found the imitation rather poor.

And from the inaccurate reed bunting's 'tseek', one word led to another. Karl told me the story in the typical abbreviated form used by Swabians to describe events to outsiders, but it was clear to me that something serious had happened to him at the fair. Unfortunately, the bitter-sweet experience had occurred shortly before he was due to leave on a three-month trip to America, and he found it hard to convince the girl that his journey was really necessary. In any case, there was a disagreement, and she gave him the slip in the crowd on the second day of the fair. It seemed that Margaret – for that was her name – suddenly regretted having taken up with him. And the worst thing was that he did not know where she lived. She had his address in Reutlingen, but all he knew about her was that she lived somewhere in the Hohenlohe country.

war verschwunden, als ob es sie gereut hätte, sich mit ihm eingelassen zu haben. Und das schlimmste: Er wußte nicht, wo sie zu Hause war. Sie hatte zwar seine Adresse, aber er nicht die ihre im Hohenlohischen.

Karl schwankte nach dieser fränkischen Begegnung zwischen dem Himmel einer nur noch von Träumen genährten Liebe und der Hölle schrecklichster Eifersucht. Denn das Mädchen spielte mit ihm von da an wie die Katze mit der Maus. Sie schrieb ohne Absender kleine tändelnde Briefe »zur Weiterleitung nach Amerika«, doch sie verriet sich nicht. In den Wochen seiner vermutlichen Rückkehr hatte sie ihm allerdings ein Gedichtlein geschickt »… wo du mich finden kannst«. Das waren kunstlose Zeilen voll ornithologischer Rätsel: »Bussard, Reiher und Milan/ im Winter auch ein Rallen-Hahn/ fliegen, segeln oder schweben/ nahe meines Vaters Reben./ Stieglitz sitzt dort auf der Traube/ unter eines Rathaus' Haube!« Ein solches Suchrätsel habe sie ihm auch schon auf der Muswiese auf eine Serviette geschrieben, erzählte Karl und zog ein Papierläppchen aus der Brieftasche, auf dem stand: »Saumärkt, Kuhfleisch, Pfeiferhans/ Götzenhaus – wo steckst du, Gans?«

Ja, wo zwischen Mergentheim und Hall, zwischen Möckmühl und Crailsheim konnte dieses leichtfertige Mädchen stecken, das sich einen Spaß daraus machte, einen Verliebten hin und her zu schicken durch ihre schöne Heimat? Fast alle Lösungen, die mir einfielen, hatte Karl schon selbst herausbekommen. Aber sie halfen ihm nicht weiter.

Car la jeune fille s'était mise à jouer avec lui comme le chat avec la souris. Elle lui écrivait sans expéditeur sur un ton badin de petites lettres «à faire suivre en Amérique». Avant son retour présumé, elle lui avait même envoyé un petit poème «… où tu pourras me trouver». Quelques lignes qui composaient une véritable énigme ornithologique: «Buses, hérons et milans/ainsi que des râles en hiver/ vont en volant ou planant/autour des vignes de mon père./Des raisins ornent les murs de la mairie/et un chardonneret y chante aussi!» A Musdorf déjà, elle lui avait écrit une devinette de ce genre sur une serviette, me raconta Karl, et il sortit de son portefeuille un chiffon de papier sur lequel il y avait: «Marché aux cochons, viande de bœuf, Pfeiferhans,/maison de Götz, oie où es-tu?»

Où, entre Mergentheim et Hall, entre Möckmühl et Crailsheim, pouvait bien être cette jeune personne espiègle qui s'amusait à envoyer son amoureux à travers son beau pays? Karl avait déjà songé à toutes les solutions qui me venaient à l'esprit. Mais elles ne lui avaient été d'aucune utilité. Toutes les lettres avaient été postées à Schwäbisch Hall mais il n'y avait aucune famille du nom de la jeune fille. Les marchés aux cochons font partie des petites villes de Hohenlohe tout comme les nombreux châteaux; la viande de bœuf se mange partout dans les fermes; il existe plusieurs douzaines de maisons de Götz car la famille de Götz von Berlichingen est fort nombreuse. Tous les oiseaux cités et bien d'autres espèces encore vivent dans les nombreuses vallées et les prairies enchantées

Nur acht Monate lang hat Götz von Berlichingen als widerspenstiger Schüler bei seinem Vetter Conz von Neuenstein in Niedernhall gelebt.

Götz von Berlichingen n'a passé que huit mois chez son cousin Conz von Neuenstein à Niedernhall où il fut un élève indocile.

Götz von Berlichingen lived in this house in Niedernhall for eight months as a reluctant schoolboy.

Die Briefe kamen alle aus Schwäbisch Hall, doch dort gab es keine Familie mit dem Namen des Mädchens. Saumärkte gehören zu Hohenlohes Kleinstädten wie die vielen Schlösser; Kuhfleisch ist ein überall übliches Essen auf den Höfen; Götzenhäuser im weitesten Sinn gibt es mehrere Dutzend, denn des Götz von Berlichingen Familie lebt noch und ist groß. Desgleichen fliegen in den vielen verwunschenen Tälern und Flußauen Hohenlohes alle zitierten und noch viel mehr Vogelarten herum, und weinumsponnene Rathäuser gibt's genug.

Was vielleicht weiterhelfen konnte, war der Pfeiferhänsle, doch dieser Schweinehirt und Sozialrevolutionär war ja in Niklashausen, im schon mainfränkischen Taubertal daheim gewesen. In Hohenlohe war er allerdings zu einer Symbolfigur der Gerechtigkeit unter den Menschen geworden, doch war für ihn schon der Bischof von Würzburg zuständig gewesen, und der hatte ihn auch verbrannt, fünfzig Jahre vor dem Bauernkrieg. Nein, diese Spur führte zwar tief in die Geschichte Hohenlohes, aber nicht zu dieser Marcharet.

Jetzt konnte der sehnsüchtig umherirrende Verehrer nur noch auf die sprichwörtliche hohenlohische Verwandschaft hoffen. Um sich die vorzustellen, sei zitiert, was ein Haller Genealoge über den Stuttgarter Verleger Hallberger herausgebracht hat, dessen Familie schon im 14. Jahrhundert zu den in Hall so angesehenen Salzsiedern gehört hatte. Ihr 1879 in Stuttgart gestorbener Nachfahre war weitläufig verwandt mit Schiller, Goethe, Hölderlin, Mörike, Hauff, Wieland, Uhland,

de Hohenlohe et il y a suffisamment de mairies ornées de vignes.

Ce qui pouvait peut-être nous aider, c'était le Pfeiferhans. Mais si c'est dans la région de Hohenlohe que ce porcher et révolutionnaire social est devenu un symbole de justice, sa patrie est Niklashausen dans la vallée de la Tauber. Et c'est sur les ordres de l'évêque de Wurtzbourg qu'il a été brûlé, cinquante ans avant la guerre des paysans. Non, cette trace remontait certes fort loin dans l'histoire de Hohenlohe mais pas à cette Margaret. Notre soupirant errant ne pouvait plus maintenant qu'espérer en la parenté proverbiale dans la région de Hohenlohe. Pour s'en faire une idée, il faut citer ce qu'un généalogue de Hall a publié sur Hallberger, l'éditeur de Stuttgart dont la famille faisait déjà partie au 14e siècle des marchands de sel si considérés à Hall. Leur descendant, l'éditeur qui est mort en 1879 à Stuttgart, avait une lointaine parenté avec Schiller, Goethe, Hölderlin, Mörike, Hauff, Wieland, Uhland, Büchner, Hegel, Schelling et Clemens von Brentano. Et la liste ne s'arrêtait pas à ces poètes et philosophes d'origine souabe-franconienne, elle s'étendait bien au-delà des frontières de Hohenlohe avec des noms comme ceux de Karl Liebknecht et Charles de Gaulle, Otto von Bismarck et Ernst Reuter.

Avoir des parents dans la Hohenlohe veut donc dire que l'on ne peut pas se cacher. Et cela s'applique aussi bien aux familles princières du pays qui sont parentes avec presque toutes les grandes maisons d'Europe qu'au commun des mortels. Aussi celui qui cherche

After this encounter, Karl was torn between dreams of idyllic love and jealous despair, because the girl began to play cat-and-mouse with him. She started writing short, teasing letters with "Please forward to America" written on the envelope, but she did not give herself away. A couple of weeks after she could assume that he had returned from the States, however, she did write him a letter in verse describing "where you can find me" in the form of an onithological riddle. "Buzzards, herons, even kites,/ and owls in the winter nights,/fly, glide, or swoop at times/ above and round my father's vines./ Grapes adorn the Town Hall walls/ and there a goldfinch pecks and calls." She had already written him a riddle on a paper napkin at the fair, said Karl, and pulled a crumpled piece of paper out of his pocket. On it was written: "Pig market, red beef, Pfeiferhans/ Götz's house – that's the place to call the banns!"

Where on earth – or on that patch of earth – between Mergentheim and Hall, Möckmühl and Crailsheim, could this girl live? Nearly all the ideas I produced had already been thought of by Karl, and had got him nowhere except to some charming places in that pretty corner of the world.

The letters had all been posted in Schwäbisch Hall, but there was no family of the girl's name living there. Pig markets are common enough in the Hohenlohe country, beef is eaten everywhere, and buildings that could be described as "Götz's house" abound, as the Götz von Berlichingen family, renowned at least since Goethe named a play after one of

Die Hohenloher Weine sind Raritäten. Auch wenn gelegentlich die Fröste einen Teil der Ernte vernichten, so gibt es doch in guten Jahren sogar Beerenauslesen. Bodenständig ist alles, was hier mit dem Wein zusammenhängt, so auch Bacchus zu Füßen des Pfedelbacher Fasses. Und weil die Hohenloher kein Fest auslassen, kommen sie auch in Scharen zum Backofenfest in Schönenberg.

Les vins de Hohenlohe sont des raretés. Même si les gelées détruisent parfois une partie de la récolte, les bonnes années il peut y avoir de grandes cuvées. Est du terroir tout ce qui a trait au vin comme ce Bacchus au pied du tonneau de Pfedelbach. Les gens de Hohenlohe festoient volontiers, aussi viennent-ils en foule à la fête du four à Schönenberg.

The Hohenlohe wines are sought-after rarities. Although frost is a perennial problem, good years even produce a "Beerenauslese" – a special category of wine from selected grapes. The popularity of wine is reflected in local arts and crafts, as here in the figure of Bacchus at the foot of the great wine barrel in Pfedelbach. And because the Hohenlohe people never miss a chance to celebrate, they also flock to the Bakery Festival at Schönenberg.

Büchner, Hegel, Schelling und Clemens von Brentano. Und nicht genug der schwäbisch-fränkisch verwurzelten Dichterköpfe, auch die gewiß hohenlohe-fernen Ahnen von Karl Liebknecht und Charles de Gaulle, Otto von Bismarck und Ernst Reuter gehörten zur weiteren Verwandtschaft.

Hohenlohisch verwandt zu sein, bedeutet also, sich nicht verstecken zu können. Was für die fürstlichen Familien des Landes gilt, nämlich die Verwandtschaft mit fast allen Standesgenossen in Europa, gilt auch für die Bürgerschaft. Sie ist nicht minder verschwägert und versippt untereinander. Und auf jeden Fall trifft hier ein jeder, der jemand sucht, auf jemand, der mindestens jemand kennt, der den- oder diejenigen kennen müßte, die gesucht werden. Diese Auskunft wird sogar überaus freudig gegeben, denn das fremde, kalte Städterwesen, bei dem die Leute auf der Straße aneinander vorbeigucken, ist hier der Ausdruck der gröbsten Unhöflichkeit.

Außerdem sind die Hohenloher die geborenen Weiterschicker. Sie möchten immer helfen, doch sie möchten zugleich nicht so direkt zugeben, daß ihnen ein Platz, ein Name, eine Familie unbekannt sind. Also schicken sie den Frager als übereifrige Helfer mit dem freundlichsten Lächeln von Pontius zu Pilatus.

Natürlich redet man mit Fremden ganz besonders gern, damit man erfährt, was sie hier zu tun haben. Da ist aber auch Anteilnahme dabei. Des Mitmenschen Sorgen zählen hier noch, vor allem, wenn sie mit der

quelqu'un ici rencontre-t-il toujours quelqu'un qui à tout le moins connaît l'une ou l'autre personne qui devrait connaître celui ou celle que l'on cherche. Et de surcroît ces renseignements sont donnés fort aimablement car la réserve dont font preuve les gens de la ville qui passent pour ne pas même connaître leurs voisins est ici la marque de la plus grande impolitesse.

En outre, les gens de Hohenlohe excellent à vous renvoyer de l'un à l'autre. Ils veulent toujours vous aider mais en même temps n'aiment guère reconnaître que telle place, tel nom ou telle famille leur sont inconnus. Et c'est avec le sourire le plus aimable qu'ils vous renvoient de Caïphe à Pilate.

Ils parlent volontiers aux étrangers – car c'est ainsi que l'on apprend ce qu'ils font dans le coin – mais il y a également une bonne part de sollicitude dans cette attitude. Ici on s'inquiète encore des soucis de son prochain et surtout s'ils devaient concerner les voisins.

En cherchant bien, on devrait donc pouvoir trouver cette Margaret.

Je dois reconnaître que ce jour-là j'avais déjà pris un verre de bon matin et, à ce qu'il me semblait, Karl avait également essayé de noyer ses soucis dans un ou deux quarts de cet excellent vin blanc du pays appelé «Weikersheimer Schmecker». Quoiqu'il en soit, Karl contemplait la figure en grès de la dame d'honneur en quête de son prétendant et se livrait à des commentaires amers sur cette Margaret rencontrée à la foire de Musdorf et qui l'avait attiré à Weikersheim.

Son cas était vraiment grave et je le poussais

their famous ancestors, is widely disseminated. The kinds of birds mentioned, and many more, are to be met with everywhere in the many enchanting valleys and meadows of the region, and there are plenty of town halls overgrown with vines.

The name Pfeiferhans might have provided a clue, but although that swineherd and social revolutionary is regarded as a symbol of justice in the Hohenlohe region, he had lived at Niklashausen, further down the Tauber Valley. He had been burnt at the stake for his beliefs by the Bishop of Würzburg thirty years before the Peasants' War of 1524–25. No, this clue certainly led far back into Hohenlohe history – but not to Karl's beloved Margaret.

So the poor, unhappy lad was left with only one hope – the proverbially far-flung and yet close-knit character of Hohenlohe families. In order to make this point clear, it is only necessary to mention what a genealogist from Schwäbisch Hall discovered about the Stuttgart publisher Hallberger, whose family had been respected salt-works owners in Hall right back in the 14th century. Their descendant, the publisher, who died in 1879, was found to be distantly related to Schiller, Goethe, Hölderlin, Mörike, Hauff, Wieland, Uhland, Büchner, Hegel, Schelling, and Clemens von Brentano. And the list did not stop at these poets and philosophers of Swabian-Franconian origin, but went far beyond the Hohenlohe boundaries to include such names as Karl Liebknecht, Charles de Gaulle, Otto von Bismarck, and Ernst Reuter.

Nachbarschaft zusammenhängen könnten – mit viel Herumfragen müßte die Marcharet also wirklich zu finden sein!

Ich muß gestehen, daß ich damals in Weikersheim schon einen Morgentrunk hinter mir hatte, und wie mir schien, hatte auch Karl seine Sehnsucht schon mit einem oder gar mit zwei Viertel des rassigen weißen »Weikersheimer Schmecker« ein bißchen zu dämpfen versucht.

Karl starrte jedenfalls das gnomenhafte Hoffräulein aus Sandstein an, das da nach einem Freier ausschaute, und spottete in einem Anfall der wütendsten Enttäuschung über das gar zu große Zutrauen dieser Muswiesen-Marcharet, die ihn hierher locke und sich nicht einmal vergewissere, ob er auch wirklich nach ihr suche.

Sein Fall war wirklich schlimm, und ich zog ihn schnell zu den anderen Figuren dieses Zwergen-Hofstaates, der von Angehörigen der berühmten Künzelsauer Bildhauerfamilie Sommer im Geiste des frühbarocken französischen Radierers Jacques Callot in Stein gehauen worden ist. Es sollten die Karikaturen der Hofbediensteten des baufröhlichen Grafen Carl Ludwig (1674–1756) sein, dem wir Nachfahren wahrscheinlich mehr Vergnügen verdanken als seine Untertanen, die den teuren Schloßausbau und diesen herrlichen Garten hatten bezahlen müssen. Zur Figur des Faulpelz, zum Küchen- und Kellermeister (dem haben sie angedichtet: »Alte Weine, junge Weiber sind ihm die liebsten Zeitvertreiber«) und zum Hofnarren habe ich den jungen Mann geführt, und das

vers les autres figures de ce groupe de nains que taillèrent dans la pierre des membres de la célèbre famille de sculpteurs de Künzelsau, les Sommer, à la manière du graveur français du début du baroque, Jacques Callot. Ce sont, dit-on, les caricatures des serviteurs de la cour du comte Carl Ludwig (1674–1756), un bâtisseur passionné que nous apprécions certainement plus que n'ont dû le faire ses sujets, contraints qu'ils étaient de payer les agrandissements fastueux et le merveilleux jardin du château. Je montrais au jeune homme la statue du paresseux, du chef des cuisines et de la cave («Du bon vin et de jolies filles: voilà ce qu'il faut à notre joyeux drille!») et celle du fou de la cour et cela le dérida. A l'intérieur du château, dans la salle des chevaliers, si vous levez la tête pour regarder le haut plafond dont les peintures datent de 1602, vous verrez également un autre fou de la cour. Vêtu d'un habit rouge, ce fou se soulage derrière un buisson. La légende veut que ce portrait incongru constitue la revanche du peintre Balthasar Katzenberger sur le fou de la cour qui l'avait constamment taquiné et dérangé alors qu'il travaillait à la décoration de ce splendide plafond à caissons. En secret, le peintre aurait inclus ce petit portrait dans une des nombreuses scènes de chasse et lorsque l'on s'en aperçut, le fou eut beau tempêter, c'était trop tard. On n'était pas prude à l'époque à la cour surtout lorsque les plaisanteries se faisaient aux dépens du fou, le seul domestique autorisé à taquiner les maîtres.

Le fou en pierre dans le jardin de Weikersheim a une étrange allure. Il est représenté

This means, in fact, that if you have Hohenlohe relations you cannot very well hide – and this applies not only to the aristocratic families of the region, who are related to almost all of the noble houses of Europe, but also to the ordinary citizen. And the result is that anyone who is looking for someone is bound to come across someone or other who at least knows someone who is likely to know the person being sought. And, moreover, the information required is given gladly, for the ice-cold reserve of the urban population, where the tradition is to know nothing of your neighbour, is considered in Hohenlohe Land to be extremely impolite.

Furthermore, the Hohenlohe people are great at passing you on. They always want to help, and at the same time do not like to admit that they really do not know the place, the name, or the family in question, so they keep you moving from pillar to post.

They particularly like to talk to strangers – partly in order to discover what they are doing in the area, but also out of kindness. Other people's troubles are still taken seriously here, particularly if they might concern one's neighbours – so by dint of persistent questioning, Margaret really should be findable.

I must admit that on that day I had already taken a morning glass, and it seemed to me that Karl, too, had made an effort to drown his sorrows in more than one glass of the excellent local wine called "Weikersheimer Schmecker". In any case, he stared at the sandstone figure of the gnome-like Lady-in-Waiting eternally in search of her suitor, and

Auf einer Rampentreppe konnten die Weikersheimer Schloßherren in ihren Rittersaal reiten, den sie sich haben von
Elias Gunzenhäuser einrichten lassen. Diesen Baumeister
hatte der Hohenloher Graf Wolfgang II. vom Herzog von
Württemberg ausgeliehen, damit er ihm einen hohen Festsaal mit Kassettendecke baue, der den Glanz seines Hauses
all seinen Gästen sichtbar mache. Aus der Zeit um 1600
gibt es kaum einen Saal, der so gut erhalten geblieben ist
bis zu den Reliefs der Türkenschlachten auf den Portalen
und den in den Saal hineinragenden Jagdtieren. Das
fremde Getier, das sich hier eingeschlichen hat, ist freilich
nicht immer ganz naturgetreu geraten. Die Maler und Kalk-
schneider dieser Zeit mußten sich da auf die Zeichnungen
von Weltreisenden verlassen, die selber nicht ganz sattel-
fest waren.

Les seigneurs de Weikersheim pouvaient entrer à cheval
dans la salle des chevaliers par un escalier à rampe qu'ils
avaient fait aménager par Elias Gunzenhäuser. Cet architecte avait été prêté par le duc de Wurtemberg au comte
Wolfgang II de Hohenlohe afin qu'il lui construise une
imposante salle des fêtes avec un plafond à caissons qui
témoignerait devant tous ses hôtes de la splendeur de sa

maison. De cette époque (vers 1600) il n'y a guère de salle
qui soit aussi bien conservée que celle-ci. Elle a gardé jusqu'aux reliefs représentant les batailles contre les Turcs
qui ornent les portails et aux sculptures de gros gibier qui
surplombent la salle. La reproduction des animaux étrangers qui se sont introduits ici n'est évidemment pas toujours très fidèle. Les peintres et sculpteurs de cette époque
devaient s'en remettre à des dessins de voyageurs qui eux-
mêmes n'étaient pas très exacts.

The counts of Weikersheim could ride up a ramp into the
Great Hall designed by Elias Gunzenhäuser. Count Wolfgang II of Hohenlohe "borrowed" Gunzenhäuser from the
Duke of Württemberg to build a hall with a high, coffered
ceiling which would demonstrate the glory of his family to
all its guests. There is scarcely any other hall of this period
around 1600 which is so well preserved in all its details: the
reliefs above the doorways depicting the wars against the
Turks, and the figures of various kinds of game projecting
into the room. The portraits of the more exotic animals are
not always anatomically correct – but then, the painters and
stuccoers of the period depended on drawings brought
back by travellers which were also not totally reliable.

hat ihn aufgeheitert. Ist doch auch im Ritter-saal drinnen im Weikersheimer Schloß solch ein Hofnarrengnom zu sehen, wenn man das Kinn hochreckt und zur zweistockwerk-hohen Bilderdecke aus dem Jahre 1602 hinaufstarrt. Dieser Hofnarr im roten Röck-lein tut allerdings etwas recht Unziemliches in so feiner Hofgesellschaft: Er entleert sich hinter einem Busch. Dieses Konterfei soll der Narr dem Balthasar Katzenberger zu verdan-ken haben, dem Maler aus Würzburg, den er ständig gefoppt und geärgert hatte bei seiner Arbeit an dieser herrlichen Kassettendecke. Ganz heimlich soll der Maler dann dieses Bildlein in eine der vielen Jagdszenen ein-gefügt haben, und als er erst einmal droben zu sehen war, da half dem Narren kein Schimpfen mehr. Man war damals nicht zimperlich an den Höfen, vor allem nicht, wenn es auf Kosten des Narren ging, des einzigen Domestiken, der sticheln durfte gegen die Herrschaft.

Der steinerne Narr im Weikersheimer Garten sieht besonders eigenartig aus. Er steht würdevoll da, als ob er einen Kapuzenrock aus Pelz trüge, und wirkt gar nicht närrisch – eher wie ein verkleidetes Heinzelmännchen. Da kann man sich gut vorstellen, wie dieses Männlein dem überheblichen Burschen rausgibt, der neben ihm mit aufgestütztem Kopf faul und selbstzufrieden das Treiben im Hofgarten beobachtet. Das ist so recht der satte, nichtsnutzige Höfling, der sich her-kunftsstolz auch noch lustig macht über die armen Schlucker, die sich für ihn abplagen müssen.

dans une pose très digne comme s'il portait un mantelet à capuchon de fourrure et n'a pas du tout l'air d'un fou, plutôt d'un petit nain déguisé. On s'imagine aisément comment ce petit homme peut remettre à sa place son arrogant voisin, un courtisan paresseux, per-sonnage repu, fat et inutile et qui de surcroît se moque des pauvres individus qui doivent s'échiner pour lui. «Eh, fou» semble-t-il glapir «ne reste donc pas là à faire l'important! Le comte t'a appelé pour lui essuyer le derrière!» Ce à quoi le fou répondra «J'y cours! Le comte veut te donner le papier à lire ensuite!» Oh, mais qu'est-ce que c'était? Juste au moment où nous nous imaginions la scène, nous reçûmes chacun un petit coup par derrière sur la tête. Nous nous retournâmes mais il n'y avait personne derrière nous. Le paresseux était toujours appuyé sur sa canne et regardait fixement le jardin. Il me semblait que, comme nous, il fixait la lumière éblouissante de la val-lée de la Tauber avec des yeux que le Riesling avait rendus plus brillants. C'était donc une illusion? Non, car maintenant quelqu'un nous poussait dans le dos!

Et encore une fois il n'y avait personne der-rière nous. J'avais maintenant l'impression que le bouffon venait de retirer sa canne alors que nous tournions la tête vers lui. Ces per-sonnages semblaient irrités. Etre là pendant des siècles à incarner sa propre caricature n'est certainement amusant que pour le spec-tateur. Et les moqueurs et les bouffons profes-sionels comme les fous de la cour n'appré-cient nullement qu'on rie à leurs dépens, sur-tout lorsqu'ils font partie d'une maison prin-

commented bitterly on this over-confident Musdorf Fair Margaret, who had enticed him to Weikersheim and did not even take the trouble to find out whether he really was looking for her or not. He was in a bad way, and I drew him across to the other figures of this grotesque company of dwarfs which were created by members of the famous family of sculptors called Sommer, from Künzelsau, in the spirit of the early-Baroque French etcher Jacques Callot. They are said to be caricatures of the court officials of Count Carl Ludwig (1674–1756), a keen builder to whom we are probably more grateful than were his subjects, who had to finance their lord's architectural ambitions and this wonderful garden. I took the young man Karl to look at the figure of the Sluggard, the Master of the Kitchens and Cel-lar ("An old wine or a young girl: both can set him in a whirl!"), and then to the Court Jester, and that cheered him up a bit. Inside the palace, if you twist your neck to look up at the lofty ceiling of the Great Hall, you can see another gnome-like Court Jester. He was incorporated in the ceiling painting of 1602. Dressed in a red coat, he is depicted relieving himself behind a bush. Legend has it that this unseemly portrait was the painter Balthasar Katzenberger's revenge on the Court Jester for having constantly teased and annoyed him while he was engaged in the difficult task of painting this wonderful coffered ceiling. The painter is said to have secretly included this little figure in one of the many hunting scenes, and once it was revealed there was nothing the Jester could do about it. Prudishness was

»He, Narr!« scheint der zu quäken, »steh nicht so rum, als ob du hier was zu sagen hättest! Der Graf hat gerufen, du sollst ihm den Hintern putzen!« Da wird der Narr dann replizieren: »Ich eile! Der Graf will dir das Papier ja dann zum Vorlesen geben!«
Oh – was war das? Gerade als wir uns das vorstellten, bekamen wir beide von hinten einen Schlag auf den Kopf. Wir fuhren herum, doch da war niemand hinter uns. Der Faulpelz lehnte nach wie vor stumm und starr auf seinem Krückstock und stierte in den Garten. Mir schien, er guckte ebenso wie wir mit rieslingverklärten Augen in das flirrende Taubertal-Licht. Also war's doch eine Täuschung gewesen? Nein – denn jetzt stupfte uns jemand von hinten ins Kreuz!
Und wieder war niemand hinter uns. Mir schien nur, als ob der Hofnarr gerade noch seinen langen Stock eingezogen habe, als wir uns rasch nach ihm umgedreht hatten. Die Herrschaften schienen erbost zu sein. Jahrhundertelang als seine eigene Karikatur herumstehen zu müssen, ist wohl nur für die Zuschauer lustig. Und Spötter wie die Hofnarren, die sogar beamtete Spötter sind, mögen es offenbar am allerwenigsten, wenn man sie auslacht. Vor allem nicht, wenn sie fürstlich-hohenlohische Hofgartenzwerge sind und sichtlich die amtlichen Ahnen all der vielen Schlitzohren, die heute nach ihrer eigenen Aussage dieses Land beleben.
Die Hohenloher jeglichen Geblütes pflegen nämlich ihren Ruf, sie seien Leute, die anderen gern einen Streich im Guten spielen, aber auch selber etwas einstecken können.

Von den vielen heimischen Handwerker-Künstlern, die am Weikersheimer Schloß mitgearbeitet haben, sind die buntesten Geschichten erhalten. So etwa die vom Hofnarren, der den Maler auf dem Gerüst unter der Decke so lang geärgert habe, bis ihn der in äußerst unziemlicher Stellung konterfeit habe.

Les histoires les plus diverses courent sur les nombreux artistes et artisans locaux qui ont travaillé au château de Weikersheim. Ainsi celle du fou de la cour qui a tant agacé le peintre sur l'échafaudage sous le plafond que celui-ci l'a représenté dans une pose des plus inconvenantes.

Colourful stories about the local craftsmen who worked on Weikersheim Palace still abound. One of them concerns the ceiling painter who was constantly teased by the Court Fool. To revenge himself he painted this unseemly portrait of the Fool relieving himself.

19

Schwaben behaupten das zwar auch von sich, aber sie stecken ungern die Antworten auf ihre Streiche ein. Mir schien deswegen, daß sich diese hohenlohisch-fränkischen Gnomen nicht allzusehr von ihren Nachbarn im Süden unterschieden. Denn so arg hätten sie ja wirklich nicht zuhauen brauchen!

cière comme celle des Hohenlohe et sont de toute évidence les ancêtres officiels des nombreux espiègles qui avouent habiter encore cette région. Car les habitants de ce pays se vantent d'être gens à jouer des tours et à ne pas se fâcher si on leur en joue. Les Souabes s'en vantent également mais il faut reconnaître qu'ils n'acceptent pas si volontiers les taquineries. Aussi me semblait-il que ces nains franconiens de Hohenlohe ne se différenciaient guère de leurs voisins souabes du Sud car ils n'auraient vraiment pas dû nous taper si fort!

not a feature of court life in those days, and a joke against the Court Jester, who was the only domestic servant with the licence to tease his masters, was always welcome.
It is easy to imagine how this little man could put the arrogant fellow next to him in his place: a vain, over-fed, self-satisfied Courtier, lazily watching the activities in the garden, and sarcastically commenting on the people who have to slave to make his life carefree and comfortable.
"Heh, Fool", he seems to bray, "don't just stand around trying to look important! The Count has called for you to wipe his bottom!" To which the Jester will reply: "I hasten to obey! The Count intends to give you the paper afterwards to read aloud from!" Oh – what was that? Just as we were imagining the scene, we both received a blow on the head. We whirled round, but there was no one behind us. The Sluggard was still standing leaning on his stick and staring into the garden. It seemed to me that, like us, he was staring into the shimmering light of the Tauber Valley with eyes slightly starry from the local wine. So it was just imagination? But no – because now someone nudged us in the back!
And again there was no one there. I was almost certain I caught a slight movement as if the Jester had just withdrawn his long stick. On closer inspection, the figures seemed to wear annoyed expressions which is not surprising, for to have to stand there for centuries as a caricature of oneself can really be amusing only for the onlookers.

# Bauern und Fürsten

Wer im Hohenlohischen unterwegs ist, wandert von Adelssitz zu Adelssitz. Von außen her betrachtet ist dieses Land noch immer ein fürstlich-gräflich-freiherrlich beherrschtes Land. Auch wenn der Wanderer keinem einzigen Nachkommen der alten Familien begegnet, so erfährt er doch, daß allein die Bauten der alten Grundherren die Geschichte Hohenlohes souverän repräsentieren. Ihre Archive gar bergen die Landesgeschichte schlechthin.
Schlösser und Burgen sind heutzutage allerdings nur mit großem Aufwand zu pflegen und zu erhalten. Da ist es ein Glück, daß die alten Familien mindestens in der zweiten Hälfte dieses Jahrhunderts mit den steigenden Löhnen für Gärtner und Zofen, für Köche und Diener gelernt haben, gut bürgerlich zu wirtschaften. Und ein Glück ist es auch für viele von ihnen, daß die ehemaligen Untertanen bildungsbeflissen bereit sind, gegen einen Obolus in Filzpantoffeln durch die Prunkräume der Schlösser zu rutschen, in denen die Schloßherren sehr oft in einem Seitenflügel zusammengerückt sind. Durch die Besucher verzinst sich das alte Porzellan samt den Lüstern, Spiegeln und Möbeln, samt dem Stuck, den Waffen und den alten Uniformen weit besser, als wenn alle von den Ahnen der Schloßherren auf Kosten der Ahnen der Besucher erworbenen Schätze heute verkauft würden. Viele der schönen alten Burgen und Schlösser in Hohenlohe sind heute auch schon im Allgemeinbesitz, und die restlichen werden mit großen staatlichen Zuschüssen innen und

# Paysans et princes

Quiconque voyage dans le pays de Hohenlohe rencontre une succession de maisons nobles de sorte qu'il a l'impression que cette région est encore gouvernée par des princes, des comtes et des barons. Même si le voyageur ne rencontre aucun descendant des anciennes familles, il se rend compte néanmoins que les anciens édifices représentent à eux seuls l'histoire de Hohenlohe et que leurs archives en contiennent l'essence.
De nos jours cependant, les châteaux ne peuvent être entretenus qu'à grands frais. Et il est heureux que compte tenu de l'augmentation des salaires des jardiniers et des femmes de chambre, des cuisiniers et des valets, les vieilles familles aient développé, du moins dans la seconde moitié du siècle, certains talents bourgeois de gestion. Il est également heureux pour elles que leurs anciens sujets portent suffisamment d'intérêt à l'histoire et à la culture pour accepter de payer le plaisir de glisser sur des patins de feutre à travers les salles d'apparat des châteaux très souvent délaissées par leur propriétaire au profit d'une aile plus petite.
En attirant des visiteurs payants, la vieille porcelaine, les lustres, les glaces et les meubles, les stucs, les armes et les uniformes contribuent à entretenir les demeures bien mieux que si les descendants des nobles qui ont acquis ces trésors aux frais des ancêtres des visiteurs se mettaient à les vendre.
Nombre de vieux châteaux de Hohenlohe sont aujourd'hui propriété publique et les autres sont conservés grâce à d'importantes subventions de l'Etat. La Hohenlohe est

# Peasants and princes

Anyone travelling in Hohenlohe Land comes across a succession of great houses, so that it still makes the impression of being ruled by princes, counts, and barons. Even if the traveller does not meet a single descendant of the old aristocratic families, it nevertheless becomes clear to him that the old buildings alone convincingly represent Hohenlohe's history, and that their libraries and archives contain its essence.
Nowadays, however, the cost of keeping up old palaces and castles in astronomical. It is therefore fortunate, in view of ever-increasing wages for gardeners and chambermaids, cooks and footmen, that, in the second half of this century at least, the old families have developed a variety of bourgeois commercial skills. It is also fortunate for them that their former subjects take sufficient interest in history and culture to be prepared to pay for the pleasure of sliding in felt slippers through the magnificent state rooms which, more often than not, have been deserted by the owners in favour of one "small" wing of the house. By attracting paying visitors, the old porcelain, chandeliers, mirrors and furniture, the stucco, weapons and uniforms contribute towards the upkeep of the houses much more effectively than if the descendants of the nobility – who acquired these treasures at the expense of the forefathers of the present visitors – were to sell them outright.
Many of the old castles and palaces of Hohenlohe Land are now in state hands, and the others are preserved with the aid of large state subsidies. Consequently, the region is very

außen instand gehalten. So ist Hohenlohe ein wahrhaft sehenswertes Schlösser- und Burgenland geblieben – kaum angegriffen vom letzten Krieg, der anderswo die Mauern und Dächer aus prunkvolleren Jahrhunderten zerstört hat, und noch kaum berührt vom Verkehr und von den glattwandigen Architekturmoden unserer Zeit.

Zur sozialen und geschichtlichen Situation des Landes während der vergangenen tausend Jahre gehören aber ebenso die Freien Reichsstädte Hall und Rothenburg. Dort ist bis heute zu erleben, was die Bürgerschaft bewegen konnte, wenn sie sich nur einigermaßen regen durfte. Regen im Stile des jeweiligen Zeitgeistes selbstverständlich. Denn die Hierarchie von Hall oder Rothenburg war genauso streng geordnet wie die in den Residenzstädten ringsum. Für jeden Stand, vom Stadtadel der alten Geschlechter bis zu den unehrlichen Berufen, galten ebenso feste und von den Stadtknechten überwachte Kleiderordnungen wie an den Höfen. Im Historiengewölbe im Rothenburger Rathaus werden die ersten drei Stände mit lebensgroßen Puppen vorgeführt. Die Beamten stehen sogar vor ihren riesigen Aktenschränken. Auch Rothenburg war ja,

restée ainsi une région de châteaux très intéressante que la dernière guerre n'a guère touchée et qui n'est pas encore gâchée par le trafic et l'architecture aux façades lisses qui caractérise notre époque.

La situation sociale et historique du pays au cours du dernier millénaire a également été très influencée par les deux villes libres impériales de la région: Hall et Rothenburg. Aujourd'hui encore on peut imaginer ce qui occupait autrefois l'esprit de leurs habitants. Ceux-ci étaient certes prisonniers de leur époque car la hiérarchie de Hall ou Rothenburg était tout aussi stricte que celle des villes seigneuriales des alentours. Chaque classe de la société, des anciennes familles patriciennes jusqu'aux métiers déshonorants, était régie par des règles concernant par exemple l'habillement, qui étaient aussi strictes qu'à n'importe quelle cour et que surveillaient les officiers municipaux. Sous les voûtes historiques de l'hôtel de ville de Rothenburg, les trois premières classes de citoyens sont représentées par des poupées grandeur nature. Les officiers municipaux sont même postés devant leurs armoires à dossiers. Comme Hall, Rothenburg était un Etat en miniature. Les fermes, les

Ein nach wie vor privates adliges Refugium ist das Schlößchen Meßbach bei Dörzbach, eine dörfliche Idylle aus Schloß, Rokoko-Kirche, Park und See inmitten der ansehnlichen Bauernhäuser.

Le petit château de Messbach près de Dörzbach, un noble refuge particulier qui compose une idylle pastorale avec l'église rococo, le parc et le lac au milieu de belles maisons paysannes.

The little castle of Messbach, near Dörzbach, still in private hands, in its idyllic village setting with Rococo church, park, lake, and imposing farmhouses.

wie Hall, ein eigenes Staatswesen. Zur Stadt gehörten Höfe, Weiler und Dörfer, und diese mußten verwaltet werden. Und zwar nach dem städtischen Recht, das die Reichsstädte den Kaisern meist stückweise, nämlich Rechtstitel um Rechtstitel, abgekauft hatten, wenn die Herrscher wieder einmal in Geldnot waren. Um Rothenburg und Hall wurde deshalb auch eine sichtbare Rechtsgrenze gezogen, die Landhege. Bis heute liegen die ehemals rothenburgischen Dörfer »in der Landwehr«. Nördlich von Rot am See ist die Rothenburger Landhege noch kilometerweit abzuwandern. Dort, wo einst die Wächter auf einem Wall zwischen zwei Gräben ritten, führt jetzt ein Wanderweg des Schwäbischen Albvereins, der längst auch das Hohenloher Land für jene erschlossen hat, die im besten Sinne Heimatfreunde sind – weil sie nämlich mehr wissen wollen über ihre Heimat. Die Gräben der Landhege waren zwar ein Hindernis, aber von keinem militärischen Wert. Viel mehr sollten sie jedem, der sie überschritt, deutlich machen, daß er jetzt auf eine andere Ordnung zu achten hatte. Und nochmals: Dieses Wörtchen »andere« ist mit damaligen Augen zu lesen und nicht mit romantisch verklärtem Hans-Sachs-Blick durch die Butzenscheiben. Auch in Rothenburg oder Hall lebten vor allem Untertanen. Nicht umsonst steht noch heute an einem Rothenburger Hausgiebel: »Blech zu schneiden, biedere Kunst/ Blech zu reden, Herrengunst.« Herren gab es in den Städten so viele wie auf dem Land, die in der Stadt waren allerdings nur als eine Gruppe von

hameaux et les villages qui appartenaient à la ville devaient être administrés – et ceci d'après la législation municipale établie sur des droits que les villes impériales avaient achetés petit à petit aux empereurs lorsque ceux-ci étaient à cours d'argent. Rothenburg et Hall avaient marqué la limite de leur juridiction en construisant des murs et au nord de Rot am See on peut encore suivre le tracé de l'ancien mur de Rothenburg à travers la campagne pendant des kilomètres. Là où autrefois des gardiens allaient à cheval sur un rempart entre deux fossés, il y a maintenant un chemin de randonnée entretenu par l'Association du Jura souabe qui depuis longtemps a mis en valeur la région de Hohenlohe pour ceux qui s'intéressent à l'histoire locale. Les fossés de démarcation étaient certes un obstacle mais n'avaient aucune valeur militaire. Leur fonction essentielle était de prévenir quiconque les franchissait qu'il avait à respecter d'autres règlements. Mais il faut lire cet adjectif «autres» avec les yeux de l'époque et ne pas lui donner une nuance romantique car à Rothenburg et à Hall les habitants étaient surtout des sujets. Et ce n'est pas pour rien que l'on peut lire au fronton d'une maison de Rothenburg une sentence qui incitait à l'obéissance à l'égard des seigneurs. Dans les villes, il y avait autant de seigneurs qu'à la campagne. Mais ceux des villes n'étaient puissants que comme groupe de pairs et non pas comme individus ainsi que l'étaient les seigneurs territoriaux.

Pour les sujets des nombreux seigneurs nobles de ce pays de Hohenlohe, véritable patch-

rich in great houses of all kinds, and, as it was largely untouched by the last world war, and is not yet spoilt by traffic and the smooth-faced architecture of our own age, it provides an agreeable contrast to other areas overrun by these modern plagues.

The social and historical situation of the Hohenlohe country throughout the last thousand years was also strongly influenced by the two free imperial cities within its boundaries: (Schwäbisch) Hall and Rothenburg. There it is still possible to get a feeling for what used to occupy the minds of the townspeople in days gone by. They were, of course, always prisoners of their own period, for the hierarchy of the imperial cities was just as severely regimented as in towns dominated by local lords. Every level of society, from the old patrician families down to the dishonourable trades, was governed by rules relating to clothing, for example, which were just as strict as at any court, and which were watched over by town officials. In the historical vaults of Rothenburg Town Hall, the first three ranks of citizen are represented by life-sized dolls. The municipal officers are shown standing in front of their great filing cabinets. Like Hall, Rothenburg was a state in miniature. The town owned farms, hamlets, and villages, and these all needed administering – and administering according to municipal law based on rights which most of the imperial cities had purchased piecemeal from the emperors whenever the noble gentlemen were in need of cash. Both Rothenburg and Hall marked the limits of their jurisdiction by building

Hoch über Aschhausen erhebt sich die imposante Anlage einer mittelalterlichen Burgruine mit einem mächtigen, aber hohlen Bergfried. Noch wuchtiger wirkt das Barockschloß daneben, dem Wohn- und Wirtschaftsgebäude angegliedert sind. Nicht nur der romantisch verwilderte Park mit seinen abbröckelnden Sandsteinfiguren zeigt in dieser ehemaligen Sommerresidenz der Schöntaler Äbte, welch ein Aufwand nötig ist für solch einen überkommenen Wohnsitz. Die Sammlungen im Schloßinnern sind heute nicht mehr zu besuchen.

D'imposantes ruines d'un château médiéval avec un donjon majestueux mais vide à présent se dressent au-dessus d'Aschhausen. A côté, le château baroque, auquel sont annexés des bâtiments d'habitation et les communs, paraît encore plus imposant. Le parc romantique, laissé à l'abandon avec ses sculptures de grès qui s'effritent, montre dans cette ancienne résidence d'été des abbés de Schöntal combien l'entretien d'un tel héritage est coûteux. Les collections à l'intérieur du château ne sont plus accessibles aujourd'hui au public.

High above Aschhausen rise the impressive ruins of a medieval castle, with its mighty, but now hollow, keep. The Baroque palace, with its secondary buildings, next to the ruins is even grander, but the romantically run-down garden with its crumbling sandstone figures tactfully hints at the vast cost of keeping up such properties. The collections in the palace – once the summer retreat of the abbots of Schöntal – are not open to the public.

Standesgenossen mächtig und nicht als einzelne wie die Territorialherren.

Für die Untertanen der vielen adeligen Grundherren im politisch zerhackten Hohenloher Land war der launige Gnomen-Hofstaat von Weikersheim sicher mehr gewesen als eine übermütige Steinmetzen-Mode. Für die Zeitgenossen waren diese Gestalten selbst in Residenzen vom Ausmaß heutiger Kleinstädte der enge Alltag. Im Jahre 1737 wurde zum Beispiel in Hohenlohe-Langenburg, das damals noch nicht einmal zu den Hauptlinien dieses vielfach aufgeteilten Hauses gehörte, eine »Rangordnung Herrschaftlicher Bedienter« gedruckt, in der fast alle diese Hofzwerge als würdige Titelträger vorkommen. Dem Herrn Hofrat folgten der Herr Hofprediger, der Herr Cammer-Rath und der Herr Rath und Amtmann. Alle übrigen zählten nur noch als Bedienstete: der Canzley-Secretarius, der Cammer-Secretarius, der Caplan, der Fähndrich (der kein Dutzend Soldaten hatte), der Hausvogt, Registrator und Stadtschreiber, der Cammerdiener, der Page und so weiter bis zum Praeceptor, dem Hofbarbier, dem Koch, den Büchsenspannern, den Lakaien und Gärtnern. Hoffähig, das heißt gesellschaftlich

work politique, l'amusante compagnie de nains de Weikersheim était certainement plus que l'expression d'une mode en sculpture. Pour les contemporains, les personnages incarnés par ces nains de pierre faisaient partie de la vie quotidienne, même dans des capitales qui n'étaient pas plus grandes que nos petites villes d'aujourd'hui. En 1737, par exemple, un ordre de préséances des serviteurs de la cour avait été imprimé par les Hohenlohe–Langeburg – qui à cette époque n'appartenaient encore même pas aux principales branches de cette maison si ramifiée – et énumérait les caractères personnifiés si dignement par les nains de pierre: le conseiller de la cour, le prédicateur de la cour, le conseiller du trésor, le conseiller et l'intendant. Tous les autres étaient ramenés au rang de domestique: le secrétaire de la chancellerie, le secrétaire du trésor, le chapelain, le cornette (qui avait moins de douze soldats sous ses ordres), le bailli, l'archiviste et le greffier municipal, le valet de chambre, le page et ainsi de suite jusqu'au précepteur, au barbier de la cour, au cuisinier, à l'armurier, aux laquais et jardiniers. Mais seuls les officiers de rang supérieur étaient admis à la cour du comte Ludwig –

walls, and to the north of Rot am See the lines of the original Rothenburg wall can still be followed through the countryside for miles. Where guards once rode on a wall between two ditches, there is now a path kept up by the Swabian Ramblers Association. The ditches marking the limits of the municipal powers formed an obstacle, but one of no military value: its prime function was to warn anyone crossing the line that they were now subject to different legislation. In this context, "different" should not be read with romantic rose-coloured spectacles, however, for Rothenburg and Hall, too, were peopled largely by subjects with very limited rights. A saying inscribed on the gable of a Rothenburg house makes this point. It might be freely translated as: "You can earn a living at the tinsmith's trade,/But creep to your betters, and you're made." There were just as many "betters" in the towns as in the country, though those in the towns were only powerful as groups of peers, and not as individuals, like the territorial rulers.

For the subjects of the many aristocratic landlords in the political patchwork quilt that made up Hohenlohe Land, the whimsical

▶ Am Platz einer keltischen Fliehburg wurde das Schloß Amlishagen erbaut und mit der gewaltigsten Schildmauer von ganz Hohenlohe versehen. Die Mauer ist 25 Meter hoch und so dick, daß die Reisigen im Innern nach oben zu den Schießscharten im Wehrgang steigen konnten. Bis heute stellt sich dieser Mauerschild vor die Reste der mittelalterlichen Burg und das noch bewohnte Schloß aus dem 16. Jahrhundert.

▶ Le château d'Amlishagen a été construit à l'emplacement d'un oppidum celte et doté de la plus imposante courtine de toute la Hohenlohe. Le mur a 25 mètres de hauteur et est si épais que les hommes d'armes à cheval à l'intérieur pouvaient monter jusqu'aux créneaux du chemin de ronde. Cette courtine s'élève aujourd'hui encore devant les vestiges du château médiéval et le château du 16e siècle encore habité de nos jours.

▶ Amlishagen Castle was built on the site of a Celtic fort, and has the most tremendous curtain wall in the whole of Hohenlohe. It is over 80 ft high and so thick that the soldiers could climb up inside the walls to the loopholes at the top. To this day the wall stands protectively in front of the medieval castle and the palace, which is still occupied.

zugelassen in der Umgebung des Grafen Ludwig, waren aber nur die obersten Beamten selber – nicht einmal ihre Frauen konnten den Fehler ihrer meist bürgerlichen Geburt durch den Rang ihres Mannes ausgleichen.

Dabei gab es immer die erstaunlichsten Widersprüche im Land: In Mergentheim hob der Deutsche Orden schon im 16. Jahrhundert die Leibeigenschaft auf, während es noch Jahrhunderte später nur wenige Kilometer entfernt »Herrschaftliche Ordnungen« gab, die den Untertanen selbst das Einfangen von Mardern im eigenen Haus verboten. Viele andere Grundherren waren jedoch gescheit genug, die Wahrheit des Spruches zu verstehen, daß reiche Bauern auch reiche Fürsten haben. Die übermäßige Unterdrückung war jedenfalls nicht die Regel, und so hat es die Geschichte dem Hohenloher, diesem fröhlichen Franken, leicht gemacht, so zu werden, wie er heute ist.

Einen Zipfel dieses heiter-geselligen Wesens erlebte unser Verliebter in einer Wirtschaft der Kur- und Garnisonsstadt Bad Mergentheim, wo, das muß man vorausschicken, die Väter schon der vielen Soldaten wegen ganz besonders auf ihre Töchter aufpassen.

Wir hatten uns aus Versehen an einen Stammtisch gesetzt, doch das wurde uns längst nicht so übel genommen wie im Schwäbischen, wo ein Stammtischplatz ein Stück persönliches Eigentum ist und auch so verteidigt wird. Die Franken freuen sich, wenn man sich zu ihnen setzt.

même les femmes de ces officiers n'étaient pas présentables en raison de leurs origines généralement bourgeoises et que ne pouvait compenser le haut rang de leur époux.

Cependant ce pays a toujours offert les contrastes les plus étonnants: alors qu'à Mergentheim l'ordre Teutonique avait aboli le servage au 16e siècle, à quelques kilomètres de là il y eut encore pendant des siècles des «règlements seigneuriaux» qui allaient jusqu'à interdire aux sujets la capture de martres dans leur propre maison. Mais de nombreux autres suzerains étaient suffisamment avisés pour comprendre l'adage qui veut que de riches paysans aient aussi de riches seigneurs. L'asservissement n'était cependant pas la règle et c'est pourquoi l'histoire a permis aux habitants du pays de Hohenlohe de devenir ces «joyeux Franconiens» qu'ils sont aujourd'hui. Notre amoureux transi eut l'occasion de goûter un peu de cette sociabilité enjouée dans un café de Bad Mergentheim, une ville d'eaux et de garnison où – il convient de le signaler – les pères doivent faire particulièrement attention à leurs filles rien que du fait de la présence de nombreux soldats. Nous nous étions assis par inadvertance à une «Stammtisch» (la table des habitués) mais on ne nous en tint pas de loin aussi rigueur que si nous avions été par exemple en pays souabe où une place à la «Stammtisch» est considérée et défendue comme si elle était propriété privée. Les Franconiens eux sont contents lorsque l'on s'assoit à leur table.

Alors, comme ça, Karl est étudiant et il cherche une jeune fille. A Mergentheim?

company of dwarfs at Weikersheim was certainly more than an expression of a passing fashion in sculptures. For contemporary citizens, the characters represented by the stone dwarfs were part of their everyday life, even in capital cities that were no larger than small country towns. In 1737, for example, an Order of Precedence of Court Servants was printed by the Hohenlohe-Langenburgs – who at that time did not even belong to one of the main lines of that highly ramified family – which lists nearly all the characters represented by the stone dwarfs as dignified title-holders: Privy Councillor, Court Preacher, Treasury Councillor, Counsellor, and Steward. All the rest counted as mere menials: the Chancery Clerk, Treasury Clerk, Chaplain, Ensign (with less than a dozen soldiers in his charge), Bailiff, Registrar and Municipal Clerk, Groom, Page, and so on, down to the Preceptor, Court Barber, Cook, Gunbearer, Lackeys and Gardeners. Of these, only the highest officials were "presentable", that is, socially acceptable within the presence of Count Ludwig – and the wives even of these officials were generally socially inadmissible, owing to their usually bourgeois origins, which were not compensated for by their husband's high rank.

And yet there were also amazing contrasts to be found in the region: in Mergentheim, the Teutonic Order abolished serfdom in the 16th century, while only a few miles away people lived for several more centuries with lordly rules and regulations which forbade them, for example, even to catch martens in their own

Das verwunschen-einsame Schloß Tierberg liegt weitab vom Verkehr. Als es zu Beginn des 12. Jahrhunderts gebaut wurde, nützten die Burgherren einen Bergsporn so gut aus, daß das Schloß samt Bergfried, Schildmauer und Palas niemals eingenommen werden konnte. Als die Hohenloher im 15. Jahrhundert mit denen von Stetten um Tierberg stritten, konnten sie ihrerseits allerdings auch nicht die Stettener Burg überwältigen.

Le château solitaire de Tierberg est situé loin de la circulation. Lorsqu'il fut édifié au début du 12e siècle, ses bâtisseurs tirèrent si bien parti d'un éperon rocheux que le château resta imprenable avec son donjon, sa courtine et le logis du châtelain. Cependant, lorsqu'au 15e siècle, les Hohenloher se disputèrent Tierberg avec les habitants de Stetten, ils ne purent également pas s'emparer du château de Stetten.

Tierberg Castle – lonely and remote. Built in the 12th century on a spur, the castle, with its great keep, walls, and living quarters, was never taken. Another impregnable castle, which resisted efforts by the Hohenlohes to take it in the 15th century, was that of the von Stetten family.

Sou, sou, hieß es auch bald, ein Student sei der Karl also. Und ein Mädchen suche er. In Mergentheim? Was — im ganzen Hohenlohischen? Und wie soll sie denn heißen?! Marcharet L.?! Ja, den Namen gibt's in Mergentheim, wenn Sie die meinen, die wir jetzt meinen. Und was machen Sie? Studieren? So? Und was, wenn man fragen darf? Volkswirtschaft? So, ja, mhm, nicht schlecht. Was macht man denn da später so im allgemeinen und im ganz besonderen? Mir kam's bald wie ein Verhör vor, und das war es auch. Nur der verliebte Karl merkte es nicht, der wurde ja auch von der Runde immer wieder mit winzigen Hinweisen auf eine Mergentheimer Margarete hingehalten, die zu sehen durchaus möglich sei, obwohl es andererseits gar nicht sicher sei, ob sie diejenige sei, die auf der Muswiese gewesen war. Ich will's kurz machen: Diese »Marcharet« war die niedliche, aber erst 15 Jahre alte Tochter eines geschichtskundigen Handwerkers aus dieser Runde. Der verargte den Schwaben zwar sehr, daß sie sowohl am Untergang der Hochmeisterresidenz Mergentheim des Deutschen Ritterordens als auch am Verschwinden des Oberamts Mergentheim schuld gewesen waren, doch er hatte auch eine Margarete daheim, die vielleicht später einmal Feuer fangen würde an einem jungen Schwaben mit einem anständigen Beruf. Deshalb hatte er ein wenig zu kuppeln versucht, und seine Trinkbrüder hatten begeistert mitgespielt bei der Komödie. »Drum, nix for uguat!« meinte er endlich, »Sie werde die Richtich a noch finde!« Und

Quoi – dans toute la Hohenlohe? Et comment s'appelle-t-elle?! Margaret L.?! Oui, il y a une jeune fille qui s'appelle comme ça à Mergentheim mais est-ce que c'est celle que vous cherchez. Et que faites-vous? Vous faites des études? Ah! Ah! Et de quoi, si ce n'est pas indiscret? Economie politique? Ah oui, pas mal. Et qu'est-ce que vous allez faire ensuite? J'avais l'impression d'assister à un interrogatoire et c'en était un. Mais amoureux comme il l'était, Karl ne remarquait rien. Le groupe retenait son attention par de petites remarques sur cette Margaret de Mergentheim que l'on pourrait voir mais qui pouvait bien ne pas être celle que Karl avait rencontrée à Musdorf. J'abrège: cette Margaret était la ravissante fille, mais âgée de 15 ans à peine, d'un artisan féru d'histoire locale assis à notre table. Il avait certes bien des choses à dire sur la responsabilité des Souabes dans le déclin de certaines institutions de Mergentheim comme la résidence du grand maître de l'ordre Teutonique mais il avait aussi une Margaret à la maison qui, un jour, pourrait bien tomber amoureuse d'un jeune Souabe avec un bon métier. C'est pourquoi il n'avait pu résister au plaisir de jouer les entremetteurs et ses compagnons s'étaient mis volontiers de la partie. «C'était sans penser à mal!» finit-il par dire, «vous trouverez déjà la bonne!» Et toute la compagnie se mit à réfléchir où pourrait bien se trouver une jeune fille qui disait s'appeler Margaret – ou plutôt «Marcharet» dans le parler local. Bien sûr uniquement dans la région de Hohenlohe qui n'a pas encore subi l'influence souabe et où vivent encore d'anciennes

houses. But many other local rulers were clever enough to see the truth in the old saying that rich peasants also have rich lords. Severe suppression of the peasantry was the exception rather than the rule, and thus history made it relatively easy for the people of Hohenlohe Land to develop into the "jolly Franconians" they are today.
Our tormented young lover, Karl, got a taste of this friendly, sociable side of the Hohenlohe character in Bad Mergentheim, a spa and garrison town where the fathers – and this must be pointed out in advance – have to take particularly good care of their daughters, if only because of the many soldiers stationed there. We had by chance sat down at the "Stammtisch" (the table reserved in many German inns for regular customers), but this was not held against us nearly as much as it might be elsewhere, where a "Stammtisch" is often guarded as strictly as if it were the personal property of the regulars. The Franconians are usually pleased if you join them at their table.
Aha, so you are a student! (this to Karl). And you're looking for a particular girl. In Mergentheim? What – in the whole of Hohenlohe? And what's her name, then? Margaret L!
The questioning gradually took on the form of a cross-examination, but Karl was too blinded by his love-quest to realize it. The group at the table kept his interest alive by tiny hints that there was certainly a Margaret in Mergentheim, and that she might possibly even be findable. Although, on the other hand, of course, it was by no means certain that she

dann gab die ganze Runde Bescheid, wo ein Mädchen, das von sich selbst sagte, es heiße Marcharet, wohl zu finden sein könne. Nur dort im Hohenlohischen natürlich, wo es noch nicht verschwäbisiert sei, und dort, wo noch alte Bürger- und Bauernfamilien des Namens L. wohnten. Die Suche nach der Marcharet entwickelte sich sichtlich zu einem Ausflug in die Hohenloher Sprache und Geschichte.

famille du nom de L. Et la recherche de cette Margaret se transforma en une expédition dans le domaine de la langue et de l'histoire de Hohenlohe.

was identical with the one Karl was looking for. To cut a long story short: the Margaret in question was a charming, but only 15-year-old, daughter of one of the men at our table – a craftsman with an intense interest in local history. He had a few bitter things to say about the way the Swabians had been responsible for the decline of some of Mergentheim's institutions such as the Residence of the Grand Master of the Teutonic Order, but he also had a Margaret at home who might one day after all take a fancy to a young Swabian with a good job. That was why he could not resist trying a little bit of matchmaking – and his drinking companions backed him up enthusiastically. "No offence!", he finally said, "you'll no doubt find the right one in the end!" And then the whole group pooled their knowledge to decide where the girl could possibly live. They naturally only considered the truly Hohenlohe area, ignoring parts that were already "Swabified". The search for Margaret developed into an expedition into the realms of Hohenlohe language and history.

▶ Die nächste Doppelseite zeigt eine Apfelbaumallee, die zu Schloß Stetten führt. Die Herrschaft derer von Stetten war einer der 1800 souveränen Staaten im Deutschen Reich. Bis 1806 gehörten 16 Dörfer und größere Weiler mit 2500 Einwohnern zu diesem kleinen Staatswesen.

▶ La double page suivante représente une allée de pommiers qui mène au château de Stetten. Le domaine de Stetten était un des 1800 Etats souverains de l'Empire allemand. Jusqu'en 1806, 16 villages et des hameaux importants avec 2500 habitants faisaient partie de ce petit territoire.

▶ The next double page shows an avenue of apple-trees leading to Stetten Castle. The von Stettens once ruled over one of the 1,800 sovereign states in the German Empire. Until 1806 this tiny state comprised 16 villages and larger hamlets with a total population of 2,500.

# »Mäh sodde«

Die geläufigste Antwort auf die Frage von
Auswärtigen, wer und wie denn die Hohenloher seien, könnte vom Weikersheimer
Hofnarren stammen: »Do geid's halt sodde un
sodde. Awer mear sodde wia sodde!« Was,
schlecht übersetzt, heißt: »Ja, da gibt's eben
solche und solche, aber eigentlich doch mehr
solche.«
Doch der Auswärtige mag sich beruhigen. Die
einheimischen Hohenloher können sich auch
selber nicht genau definieren. Ja, im Grunde
weiß eigentlich gar niemand, was denn
heutzutage noch ein richtiger Hohenloher sei,
und das hängt zusammen mit dem Schmelz-
prozeß, der dem Land aufgezwungen worden
ist, als es vor fast zweihundert Jahren württem-
bergisch werden mußte. Die Hohenloher
waren ja ohnehin immer Grenzländer
gewesen. Im Westen und im Süden hocken
die Schwaben und im Norden und Osten die
Franken. Ohne Zweifel: Von denen haben sie
die meisten Blutstropfen mitbekommen, und
in der offiziellen Definition sind sie auch
Franken, die den südostfränkischen Dialekt
sprechen. Doch wo die Sprachgrenze verläuft,
das ist heute kaum mehr genau festzulegen.
Manchmal läuft sie mitten durch die
Familien.
Das beweist wohl am besten ein Leserbrief in
einer Stuttgarter Zeitung, in der ein Hohenloher über seine Ehe mit einer Schwäbin
schrieb, es gehe mit ihnen beiden soweit ganz
gut, aber es könnte eben doch noch viel
besser gehen, wenn nur die Schwaben sich
nicht so beharrlich weigerten, die histori-
schen Konsequenzen der Schlacht bei

# «Comme ci et comme ça»

La réponse la plus courante qu'obtient un
étranger lorsqu'il demande qui et comment
sont les gens de Hohenlohe pourrait venir du
bouffon de Weikersheim: «Il y en a des
comme ci et des comme ça».
Mais que l'étranger se rassure. Le fait est que
les gens de Hohenlohe ont eux-mêmes du mal
à se définir et plus personne ne sait en fait
aujourd'hui qui est un vrai Hohenloher et cela
tient au processus de fusion qui a été imposé
au pays lorsqu'il y a près de deux cents ans il a
été intégré dans le Wurtemberg. Le pays de
Hohenlohe a toujours été une région fronta-
lière: les Souabes ont toujours menacé d'em-
piéter à l'ouest et au sud et les Franconiens au
nord et à l'est. Ce sont les Franconiens qui ont
exercé la plus grande influence et les gens de
Hohenlohe sont d'ailleurs officiellement défi-
nis comme des Franconiens qui parlent le dialecte franconien du Sud-Est. Mais aujour-
d'hui, il est difficile de dire où se trouve la
frontière linguistique. Parfois elle traverse
même des familles.
C'est ce qu'illustre la lettre d'un lecteur à un
journal de Stuttgart dans laquelle un Hohenloher écrivait de son mariage avec une Souabe
que tout allait bien mais que cela irait encore
mieux si les Souabes ne refusaient pas avec un
tel entêtement d'accepter les conséquences
historiques dans la vie conjugale également de
la bataille de Tolbiac (aujourd'hui Zülpich) en
496. En clair un appel aux Souabes à se soumettre enfin au bout de quinze cents ans et à
reconnaître que leurs ancêtres, les Alamans,
avaient été sévèrement battus par Clovis, le
roi des Francs. C'est à partir de ce moment-là

# The truth of the matter

A typical answer to an outsider's question as
to who the Hohenlohe people are, and what
they are like might run: "Well, the truth of the
matter is that there are good 'uns and bad
'uns". But the stranger should not worry,
because the truth of the matter is that the
Hohenlohe people themselves find it difficult
to draw the line at who is, and is not, a true
Hohenlohe type, and this is connected with
the fact that a process of dilution has been
going on now for nearly two hundred years –
since the state of Hohenlohe was incorporated in Württemberg. It had always been border country: the Swabians were always
threatening to encroach from the west and
south, and the Franconians from the north
and east. It is the Franconians that have
exerted the greatest influence, and the
Hohenlohe people are, indeed, officially
defined as Franconians, who speak the south-
east Franconian dialect. But nowadays it is
hard to say where the linguistic borderline
lies. Sometimes it runs through the middle of
families.
This is illustrated well by a letter written to a
Stuttgart newspaper in which a Hohenlohe
man speaks of his marriage to a Swabian
which, he says, works quite well but could
work much better if only the Swabians would
not still stubbornly refuse to draw the proper
historical consequences, also for their married
life, from the Battle of Zülpich of 496. This
was a clear call upon the Swabians finally to
submit after fifteen-hundred years – and
recognize the fact that their forefathers were
given a thorough beating by the Franconian

Zülpich im Jahre 496 auch im Eheleben zu akzeptieren. Das war eine deutliche fränkische Aufforderung zur Unterwerfung nach anderthalb Jahrtausenden, denn 496 waren die Alemannen ja ziemlich verprügelt worden vom fränkischen Merowingerkönig Chlodwig. Von da an lief die Stammesgrenze zwischen den noch heidnischen Alemannen und den politisch fortschrittlichen und daher christianisierten Franken im Süden etwa auf der Linie Asperg–Ellwangen und im Osten entlang der Frankenhöhe an der heutigen baden-württembergisch–bayerischen Grenze. Weil das alles belegbare und nicht abzuleugnende Geschichte ist, teilte darauf ein Schwabe, der sich zu Recht der großen alemannischen Völkergruppe zugehörig fühlt, dem Hohenloher Briefschreiber mit, es sei nichts als die schiere Vernunft, wenn die Schwaben heutzutage ihrerseits die Franken durch Heirat zu bändigen versuchten. Denn die Franken seien ja schon bei den Römern »im Rufe höchster kriegerischer Wildheit gestanden«. Und vor solchen barbarischen Wildsäuen sei ein Kulturvolk wie die Alemannen natürlich erschreckt zurückgewichen und habe sich auf andere Zähmungsmethoden verlegt – wie eben zum Beispiel das Heiraten. Die wortgewaltige Fehde war am Höhepunkt, als ebenso geschichtsbewußte Hohenloher Franken antworteten, die Württemberger hätten sich aber mit Napoleons Hilfe im Jahre 1806 gewaltig gerächt für ihre Schlappe von 496 und seien seitdem bestrebt, dem damals von ihren Beamten und Soldaten besetzten Hohenlohe

que la frontière tribale entre les Alamans encore païens et les Francs politiquement avancés et de ce fait christianisés suivit en gros la ligne entre Asperg et Ellwangen au sud et le long des montagnes de Franconie sur l'actuelle frontière entre le Bade-Wurtemberg et la Bavière. La lettre en question fut la première de toute une série adressée au même journal. Un Souabe qui, à juste titre, se considérait comme faisant partie du grand groupe des peuples germaniques répondit que c'était pure sagesse si les Souabes essayaient aujourd'hui de dompter les Franconiens par l'institution du mariage. Car les Franconiens passaient déjà du temps des Romains pour «de sauvages guerriers» et un peuple cultivé comme les Alamans avait naturellement évité une confrontation directe avec une telle horde de barbares et avait eu recours à d'autres méthodes pour les apprivoiser – comme le mariage par exemple. La correspondance devint de plus en plus animée jusqu'au jour où des Franconiens de Hohenlohe versés en histoire répliquèrent qu'avec l'aide de Napoléon les Wurtembergeois s'étaient bien vengés en 1806 de leur défaite de 496 et s'efforçaient depuis d'apposer sur la Hohenlohe occupée à l'époque par leurs fonctionnaires et leurs soldats le sceau de leur domination coloniale souabe. Et surtout – et c'était là le comble – ces pouilleux de Souabes avaient livré le beau parler de Hohenlohe au dialecte souabe!
Il y a certainement du vrai dans tout cela, mais il est aussi évident qu'en dépit de ces mots très vifs il ne s'agit là que d'une querelle de famille – et les tribus germaniques sont connues pour

Merovingian King Clovis in 496. From then on the tribal border between the still heathen Alemanni (the forefathers of the Swabians) and the politically advanced and therefore Christianized Franconians ran roughly along the line between Asperg and Ellwangen in the south, and along the hills of today's Baden-Württemberg/Bavarian border in the east. The letter quoted was the beginning of a series to the same newspaper. A Swabian, who rightly considered himself to be a member of the great Alemannic group of peoples, replied to say that it was only sensible of the Swabians to attempt to tame the Franconians through the institution of marriage. For the Franconians were already "notorious as wild warriors" even in Roman times, and a cultured people like the Alemanni had naturally avoided direct confrontation with such a pack of barbarians and had gone over to other methods of taming them – such as marriage. The correspondence grew more and more heated when historically-minded Hohenlohe Franconians suggested that, with the aid of Napoleon, the Württembergers had more than revenged themselves in 1806 for their defeat of 496, and had since then endeavoured to stamp their Swabian colonial image on the occupied territory of Hohenlohe by means of their officials and soldiers. And moreover – and this was adding insult to injury – the lousy Swabians had caused the beautiful Hohenlohe language to be polluted by the Swabian dialect!
There is no doubt some truth in the arguments, but it is equally clear that, despite the

Ein Regenbogen über der fruchtbaren Crailsheimer Land-
schaft. Hier wurde in den allerletzten Tagen des letzten
Weltkrieges eine besonders sinnlose zweiwöchige
Schlacht geschlagen.

Un arc-en-ciel au-dessus de la région fertile de Crailsheim.
C'est ici qu'aux tout derniers moments de la deuxième
guerre mondiale eut lieu pendant quinze jours une bataille
particulièrement insensée.

A rainbow spans the fertile landscape near Crailsheim.
Here a particularly pointless two-week battle raged during
the last days of the second world war.

den Stempel ihrer schwäbischen Kolonial-
herrschaft aufzudrücken. Vor allem, und das
sei das schlimmste, hätten die Sauschwaben
das schöne Hohenlohe »dem schwäbischen
Dialekt überantwortet«.
Man sieht: Wo so gestritten wird, ist zwar
sicher etwas Wahres dran, aber bei all den
starken Wörtern geht's eben doch nur um
Sticheleien in der Familie. Und dafür sind die
germanischen Stämme ja schließlich seit ein
paar tausend Jahren berühmt. Die Schwaben,
die zu den Alemannen gehören, machen da
samt den Franken keine Ausnahme. Im Fall
Hohenlohe kommt sogar noch eine Pointe
hinzu: Ehe die Franken diesen Landstrich
besetzten, wohnten dort ja ebenfalls Alemannen, das läßt sich archäologisch beweisen.
Und als die fränkischen Heerführer auf die
Ebenen zwischen Tauber, Jagst und Kocher
vordrangen, da hatten sie gar nicht genügend
Leute, um dieses Land zu besetzen. Jedenfalls
blieben viele tausend Alemannen als Eroberte
dort hocken und sorgten mit der List der
Unterworfenen dafür, daß ihre Sprache und
ihre Wesensart durchs Hintertürchen in den
Alltag der neuen Oberschicht eindrang. Das,
was die heutigen Ankläger seit dem Jahre
1806 den schwäbischen »Kolonialherren«
aus Stuttgart vorwerfen, war also 1500 Jahre
früher gerade umgekehrt schon mal geschehen im Land. Kein Wunder, daß abwägend-
vorsichtige Hohenloher solchem Streit recht
verhalten zuhören.
Das Äußerste, was da als Meinung herauszu-
zulocken ist, habe ich in Ailringen gehört.
Ailringen ist eines der versteckten hohen-

Vor der gotischen Bernhardskapelle von Ailringen steht ein
brezelverzierter Bildstock, dessen symbolhafte Bedeutung
immer noch ein Geheimnis ist.

Devant la chapelle gothique St.-Bernard d'Ailringen se
dresse une colonne votive ornée d'un bretzel dont la signification symbolique demeure un mystère.

Outside the Gothic Chapel of St. Bernard in Ailringen
stands a wayside cross decorated with a pretzel, the symbolic meaning of which is unknown.

lohischen Dörfer, das von den Wander- und Kunstführern kaum notiert wird und doch erlebenswert ist. Auch wenn man darüber liest: »Verkehrsmöglichkeiten: keine. Wanderparkplätze: keine. Wegmarkierungen: keine«, sollte man doch unbedingt anhalten in dieser Jagsttal-Idylle zwischen Dörzbach und Mulfingen. Immerhin wird ja die »gotische Bernhardskapelle« im Reiseführer erwähnt, und schon ist das Staunen groß. Da steht nämlich ein Bildstock an der Straße vor der Kapelle zu Ehren der Dreifaltigkeit mit lachenden Engelsköpfchen und einer großen Steinbrezel am Fuß. Kein Dorfbewohner und kein Denkmalpfleger weiß, was das zu bedeuten hat.

Eine Wehrkirche thront über dem Dorf, die Ringmauer schließt noch den Friedhof ein, und der ist schon fast aus der Art geschlagen für ein katholisches Dorf. Wie in den pietistischen protestantischen Brüdergemeinden versinkt hier der beigesetzte Mensch im Strom derer, die im Tod gleich geworden sind. Nur weiße und braune Kreuze aus Holz stehen da, die weißen sind für die Ledigen, gleich ob es Kinder oder uralte Leute gewesen sind. Unter den braunen Kreuzen liegen diejenigen, die einmal verheiratet gewesen sind, und auf all den Kreuzen stehen nur die Wörter: »Hier ruht in Gott …«, dann der Name, das Datum der Geburt und das des Todes. Ein mächtiger Kruzifixus und alles überwölbende Nußbäume beschatten die Kreuze, die dem Besucher schon allein durch ihre Schlichtheit das Memento mori aufzwingen.

cela depuis un couple de millénaires. Les Souabes qui font partie des Alamans et les Franconiens ne font pas exception. Pour ce qui est de la Hohenlohe, il faut encore considérer une chose: avant que les Francs n'occupent ce territoire, il était en partie alaman et il y a des preuves archéologiques. Et lorsque les armées franques pénétrèrent dans les plaines entre la Tauber, la Jagst et le Kocher, elles n'eurent pas assez de gens pour occuper cette région de sorte que des milliers d'Alamans y restèrent et qu'avec la ruse des soumis ils s'employèrent à ce que leur langue et leur caractère s'introduisent subrepticement dans les nouvelles classes supérieures. Ainsi ce dont les Franconiens accusent aujourd'hui les «colons» souabes de Stuttgart depuis 1806 s'est déjà produit quinze cents ans auparavant en direction inverse. Il n'est donc pas étonnant que les gens de Hohenlohe restent en retrait dans de telles querelles.

C'est à Ailringen que j'ai entendu l'opinion la plus tranchée. Ailringen est un de ces villages retirés de Hohenlohe, guère mentionnés dans les guides, et qui vaut pourtant la peine d'être visité. Car même si on lit à son sujet: «transports publics: aucun; parkings pour randonneurs; aucun; parcours fléchés: aucun», on doit à tout prix s'arrêter dans cet endroit idyllique de la vallée de la Jagst entre Dörzbach et Mulfingen. On y trouve la chapelle gothique de St. Bernard – également mentionnée dans le guide. Devant, sur le bord de la route, s'élève une colonne votive dédiée à la Sainte-Trinité avec des chérubins rieurs et un bretzel en pierre à son pied. Ni les habitants du village ni

strong language, it really amounts to a family squabble – and this is something for which the Germanic tribes have been famous for a couple of thousand years; both the Swabians, who are Alemanni, and the Franconians keep up the tradition. As far as Hohenlohe is concerned, there is another point to be considered: before the Franconians occupied this territory it had, in fact, been Alemannic! There is archaeological evidence of this. And, when the Franconian armies advanced into the plains between the rivers Tauber, Jagst and Kocher, they did not have enough people to settle the region, with the result that many thousands of the Alemanni stayed behind, and, with the wiliness of the conquered, made certain that their language and character gradually infiltrated the new upper classes. Thus, what the Franconians now accuse the Swabian "colonials" from Stuttgart of having done since 1806 already took place in the opposite social direction fifteen hundred years ago. No wonder cautious Hohenlohe people tend to stay in the background during such arguments.

The most outspoken opinion I have heard was expressed in Ailringen. Ailringen is one of those tucked-away Hohenlohe villages that is hardly mentioned in the guides. The mentions it does get: "Public transport: none. Parking facilities for ramblers: none. Marked footpaths: none", are not exactly enticing, but nevertheless this idyllic little spot in the Jagst Valley between Dörzbach and Mulfingen is well worth a visit. There is a Gothic St. Bernard's Chapel (also mentioned in the guide)

Der freie Wille der Gemeindemitglieder und keine amtliche Friedhofsordnung läßt die Ailringer an diesem Brauch festhalten. Hier sind Dorf und Gemeinde noch eins. Ja, und hier in Ailringen also hat mir ein Hohenloher in einer Wirtschaft auf hochschwäbisch, damit ich's auch verstehe, sein Verhältnis zu den Schwaben erklärt. »Wisset Se«, hat er gesagt, »mit dene Franken, mit dene kommet mir halt doch besser zurecht!« Wenn er gen Norden ins Maintal fahre, dann gehe es dort so ungezwungen lustig zu wie daheim, und oft sei's sogar noch viel unterhaltsamer. Aber wenn er gen Süden zu den Schwaben müsse, dann habe er halt immer Schwierigkeiten mit dem Warmwerden dort.

Ob die Schwaben denn so arg stur seien, habe ich gefragt, aber auf eine so deutliche Herabsetzung des Gesprächspartners am Tisch läßt sich kein rechter Hohenloher ein, solange man noch im Guten miteinander redet. Sie seien halt anders, druckste er herum, und die anderen Ailringer am Tisch nickten stumm. Wie hätten sie diesem hereingeschneiten Menschen auch klar machen sollen, welcher Spannweite das diplomatische Geschick des hohenlohischen Denkens fähig ist! Der Satz mit dem »Sich-bei-den-Franken-Wohlfühlen« war eigentlich schon zuviel gesagt gewesen, und dann: Was wollte dieser Fremde überhaupt in Ailringen? Nach einer Marcharet fragen, die keiner kannte? Das war doch sicher nur ein Vorwand, um die Ailringer nach irgend etwas auszuhorchen. Da taten sie mir allerdings Unrecht, diese Mannen. Denn ich hatte dem Verliebten nur die weniger

les conservateurs de monuments n'en connaissent la signification.

Le village est surmonté d'une église fortifiée et le mur d'enceinte enserre encore le cimetière d'une conception plutôt inhabituelle pour un village catholique. Car, comme dans les communautés protestantes piétistes, le défunt est ici emporté dans le courant nivelleur de la mort. Les tombes sont uniquement surmontées de croix en bois, blanches pour les célibataires, que ce soient des enfants ou des personnes âgées, brunes pour ceux qui ont été mariés et sur chaque croix figurent ces seuls mots: «Ici repose en Dieu …» suivis du nom, de la date de naissance et de la mort. Un grand crucifix et d'imposants noyers jettent leur ombre sur les croix dont la simplicité a un puissant effet de memento mori.

Les villageois respectent librement cette tradition que n'impose aucun règlement officiel. Ici le village et la communauté ne sont encore qu'une seule et même chose. Oui, et c'est ici à Ailringen, dans une auberge, qu'un habitant m'a expliqué – en haut souabe afin que je le comprenne bien – son attitude à l'égard des Souabes. «Vous savez» m'a-t-il dit «on s'entend tout simplement mieux avec les Franconiens!» Lorsqu'il voyage dans la vallée du Main, en direction du nord, c'est tout aussi gai que chez lui et parfois même encore plus. Mais lorsqu'il va vers le sud chez les Souabes, il a toujours des difficultés à se mettre en train.

Les Souabes sont-ils donc si têtus, lui ai-je demandé mais aucun Hohenloher ne donnera une appréciation aussi directe tant que l'on

with a wayside shrine nearby dedicated to the Holy Trinity with laughing cherubs and a large stone pretzel at its foot. None of the locals could provide an explanation for this. The village is dominated by a fortified church, and the village wall also encloses the graveyard. The graveyard is rather unusual for a Catholic village in that here death is accepted as having a levelling effect: the graves are marked by only white or brown wooden crosses. The white crosses are for the unmarried, whether children or ancients, the brown ones are for all those who were once married; and on all of the crosses there are only the words: "Here rests in God …" followed by the name of the deceased and the dates of birth and death. A mighty crucifix and great nut trees cast their shadows over the crosses, whose sheer simplicity has a powerful memento mori effect.

This tradition is freely upheld by the villagers without the need for graveyard regulations. Here village and community are still one and the same thing. Yes, and it was here in an Ailringen inn, that a local – carefully speaking in "High Swabian" so that I should be able to understand him – explained his attitude towards the Swabians. What it amounted to was: "You can get on better with the Franconians". When he travels north into the Main Valley it is just as lively and amusing as at home, and sometimes even more so. But when he travels south to the Swabians he always finds it difficult to warm to them. Are the Swabians so very dour, then, I asked, but no Hohenlohe likes such directness, at

Die Neuerungssucht unserer Zeit hat noch längst nicht alle Winkel Hohenlohes erreicht. Und so erzählen die eisernen Schilder aus der Kaiserzeit bis heute, wie die Verwaltung

La passion de l'innovation qui caractérise notre époque n'a pas encore touché tous les coins de la Hohenlohe. Et c'est ainsi que les panneaux en fer de l'époque impériale témoignent aujourd'hui encore de la division administrative de

The present mania for modernization has not yet penetrated every corner of Hohenlohe. These iron signs, relics of the days of the Empire, show how the country was

aussichtsreichen Ortschaften bei seiner Mädchensuche abgenommen, Flecken auf der Hohenloher Landkarte, die nur, um nichts zu versäumen, abgefragt werden mußten. Und Ailringen konnte ich streichen, da wohnte unsere Marcharet auch nicht – dafür bekam ich aber die »Wenn-Sätze« des »MW« erklärt. Dieser »MW« ist ein Mensch, der sich selber als ein hohenlohisches Schlitzohr vorstellt in mehreren Büchlein, in denen er zum Beispiel schildert, wie ein Bauer einem Viehhändler einen Handel vorschlägt: »Wenn du mi jetzt froache dädschd, ob i dir nedd a Kuah z' verkaafe hädd, noa däd i nedd naa sooche!« Mit einem ebenso verwickelten Satz klopft ein junger Mann bei einem Mädchen an: »Wenn i di jetzt froache dät, Evaah, ob du mi heiere willschd, dädschd du noa ja odder naa sooche?« Das sind tatsächlich klassisch-hohenlohische Sätze, und auf diese Weise erkundigten sich auch meine Tischnachbarn vorsichtig, was mich denn eigentlich treibe, nach einer Hohenloherin zu fragen, die Margarete L. heiße: »Wenn mir Sie jetzt froache dätet nach der Marcharet, was dädet Sie nao sooche?!« Vorsichtiger, und immer mit der offenen Hintertür des »Wenn ich fragen würde …« kann man wohl keine Frage stellen. Dieses »wenn« fordert auch keine Antwort und erlaubt dem Gesprächspartner, auf die noch gar nicht gestellte Frage nicht einzugehen und ein anderes Thema einzufädeln.

Dieses fein-umständliche Umgehen miteinander erspart vieles – vor allem den Ärger von Absagen und faustdicken Notlügen. Deshalb

peut discuter entre amis. «Ils sont différents» se contenta-t-il de répondre et, autour de la table, les autres approuvèrent en silence. Comment du reste auraient-ils pu expliquer à un étranger de quel trésor de diplomatie les Hohenloher sont capables! C'était déjà de trop que d'avoir dit qu'il se sentait bien chez les Franconiens et puis que pouvait donc vouloir cet étranger à Ailringen? Chercher une Margaret dont personne n'avait entendu parler? Ce ne pouvait être qu'un prétexte pour mettre son nez dans les affaires du village. Ils avaient tort bien sûr car je cherchais effectivement Margaret. Je m'étais entendu avec le malheureux Karl pour enquêter à sa place dans les endroits les moins vraisemblables simplement par mesure de précaution. Je pouvais rayer Ailringen de ma liste car notre Margaret n'y habitait pas. En revanche on m'expliqua ce que signifie les «phrases en ‹si› de MW». Ce MW, qui se présente lui-même comme un farceur de Hohenlohe, a écrit plusieurs livres dans lesquels il décrit par exemple comment un paysan propose un marché à un marchand de bestiaux: «Si tu me demandais si je n'ai pas une vache à vendre, je ne te dirais pas non!» Un jeune homme formulera de même sa demande à une jeune fille: «Eve, si je te demandais si tu veux m'épouser, dirais-tu oui ou non!» Ce sont là effectivement des phrases typiques du parler de Hohenlohe et mes voisins de table utilisaient cette technique pour tenter de découvrir pourquoi je m'enquérais d'une jeune fille de Hohenlohe qui s'appelait Margaret L.: «Si on vous questionnait au sujet de cette Margaret, qu'est-ce

least not in any normal civilized conversation. "They're simply different", he said, avoiding any definite conclusion, and the other locals around the table nodded in silent agreement. They realized that they could never possibly demonstrate the giddy heights of subtle diplomacy characteristic of the Hohenlohe people to such a brash outsider! The sentence about feeling more at home with the Franconians really already went a bit too far, and anyway: what did this stranger want in Ailringen? Looking for a Margret that no one had heard of? That was surely simply an excuse for poking his nose into local affairs. They were wrong there, though, because I really was still looking for Margaret: I had agreed with the disconsolate Karl to make enquiries for him in the less likely places – spots where it was necessary to ask simply for the sake of completeness. I was able to eliminate Ailringen, for there was no Margaret living there that might have fitted the bill. To make up for this, however, I was told what "MW 'if' sentences" are. "MW" is a self-declared Hohenlohe wag who has written a number of books in which, for example, he describes how a peasant goes about proposing a deal to a cattle dealer: "If you were to ask me now if I hadn't a cow for sale I wouldn't say no!" A young man proposing to a girl uses a similar approach: "Eva, if I were to ask you to marry me, would you be likely to say yes, or no?" These are classical Hohenlohe sentences, and the people at my table cautiously applied this technique as they tried to discover why I was enquiring after a girl from Hohenlohe called Margaret L.: "If

ist's auch ganz unverständlich, daß die Hohenloher bei ihren gröber gestrickten Nachbarn und Vettern in den Ruf der gedämpften Aufrichtigkeit gekommen sind. Denn gerade die Schwaben und Bayern verwechseln oft genug ihr grobschlächtiges Alles-gradraus-Sagen mit dem, was sie unter Ehrlichkeit verstehen. Ein Hohenloher dagegen beschimpft, wenn's irgend geht, niemand direkt. Auch wenn sich ein anderer noch so schlecht aufgeführt hat, hört er nur: »So könnt sich jetzt auch ein Depp benommen haben!« Andererseits werden die vielen harmlosen, wein- und redseligen Scherze und Neckereien, die viele Hohenloher als so überaus wesensgemäß ansehen, ein bißchen hochstilisiert. Da wird vieles geschildert, was vor allem einer unbezweifelbaren Eigenschaft vieler Hohenloher entsprungen ist: daß sie herrlich erzählen können. Vor allem wenn sie ihre Gehirnwindungen gründlich mit den Weinen ihrer lieblichen Landschaft durchgespült haben, wird aus der harmlosesten Begebenheit eine prächtige und saftigpralle Geschichte, bei der es natürlich schon aus dramaturgischen Gründen ein witzig-gescheites Schlitzohr und einen, oder besser mehrere, Geprellte geben muß. Der Hofnarr läßt dann grüßen und lädt ein zum jährlichen Lügenbeutelfest nach Vellberg, worüber noch zu reden sein wird.

»Nedd ganz verlouche un nedd ganz woahr« seien seine Geschichten, sie irrlichterten in einem Schwirr- und Schwebezustand wie die Libellen über der Jagst, sagt der schon zitierte »WM«, und das trifft wohl auf vieles zu, was

que vous diriez?!« Il ne peut y avoir de façon plus prudente de poser une question car le «si je vous demandais» laisse toujours la possibilité à la personne ainsi abordée de ne pas répondre du tout et de changer de sujet car en fait la question n'a pas été posée directement. Cette approche discrète évite bien des embarras et surtout la gêne d'un refus et de pieux mensonges. Aussi est-il difficile de comprendre pourquoi les habitants de Hohenlohe se sont fait chez leurs voisins et cousins moins subtils une réputation de semi-franchise. Car précisément les Souabes et les Bavarois confondent souvent avec de l'honnêteté leur façon de dire tout droit ce qu'ils pensent. Un Hohenloher par contre fera tout pour éviter d'être trop direct. Et même si quelqu'un va trop loin il n'écopera que d'une phrase du genre de «Un imbécile aurait pu se conduire de cette façon!» D'un autre côté les gens de Hohenlohe exagèrent un peu les blagues et les taquineries qu'ils considèrent comme un élément essentiel de leur mode de vie. Mais il faut convenir qu'ils excellent dans l'art de raconter des histoires. Surtout lorsqu'ils ont bien irrigué leurs circonvolutions cérébrales avec l'excellent vin de la région: l'incident le plus insignifiant devient alors une histoire extraordinaire et savoureuse qui, pour en accroître le sel, comprend évidemment un gros malin et un – ou de préférence – plusieurs dupes. Le fou de la cour présente alors ses compliments et convie au Festival annuel de la galéjade dont il sera question plus loin. «Pas tout à fait des mensonges et pas tout à fait vraies», c'est ainsi que MW, dont nous

we were to ask you about this girl Margaret, what would you say?" There can scarcely be a more cautious way of putting a question, for the "If I were to ask …" gives the person at the receiving end the option of not answering at all, and of changing the subject, as the question has, after all, not yet been directly put. This discreet form of approach can save a lot of awkwardness, especially the embarrassment of refusal and the telling of white lies. It is thus hard to understand why the Hohenlohe people have gained a reputation for dubious honesty among their less refined neighbours and cousins. It seems that precisely the Swabians and the Bavarians frequently mistake their own tendency to give it to you straight from the shoulder for honesty. A man from Hohenlohe, on the other hand, will do everything he can to avoid direct abuse. And if someone else goes so far he is likely to hear something along the lines of "That's the way an idiot could have behaved!" On the other hand, the Hohenlohe people rather overdo all the jokes and banter and leg-pulling, which they regard as an essential part of their way of life. A great number of the stories told are a natural outcome of a great Hohenlohe talent: yarn-spinning. Once they have thoroughly swilled out the convolutions of their brains with a sufficient quantity of the excellent local wine, they can turn the most harmless incident into a splendid, full-bloodied story which, for dramatic reasons, naturally includes a resourceful rogue and one – or preferably several – dupes. The Court Jester then pays his compliments, and issues

Orendelsall bei Forchtenberg, ein typischer Hohenloher Weiler, in dem die Kinder ungebunden, aber mit einem weiten Schulweg aufwachsen.

Orendelsall près de Forchtenberg, un hameau typique de Hohenlohe où les enfants grandissent sans contrainte mais ont un long chemin pour aller à l'école.

Orendelsall, near Forchtenberg, a typical Hohenlohe hamlet, where the children grow up free but with a long way to go to school.

47

der Wanderer dort sieht und hört. Schon wenn die großen Hohenloher aufgezählt werden, beginnt die Legende zu schwirren. Denn von denen hat eigentlich keiner jemals übernationale Bedeutung gehabt. Gleichwohl wird gar nicht augenzwinkernd selbst Johann Wolfgang von Goethe dazugezählt. Von Weikersheim und Neuenstein bis Hall und Crailsheim präsentiert gar manche Gemeinde einen Goethe-Vorfahren mütterlicherseits. Die Weikersheimer haben sogar eine Bettgeschichte dazu, weil doch bei der Fürstin zu Hohenlohe bis 1588 eine Kammerjungfer Anna gedient haben soll, die auch dem Fürsten gefiel. Und als diese Jungfer gar die Aufgaben der Fürstin übernahm und einen Buben bekam, da soll sich der Hohenloher so gnädig gezeigt haben, daß er ihr nicht nur den Lakaien Jörg Weber zum Manne befahl, sondern seinen Sprößling später auch noch studieren ließ. »Textor« (und das ist keine Legende) nannte sich dieser zum Magister und Hohenloher Kanzleidirektor aufgerückte Wolfgang Weber auf dem Höhepunkt seiner Karriere, und wenn die Geschichte seiner Herkunft wahr ist, dann sind die Hohenloher Fürsten tatsächlich an Goethe beteiligt gewesen. Wenn …

In der Bibliothek von genealogischen Arbeiten, die sich allein mit Goethes Vorfahren befassen, wird auf jeden Fall von den fränkischen Autoren voll Stolz behauptet, daß »… der Einfluß der fränkischen Ahnen mütterlicherseits auf die Entstehung des Genius Goethe der maßgebendste gewesen sein muß«.

avons déjà parlé, qualifie ses propres histoires: elles sont comme ces libellules qui volent tels des feux follets au-dessus de la Jagst et ceci s'applique aussi à un tas de choses que le randonneur voit et entend dans cette région. Vous entrez déjà dans le domaine de la légende à l'énumération des grandes personnalités de la région de Hohenlohe. Car aucune d'entre elles n'a acquis une notoriété nationale à moins que l'on n'accepte que Goethe en fait partie. Toute une série de localités, de Weikersheim et Neuenstein jusqu'à Hall et Crailsheim prétendent pouvoir s'enorgueillir d'ancêtres de Goethe du côté maternel.

Les Weikersheimer ont même une histoire croustillante à ce sujet. Selon celle-ci, la princesse de Hohenlohe avait jusqu'en 1558 une femme de chambre du nom d'Anna qui plut également au prince. Et lorsque cette servante s'acquitta des tâches de la princesse jusqu'à donner le jour à un garçon, le prince non seulement fit d'elle une honnête femme en lui donnant le laquais Jörg Weber pour époux mais il fit aussi faire des études à son fils Wolfgang. Wolfgang Weber devint directeur de chancellerie de Hohenlohe et latinisa son nom de famille en «Textor» (le nom de famille de la mère de Goethe) et donc, si l'histoire de ses origines est vraie, il y avait un peu de sang bleu des Hohenlohe dans les veines de Goethe. Si …

Quoiqu'il en soit, les auteurs franconiens qui ont contribué à la vaste collection des études généalogiques sur les origines de Goethe insistent sur le fait que «… le développement

an invitation to the annual Tall Story Festival at Vellberg – about which more later. "Not quite lies and not quite true" is how the "WM" we have already mentioned describes his own stories: they are will-o'-the-wisps dancing tatalizingly through the air – and this applies equally well to a lot of other things that the wanderer sees and hears in this region. A feeling of unreality is induced even when the list of great personalities from the Hohenlohe region is reeled off – because scarcely one of them has achieved national importance – unless you are prepared to accept that Goethe was one of them. A whole lot of communities, from Weikersheim and Neuenstein to Hall and Crailsheim, claim to have produced Goethe ancestors on the maternal side.

The Weikersheimers even have a story of an illicit romance to accompany their claim. The story goes that the Princess Hohenlohe was served until 1588 by a chambermaid called Anna to whom the Prince himself took a liking. And when the chambermaid usurped her mistress's task by producing a baby boy, the Prince not only saw to it that she was made an honest woman by the lackey Georg Weber, but also later sent his son, Wolfgang, to university. Wolfgang Weber advanced to the position of Hohenlohe Chancery Director, and latinized his familiy name to "Textor" (the family name of Goethe's mother), and so, if the story of his origins is true, then some princely Hohenlohe blood really did course in Goethe's veins. If. …

At any rate, Franconian authors that have contributed towards the vast collection of

Da macht natürlich der Goethe-Spruch nachdenklich, der bekennt: »Vom Vater hab' ich die Statur,/ des Lebens ernstes Führen,/ von Mütterchen die Frohnatur/ und Lust zu fabulieren.« Denn das ist wohl nach wie vor ein Merkmal einer jeglichen mütterlich-hohenlohischen Verwandtschaft. Und nur boshafte Schwaben meinen, daß auch die nächsten Zeilen dieses Spruches zuträfen: »Urahnherr war der Schönsten hold,/ das spukt so hin und wider; Urahnfrau liebte Schmuck und Gold,/ das zuckt wohl durch die Glieder.« Doch wie gesagt: Nur die Ahnen der Frau Rat Goethe waren aus dem Hohenlohischen gekommen, und wenn man den zeitgenössischen Schilderungen dieser lebensprühenden Frau folgt, dann hat man auch die heutigen Hohenloherinnen vor sich: »Reich an natürlicher Begabung, voll überströmender Empfindung und Einbildungskraft, allem Zwang feind, bilderfroh in ihrer Sprache, eine köstliche Märchenerzählerin, und vor allem duldsam gegen jede frische menschliche Sonderart.«

Dieser Duldsamkeit und fränkisch-hohenlohischen Höflichkeit wegen fühlen sich auch so viele Schwaben wohl an Kocher, Jagst und Tauber, obwohl sie dort eigentlich nur in den Städtchen heimisch werden. Auf dem Dorf draußen öffnet sich der Hohenloher so ganz nur im Kreise befreundeter Dorfgenossen. Zugezogene werden zwar freundlich geduldet, aber es gibt Grenzen – so richtig dazugehören tun sie eben doch nicht. Eine kundige, aus Baden kommende Amtmännin in einem Bürgermeisteramt »auf der

du génie de Goethe a incontestablement surtout été influencé par les ancêtres franconiens du côté maternel.»
Ceci donne évidemment une signification particulière aux lignes autobiographiques de Goethe: «De mon père j'ai la stature/et la conduite sérieuse de la vie/de ma mère la nature joyeuse/et le goût de conter». Ce sont certainement là des traits fréquemment hérités des mères de Hohenlohe et seuls les malicieux Souabes prétendent que les lignes suivantes tirées du même passage sont tout aussi pertinentes: «Mon arrière grand-père aimait les jolies femmes/ce dont, il me semble, j'ai hérité/Mon arrière grand-mère l'or et les gemmes/un trait qui m'est resté, en vérité.» Comme il l'a déjà été dit, seuls les ancêtres de la mère de Goethe viendraient de la région de Hohenlohe et lorsqu'on lit les descriptions contemporaines de cette femme éclatante de vie, on a aussi devant soi les femmes de Hohenlohe d'aujourd'hui: «Richement dotée de talents par la nature, pleine de sensibilité et d'imagination, rebelle à toute contrainte, au langage imagé, excellente narratrice et surtout pleine de compréhension patiente à l'égard des excentriques».
Cette patience et cette politesse des Franconiens de Hohenlohe font que de nombreux Souabes aiment vivre dans la région de Hohenlohe quoique la plupart s'établissent dans les villes. A la campagne, les gens de Hohenlohe ne sont vraiment chaleureux qu'entre eux. Les nouveaux venus sont certes accueillis avec sympathie mais il y a des limites et ils ne sont jamais vraiment assimilés

genealogical studies on Goethe's origins insist that, "… the development of Goethe's genius was undoubtedly most strongly influenced by Franconian ancestors on the maternal side".
This naturally lends special significance to Goethe's autobiographical lines: "From Father came my strong physique,/ The earnest part of living;/ From Mother came my gift unique/ For fun and story-telling." These are certainly traits frequently inherited from Hohenlohe mothers. Only cynical Swabians insist that the next lines of the same verse are also all-too apt: "Great-grandfather loved the ladies well,/ Which I, it seems, inherit./ Great grandma found all jewels swell,/ A trait by no means dead yet." As already made clear, only the ancestors of Goethe's mother are claimed to have come from the Hohenlohe region, and reading contemporary descriptions of that lively woman is certainly like reading a description of any present-day Hohenlohe woman: "Richly endowed with natural talents, full of sentiment and imagination, opposed to any kind of coercion, fond of metaphorical language, a delightful teller of fairytales, and, in particular, full of patient understanding for eccentricity." This patient understanding and Franconian-Hohenlohe politeness is the reason why so many Swabians like to live in the Hohenlohe region, though most of them settle in the towns. The Hohenlohe country people only really warm to one another. Newcomers are given a friendly enough reception, but there are limits, and they never quite belong – although

Ebene« pries dagegen die Franken von Heilbronn bis Würzburg, weil die eben doch weltoffener seien. Hier aber wiesen die alten Bäuerinnen in den großen Tälern ihre Söhne bis heute an: »Bring ja keine von drüben!« – wobei mit drüben immer das andere Tal gemeint sei.

Wer auf Schritt und Tritt den alten Hohenloher Grenzpfählen mit ihren Konfessionsgrenzen begegnet, den wundert das nicht. Wie sollten die Taubertäler auch jemals die Kochertäler haben kennenlernen können, wenn dazwischen kaum Feldwege und drei Grenzen lagen? Und wenn gar im Dorf mehrere Herren die Familien unter sich aufteilten und zweierlei Konfessionen befahlen, dann mußte sich der Blick ja auf einen immer kleineren Abschnitt der Welt einengen. Solche Traditionen sind nicht so schnell zu überwinden – selbst wenn neue Generationen in völlig anderen Dimensionen aufwachsen.

Außerdem versuchen manche heimatstolzen Hohenloher sich heute ganz bewußt der autobahngeförderten Umarmung durch die übrige Welt zu entziehen. Sie versuchen ihre Eigenart und ihren Dialekt zu retten, die gefährdet sind, seit die schwäbischen Pfarrer, Beamten, Offiziere, Lehrer, Kaufleute und Industriellen das Honoratiorenschwäbisch eingeführt haben. Das ist keine Hochsprache und kein Dialekt, doch meinen viele, die das reden, das sei Hochdeutsch. Und inzwischen glauben das auch viele Hohenloher, zumal da sie ja nicht einmal ein Wörterbuch ihres eigenen Dialektes haben, in dem sie nach-

Ein Bauernhof kann lange von der Substanz leben. Deswegen sind manche der kleineren bäuerlichen Anwesen in den hohenlohischen Tälern in einem Zustand, den der Städter beim Blick auf die verwitterten Schuppen romantisch und der Landbewohner abgewirtschaftet nennt.

Une ferme peut vivre longtemps de son patrimoine et c'est pourquoi certaines des petites exploitations agricoles dans les vallées de la Hohenlohe sont dans un état que les cita-dins qualifient de romantique à la vue des remises délabrées mais qui, pour les habitants de la campagne, est le résultat d'une mauvaise gestion.

A farm can live on its architectural capital for a long time, and that is why some of the small farmsteads in the Hohenlohe valleys are in a condition which townees consider romantic but country folk may well look upon as run-down.

– bien que j'ai entendu des étrangers au coin vanter l'ouverture d'esprit des gens de la campagne dans la Hohenlohe. D'un autre côté, les paysannes dans les vallées disent aujourd'hui encore à leurs fils: «N'en ramène pas une de l'autre côté!» – «l'autre côté» étant toujours ici l'autre vallée! Quiconque sait combien cette région a été traversée de frontières confessionnelles ne sera pas surpris par cette attitude. Comment les habitants de la vallée de la Tauber auraient-ils pu connaître ceux de la vallée du Kocher étant donné qu'il n'y avait guère de chemins entre elles et que de surcroît elles étaient séparées par trois frontières? Et quand on sait qu'un seul village avait plusieurs seigneurs qui imposaient aux familles deux sortes de religions, catholique ou protestante, on n'est pas étonné que leur horizon ait été plutôt limité. De telles tradition sont difficiles à vaincre même si les générations suivantes grandissent dans des conditions tout à fait différentes.

Il y a aussi certains Hohenloher fiers de leurs origines qui repoussent les avances du reste du monde qu'encouragent les autoroutes tentaculaires. Ils tentent de préserver leur caractère régional et leur dialecte mis en péril par les prêtres, fonctionnaires, officiers, enseignants, commerçants et industriels souabes qui ont introduit le parler souabe des notables. Ce n'est ni du haut allemand ni un dialecte, pourtant nombreux sont ceux qui l'utilisent qui croient effectivement parler le haut allemand. Et entretemps de nombreux Hohenloher commencent aussi à le croire d'autant plus qu'ils ne peuvent consulter

I have heard outsiders praise the country people of the area for their open-mindedness. On the other hand, the old peasant women in the valleys still tell their sons: "Don't bring a girl home from over there!" – whereby "over there" always means the next valley! Anyone who knows how this area was criss-crossed with sectarian borders in the old days will not be surprised by this attitude. How could the people of the Tauber Valley ever have got to know those from the Kocher Valley considering that there were scarcely any paths, let alone roads, connecting the two, and that they were separated by no less than three borders? And, in view of the fact that a single village could be subject to several different lords, and that families were forced to embrace their particular master's religious convictions, Protestant or Catholic, it is not surprising that their horizons were narrow. Such traditions are hard to overcome – even if later generations grow up under completely different conditions.

There are, of course, still some proud Hohenlohers who consciously withdraw from the advances of the rest of the world now encouraged by the all-embracing motorways. They try to preserve their regional character and dialect in the face of the levelling effect of Swabian priests, officials, teachers, businessmen, and industrialists who nearly all speak the subversive "upper-class Swabian". This is neither "standard German" nor dialect, neither flesh for fowl, although many who employ it think it is the former. And unfortunately, many Hohenlohers are beginning to

schlagen könnten. Mit der zunehmenden Verstädterung ist das Schwäbische schon bis ins letzte Dorf so sprachbildend vorgedrungen, daß ein betrübter Heimatpfleger von der heutigen Sprachverwirrung sagt: »Man kann heute fast leichter zeigen, was die Hohenloher nicht mehr sind, als was sie noch sind.« Der kundige Mann klagte allerdings auch seine fränkischen Landsleute der Untugend an, allzu anpassungsfähig und anpassungsbereit zu sein. Sie glaubten inzwischen schon selber daran, Schwaben zu sein, nur weil sie zum Regierungsbezirk Nord-Württemberg gehörten. Weil sie keine Außenseiter in Baden-Württemberg sein wollten, verleugneten sie ihren fränkischen Dialekt und schlügen sich auf die Seite des »auserwählten Volkes der schwäbischen Dichter, Denker, Tüftler und Häuslesbauer«. Der Haller Reichsstädter Walter Hampele, der nicht müde wird, solche Klagen gen Stuttgart zu schleudern, ist natürlich gewissenhaft genug, anzuerkennen, welche tiefgründigen Ströme der Geschichte da im Untergrund blubbern. Denn der hohenlohische Dialekt hat eben seit jeher eindeutig schwäbische Untertöne, und das kann nur daher kommen, daß die von den Franken vor 1500 Jahren auf diesem Boden unterjochten Alemannen selbst als Unfreie ihre Herren noch beeinflußt haben. Dennoch ist das Hohenlohische, das die alten Bauersleut noch reden, bis heute eine Sprache, bei der auch die Schwaben gut aufpassen müssen, um mitzukommen. »Wärtebercher Madlich« sind zum Beispiel württembergische Mädchen, ein »Saal« ist ein Seil,

aucun dictionnaire de leur dialecte. Avec l'accroissement de l'urbanisation, le souabe s'est introduit dans les moindres recoins de la région de sorte qu'un expert a pu constater avec amertume en parlent de l'imbroglio linguistique actuel: «Il est maintenant plus facile de dire ce que les Hohenloher ne sont plus que ce qu'ils sont.» Mais il a également déploré que ses compatriotes excellent à s'adapter et s'adaptent volontiers. Ils en arrivement même à croire qu'ils sont des Souabes simplement parce qu'ils font partie de la circonscription administrative du Nord-Wurtemberg. Comme ils ne veulent pas passer pour des outsiders dans le Bade-Wurtemberg, ils renient leur dialecte franconien et rejoignent les rangs du «peuple élu des poètes, des philosophes et des rêveurs». Celui qui dit cela et qui ne se lasse pas d'adresser de telles remarques aux autorités à Stuttgart est évidemment assez consciencieux pour admettre que de profonds courants historiques sont également en jeu. Car le dialecte de Hohenlohe a toujours eu des accents souabes et cela ne peut tenir qu'au fait que les Alamans qui ont été asservis par les Francs, voici 1500 ans, ont néanmoins préservé une partie de leur caractère face à l'oppression. Et pourtant le véritable dialecte de Hohenlohe, que parlent encore les vieux paysans, reste une langue difficile à suivre même par les Souabes. Malheureusement, notre monde en mutation continuera d'éroder ces anciennes formes de dialecte; toutefois, il n'aura pas prise sur la nature profonde du vrai Hohenloher. Cependant s'il est une chose sur laquelle devraient

agree with them, especially as they have not a single dictionary in their own dialect to fall back on. With increasing urbanization, Swabian has penetrated all corners of the region with such effect that an expert said sadly in reference to the modern linguistic patchwork that has developed: "It is now almost easier to define what the Hohenlohers no longer are than what they are."
He went on to complain that this compatriots were unfortunately good at adapting and were all too willing to do so. By now, he said, they even believe themselves to be Swabians – simply because they belong to the administrative District of Baden-Württemberg. Because they did not wish to be outsiders in Baden-Württemberg they dropped their Franconian dialect and joined the ranks of the "chosen people of Swabian poets, philosophers, fusspots, and penny-pinchers." Such a man, who never tires of hurling such remarks at the authorities in Stuttgart, is, of course, conscientious enough to admit that there are fundamental historical factors also at work. For the Hohenlohe dialect has always had Swabian undertones, and this can only be a result of the fact that the Alemanni, when they were subjugated by the Franconians 1500 years ago, nevertheless maintained something of their own character in the face of suppression. And yet genuine Hohenlohe dialect of the kind still spoken by the old country people is nevertheless a tricky language for any Swabian to follow.
It is the way of our present world that ancient, traditional dialects should continually be

der »Koubf« ist der Kopf, der »Oowed« der Abend und die »Hoose« sind die Hasen. Der Verständigungsschwierigkeiten in einer verwandelten Welt wegen werden sich diese urwüchsigen und uralten Wortformen leider weiter abschleifen. Dem Hohenloher Wesenskern wird das aber sicher nicht schaden. Um ihres Selbstverständnisses willen sollten sich die Hohenloher allerdings darüber einigen, woraus denn nun der erste ihres Stammes bestanden habe. Denn über diese ganz spezielle Schöpfungsgeschichte gibt's die verschiedensten Ansichten. Der Mundartdichter Gottlob Haag widerspricht zum Beispiel den weit verbreiteten Deutungen, der Herrgott habe den Hohenloher aus dem schnell austrocknenden Blauletten-Boden gebrannt, weshalb er bis heute stets kräftig angefeuchtet werden müsse. Haag ist selber von allen guten Geistern des Landes zu der Deutung inspiriert worden, der Herrgott habe nach mehreren vergeblichen Versuchen, vollkommene Menschen zu schaffen, endlich eingesehen, daß, wenn er Lehm dazu verwende, bestenfalls die höchst unzulänglichen Schwaben dabei herauskommen könnten. Also müsse er ein besseres Material benützen, weshalb er das Holz einer Buche auf den Höhen zwischen dem Kocher und der Jagst gewählt habe. Und das sei dann sein bester Schöpfungsakt gewesen, weil der geschnitzte Mann ganz prächtig und sein ihm nachgeschnitztes Weib auch ganz passabel geworden sei – nur wolle die Hohenloherin bis heute das letzte Wort haben, weil der Herrgott bei der »scho en wagger knorzede Ooscht«, einen

bien s'entendre les Hohenloher entre eux, c'est sur l'origine de leur race. Car il existe plusieurs versions de cette histoire toute particulière de la création. Gottlob Haag, un poète local qui écrit en dialecte, conteste par exemple l'authenticité d'une version très répandue selon laquelle Dieu a créé les Hohenloher en prenant de la terre argileuse de la région qui sèche très vite et doit par conséquent être constamment mouillée. Ayant étudié les meilleures sources, Haag pour sa part est convaincu qu'après avoir essayé en vain de créer l'homme parfait, Dieu a finalement compris que s'il continuait à utiliser de la terre glaise, il arriverait dans le meilleur des cas à produire un Souabe qui serait loin d'être parfait. Il lui fallait donc trouver un meilleur matériel et c'est pourquoi il choisit le bois d'un hêtre qui poussait sur les hauteurs entre le Kocher et la Jagst. Et ce fut le meilleur acte de la création car l'homme sculpté dans le bois se révéla magnifique et la femme taillée à son image tout à fait passable avec pour seul défaut qu'elle veut aujourd'hui encore avoir le dernier mot parce que Dieu a pris une branche particulièrement noueuse lorsqu'il l'a créée. Quoiqu'il en soit, terre glaise ou bois de hêtre, c'est aux Hohenloher de décider de leur origine. Les visiteurs eux ont plutôt l'impression qu'ils sont faits de verre à bouteille joyeusement coloré. C'est pourquoi les Souabes devraient en fait être contents de cet ancien dicton qui dit: «Grattez un Souabe et c'est le Franconien qui apparaîtra.» Schiller et Mörike auraient ainsi été «en grande partie» franconiens. L'inverse serait aussi vrai.

eroded in favour of a more universally understandable form, but this is a process that is unlikely to affect the innermost character of the true Hohenloher. Nevertheless, for the sake of their own sense of identity, the Hohenlohers should at least agree among themselves as to how they came into being – for there are many versions of this very special act of creation. The dialect poet Gottlob Haag, for example, denies the truth of one widely-held version, according to which God created the Hohenloher out of a local clay which dries very quickly and must therefore constantly be moistened. Haag himself is convinced, having studied the best sources, that, after having made several vain attempts to create the perfect human being, God finally saw that if he continued to use clay the best he could hope to produce would be the far from perfect Swabian type. He therefore decided to use a better material, and chose the wood of a beech tree growing on the heights between the rivers Kocher and Jagst. And this proved to be the superior act of creation, for the man carved from the wood turned out magnificently, and even the woman cut in the man's image was quite acceptable – the only defect being that the female of the species even today still insists on having the last word, because God happened to choose a particularly knotty bit of wood when he created her. But whether the original material was clay or wood – that is something for the Hohenlohers themselves to decide. To visitors it rather seems that they are composed of convivially colourful wine-bottle glass. That is why the Swabians should

Waldbauern gibt es nur im Süden des Hohenlohischen. Den meisten Bauern bringt der Wald nur ein geringes Zubrot, obwohl viele Grenzertragsböden in den letzten Jahren aufgeforstet worden sind und der Wald damit zunimmt. Die Farben der Waldtälchen werden vom Frühjahr bis zum Herbst von den Buchen und Eichen, den Linden, dem Ahorn, den Eschen und den Erlen bestimmt, die oft noch in urwüchsigen bäuerlichen Plenterwäldern zusammen stehen.

Ce n'est que dans le Sud de la Hohenlohe qu'il y a des exploitants forestiers. La forêt ne constitue pour la plupart des paysans qu'un faible apport bien que ces dernières années de nombreuses terres de rendement marginal aient été reboisées et que les forêts augmentent. Du printemps à l'automne les couleurs des vallons boisés sont celles des hêtres et des chênes, des tilleuls, des érables, des frênes et des aulnes réunis encore souvent dans des forêts naturelles éclaircies.

Woodsmen are to be found only in the south of Hohenlohe Land. For most farmers, timber is only a fringe benefit, although reaforrestation has been carried out in many less fertile areas in recent years, so that the amount of forest is, in fact, on the increase. The colours in the wooded valleys are dominated from spring to autumn by beech, oak, lime, maple, ash, and alder trees which are still often to be found together in mixed cultivated woodland.

ganz und gar knorrigen Ast, erwischt habe.
Doch ob Blauletten oder Buchenholz – das
müssen die Hohenloher selber entscheiden.
Ihren Gästen kommt's eher vor, sie beständen
aus fröhlich buntem Weinflaschenglas. Deshalb müssen die Schwaben eigentlich froh
sein über den alten Spruch: »Wenn man am
Schwaben kratzt, dann kommt der Franke
heraus.« So sollen selbst Schiller und Mörike
»weitgehend« Franken gewesen sein. Umgekehrt wird's allerdings ebenso sein.

really be pleased at the old saying: "Scratch a
Swabian and you'll find a Franconian." Thus
even Schiller and Mörike are said to have
been "largely" Franconian. The saying could
no doubt equally well be applied other way
round.

# Von Mörike zu Götz

Sicher hat es etwas zu bedeuten, daß sich der empfindsame Eduard Mörike so wohl gefühlt hat im Hohenlohischen. Seine schönsten Gedichte sind während seiner heiteren Zeit im sanft hügeligen Land um Cleversulzbach entstanden. Mörike gehörte zu den Pfarrern, die von der württembergischen Zentralgewalt in die neue Provinz entsandt wurden und die sehr glücklich dort waren. Im Jahre 1834 zog er in dem Dörflein ein, seine Kränklichkeit zwang ihn aber, schon 1843 sein Pfarramt aufzugeben. Er blieb jedoch zunächst im Hohenlohischen, zog kurz nach Hall und dann auf sechs Jahre nach Mergentheim. Weil er von dort aus regelmäßig seine Freunde in der Umgebung besuchte, gibt es in überraschend vielen hohenlohischen Dörfern Mörike-Gassen, Mörike-Stuben und ähnliche Gedenkstätten bis zur trockenen Mitteilung, in diesem Ort habe der Dichter oftmals einen Freund besucht.

Cleversulzbach ist natürlich das wichtigste Ziel der Mörike-Pilger, dort hängt vor dem Ort am Friedhof ein Schild: »Hier ruhen vereint die Mütter der Dichter Friedrich von Schiller und Eduard Mörike.« Doch die Besucher halten sich selten lange hinter dem quietschenden Eisentörlein des Friedhofs auf, sie streben dem Gasthof »Zum Alten Turmhahn« zu und suchen nach Dingen, die der Dichter wahr und wahrhaftig noch selber in der Hand gehabt hat – weshalb sie die Frau Wirtin heute nicht mehr aus der Hand gibt. Mörikes Tochter und viele seiner Verehrer haben dafür gesorgt, daß viel Reliquienkram aus dem Pfarrershaushalt von damals dem

# De Mörike à Götz

Il est certainement significatif qu'un poète aussi sensible qu'Edouard Mörike se soit senti aussi bien dans le pays de Hohenlohe. Ses plus beaux poèmes ont été composés pendant la période heureuse qu'il a vécue au milieu du paysage légèrement montueux qui entoure Cleversulzbach. Mörike était un des pasteurs qui avaient été envoyés par les autorités du Wurtemberg dans la nouvelle province et il y fut très heureux. Il s'installe dans le petit village en 1834 mais sa santé précaire l'oblige à renoncer à sa paroisse en 1843. Il reste tout d'abord dans le pays de Hohenlohe puis s'installe pour une courte période à Hall et ensuite pour six ans à Mergentheim. Comme il allait visiter régulièrement ses amis dans les environs, il existe un nombre surprenant de ruelles, auberges et autre lieux qui portent son nom dans les villages de Hohenlohe bien que certains endroits se contentent d'indiquer laconiquement que le poète y a souvent rendu visite à un ami.

Cleversulzbach est évidemment le but principal de tous ceux qui vont en pélerinage sur les traces de Mörike. Au cimetière, à l'extérieur du village, on peut lire sur un écriteau: «Ici reposent les mères des poètes Friedrich von Schiller et Edouard Mörike». Mais les visiteurs ne s'attardent pas derrière la petite porte en fer grinçante du cimetière; ils se dépêchent d'aller à l'auberge «Zum alten Turmhahn» (A la vieille girouette) et recherchent les objets que le poète a encore vraiment eus en main – et c'est pourquoi la femme de l'aubergiste ne permet plus à personne d'y toucher. La fille de Mörike et un grand nombre de ses

# From Mörike to Götz

It is certainly significant that the sensitive poet Eduard Mörike felt so much at home in Hohenlohe Land. His finest poems were written during the happy time he spent in the gently hilly countryside round Cleversulzbach. Mörike was one of the pastors who were sent to the new province by the Württemberg authorities and enjoyed their posting. He moved into the little village in 1834, but his poor health forced him to give up his parish in 1843. He stayed in Hohenlohe Land for the time being, though, first moving to Hall for a short while, and then to Mergentheim for six years. Because he made regular trips into the countryside from there in order to visit his friends, there are a surprising number of lanes, inns, and other things named after him in Hohenlohe villages, though some of the places restrict themselves to the dry comment that the poet often visited a friend there.

Cleversulzbach is, of course, the Mecca of the Mörike pilgrims. There, a sign at the graveyard outside the village reads: "Here rest the mothers of the poets Friedrich von Schiller and Eduard Mörike". However, visitors rarely spend much time behind the creaking little iron gate of the cemetery, but head for the inn "Zum Alten Turmhahn" (The Old Weathervane), and look for things which the poet himself really and truly handled. His candle snuffer is still there, and his wooden sand-box and the wool winder which the Pastor made for his mother so that he would not have to hold the wool for her.

One of the more fascinating relics is a drink-

Sammelgriff des schwäbischen Dichter-Pantheons, des Schiller-Nationalmuseums in Marbach, entzogen worden ist. Der eiserne Turmhahn der alten Kirche ist allerdings nach Marbach gewandert. Hier im Dorf wäre er besser aufgehoben, nachdem Mörike des Hahnes Geschichte in einem langen Gedicht so eng mit der Schilderung seines Lebens in Cleversulzbach verwoben hat. Jetzt liegen noch seine Lichtputzschere da und sein Sandstreuer aus Holz samt der Wollhaspel, die der Herr Pfarrer für seine Mutter konstruiert hatte, damit er nicht mehr selber helfen mußte beim Wollewickeln. Besonders dankbar aber sind ihm alle Besucher für das Bildchen seiner Kirche und seines Pfarrhauses auf einem Trinkbecher. Denn das Schiff dieser alten Kirche war eingefallen und hat neu aufgebaut werden müssen. Und seither fehlt dort die »typische Mörike-Stimmung«. Die fehlt allerdings auch der hier zu findenden Urschrift eines Gedichtes, das Schwärmer eigentlich abschrecken sollte: »Mein Wappen ist nicht adelig,/ Mein Leben nicht untadelig./ Und was da wert sei mein Gedicht,/ Führwahr, das weiß ich selber nicht.«

admirateurs ont veillé à ce qu'une grande partie des reliques de la cure d'autrefois échappent à l'emprise collectionneuse du Panthéon des poètes souabes – le Schiller Nationalmuseum – à Marbach. Mais la jolie girouette en fer, en forme de coq, de la vieille église a émigré à Marbach alors qu'elle aurait été mieux à sa place dans le village étant donné que Mörike a inséré l'histoire du coq dans un long poème sur sa vie à Cleversulzbach. Ses mouchettes cependant sont toujours là de même que son sablier en bois et le dévidoir à laine que le pasteur avait confectionné pour sa mère afin qu'il n'ait plus à l'aider à dévider la laine.
Un gobelet orné d'une image de l'église et du presbytère est l'une des reliques les plus fascinantes car elle montre l'église telle qu'elle était avant l'effondrement et la reconstruction de sa nef. Depuis il manque à cet endroit la véritable ambiance Mörike. Elle est également absente de la version manuscrite d'un de ses poèmes conservés à Cleversulzbach et qui devrait mettre en garde contre une admiration exagérée: «Mon blason n'est pas noble,/ Ma vie n'est pas irréprochable/ Et ce que vaut mon poème/ A vrai dire je ne le sais pas moi-

ing mug decorated with a picture of the church and vicarage, for it shows what the church looked like before its nave collapsed and had to be rebuilt – since which time the "true Mörike atmosphere", so beloved of the poet's admirers, has been lost. It was evidently never present, however, in the manuscript version of one of his poems, preserved at Cleversulzbach, which should act as a warning against exaggerated adulation: "No blue blood runs through my veins,/My scutcheon's not without its stains,/ And what my poetry is for,/ Even of that I'm not quite sure." It is signed "E. M." – smaller minds are usually less modest.
The borders of Hohenlohe are not too well defined, so that when Mörike was in Cleversulzbach and the neighbouring town of Neuenstadt am Kocher he was almost in Old Württemberg. At the entrance to the town is a sign reading: "Christofe, by the Grace of God Duke of Wirttemberg, … built this gate and wall in 1558." Neuenstadt was, in fact, the centre of the tiny duchy of the collateral line of the Württembergs, called Württemberg-Neuenstadt.
In addition to its run-down Renaissance

► Eduard Mörike hat in Hohenlohe viele Erlebnisse, Empfindungen und unvergeßliche Eindrücke von Menschen und Landschaften, von Luft und Himmel, von Düften und Stimmungen in sich aufgenommen. Wer als ein Freund Hohenlohes des Dichters Lebenslauf mit den Daten seiner schönsten Verse vergleicht, ist gern bereit anzunehmen, daß ihm auch die wunderschönen Zeilen »Frühling läßt sein blaues Band wieder flattern durch die Lüfte …« gerade hier zugeflogen sind.

► Edouard Mörike a gardé de la Hohenlohe, où il a vécu des moments heureux, des impressions et des souvenirs inoubliables des gens et du paysage, de l'air et du ciel, des parfums et de l'ambiance. Et celui qui aime la Hohenlohe et compare la vie du poète avec les dates de ses poèmes admet volontiers que ce paysage lui a inspiré certains de ses plus beaux vers.

► Eduard Mörike (1804–1875), one of the most distinguished German lyric poets, spent many years in Hohenlohe, where he absorbed unforgettable impressions of people and landscapes, skyscapes and atmosphere which inspired him to some of his greatest verse.

»E. M.« steht darunter – kleinere Geister sind meist weniger bescheiden.

Hohenlohes Grenzen schwimmen. Deshalb war auch Mörike in Cleversulzbach und im Nachbarort Neuenstadt am Kocher fast noch in Alt-Württemberg. Denn dort steht am Stadteingang: »Von Gottes Gnaden Christofe Herzog zu Wirttemberg … hat 1558 dies Tor und Mauer erbaut.« In Neuenstadt herrschte nämlich die winzige Hofhaltung der fürstlichen Nebenlinie Württemberg-Neuenstadt des Hauses Württemberg.

Neben dem unansehnlich gewordenen Renaissanceschloß liegt dort bis heute ein eigenartig-dauerhaftes Stück lebender Geschichte: der Lindengarten aus dem Jahre 1558. Die Zweige dieser Bäume werden seit Jahrhunderten heruntergezogen auf steinerne Säulen, die die Wappen ihrer bürgerlichen und adeligen Stifter tragen. Unter dem nun schon über vierhundert Jahre alten Ast- und Laubdach ist es selbst an den lichtesten Sommertagen dunkel-dämmrig; das Sonnenlicht fällt nur in der Mitte auf drei junge Bäume, die an der Stelle der tausendjährigen Gerichtslinde wachsen, um die herum der Garten angelegt worden war. Dieser uralte Baum fiel unter den letzten Granaten des Krieges im Jahre 1945. Das war symbolhaft, und die Neuenstädter haben das gespürt, denn sie haben jetzt ein eisernes Band um den alten Gerichtsplatz gelegt, auf dem steht, daß hier eine Linde gestanden habe, so »uralt wie das Reich«. Und hier ist tatsächlich ein wahrhafter Zeuge des mittelalterlichen Römischen Reiches Deutscher Nation den Untaten derer

même.» Et c'est signé «E. M.» – les petits esprits sont souvent moins modestes.

Les frontières de Hohenlohe ne sont pas très bien définies. Aussi lorsque Mörike était à Cleversulzbach et dans la ville voisine de Neuenstadt am Kocher, il était presque dans le Vieux Wurtemberg. A l'entrée de la ville, on peut lire: «Christophe, duc de Wurtemberg par la grâce de Dieu … a érigé cette porte et ce mur en 1558.» Neuenstadt était en fait le centre du petit duché de la ligne collatérale des Wurtemberg, appelée Wurtemberg-Neuenstadt.

En plus de son château Renaissance en bien mauvais état, Neuenstadt offre un morceau unique d'histoire vivante: le jardin de tilleuls qui date de 1558. Depuis des siècles, les branches de ces arbres sont supportées par des piliers de pierre qui portent les armoiries de leurs donateurs bourgeois et nobles. Sous le toit formé par les branches et le feuillage de ces tilleuls, il fait toujours sombre et frais, même par les jours d'été les plus ensoleillés; la lumière du soleil tombe juste dans le milieu sur trois jeunes arbres qui poussent à la place d'un tilleul millénaire où la cour siégait et rendait ses jugements et autour duquel le jardin a été aménagé. Le vieil arbre est tombé sous les dernières grenades de la guerre en 1945. Cela fit figure de symbole et les habitants de Neuenstadt l'ont compris car ils ont entouré l'ancienne place du tribunal en plein air d'un ruban en fer sur lequel on peut lire qu'il y avait à cet endroit un tilleul «plus ancien que l'Empire». Et il est vrai que cet arbre, témoin vivant du Saint-Empire romain médiéval, a

palace, Neuenstadt has a unique piece of living history to boast of: the lime-tree garden dating back to 1558. For centuries now, the branches of these trees have been supported by stone pillars bearing the coats of arms of their bourgeois and aristocratic donors. Under the ancient "roof" formed by the branches and foliage of these lime-trees it is always dark and cool, even on the sunniest summer days; the sunlight falls only in the middle – on three young trees which are growing in place of a thousand-year-old lime-tree beneath which a court of law used to be held and judgement passed, and around which the garden was laid out. This ancient tree was destroyed in 1945 by one of the last shells to be fired in the war. There was a symbolic aspect to this which the local people sensed, for they have in the meantime surrounded the old open-air court of law with an iron band on which it says that here an old lime-tree stood "as ancient as the Empire". And, indeed, when that tree was destroyed, a living witness of the medieval Holy Roman Empire became a victim of those latter-day barbarians who had laid claim to a modern empire. Fortunately for Hohnlohe, only few towns, such as unhappy Crailsheim and Waldenburg, had to pay such a bitter price. The war passed over the rest of the region swiftly, and left a great number of old settlements intact which have only grown beyond their old town walls in the second half of this century.

A great deal remains of what Mörike saw and experienced when he went on his long walks

zum Opfer gefallen, die sich dieses Reich nur angemaßt hatten. Zum Glück für Hohenlohe haben nur wenige Städte, so das unglückliche Crailsheim oder das umkämpfte Waldenburg, ebenso bitter dafür bezahlen müssen. Über das übrige Land ist wenigstens dieser Krieg schnell hinweggedonnert und hat eine Fülle von alten Siedlungen stehen lassen, die erst in der zweiten Hälfte dieses Jahrhunderts hinausgewachsen sind über ihre alten Stadtmauern.

Viel ist hier noch übrig geblieben von dem, was Mörike gesehen und erlebt hat, wenn er durch die Täler und über die Hochebenen zu seinen vielen Freunden im Land gewandert ist. »Idyllisch, voll Poesie« nannte der dichtende Wanderer diesen Erdenfleck, der ihm eine »besonders zärtlich ausgeformte Handvoll Deutschland« war. Sicher sind ihm dabei oft genug seine eigenen zeitlos schönen Zeilen eingefallen: »Frühling läßt sein blaues Band/ wieder flattern durch die Lüfte;/ süße, wohlbekannte Düfte/ streifen ahnungsvoll das Land.«

Diese Stimmung webt noch heute über diesen Fluren. Auch wenn es inzwischen oft recht betriebsam dort zugeht. Das nahe Jagsthausen zum Beispiel ist einer der seltsamsten Kreuzungspunkte in diesem Land. Gar mancher Besucher erfährt erst hier, in welche milde Landschaft er da eintritt – sei es, daß er zur raren Gattung der Limes-Wanderer oder zur schon häufigeren der Dampfwanderer gehöre, sei es, daß ihn nur die Festspiele in der Götzenburg hergeführt haben, oder sei es, daß er nur auf den Spuren des Götz von

disparu, victime de ces nouveaux barbares qui voulaient édifier un empire moderne. Fort heureusement pour la Hohenlohe, quelques villes seulement, comme les malheureuses Crailsheim ou Waldenburg, ont dû payer un tel prix. Pour le reste de la région, la guerre n'a pas été aussi cruelle et a laissé intactes de nombreuses anciennes colonies qui ne se sont étendues au-delà de leurs anciens murs d'enceinte que dans le courant de la deuxième moitié de ce siècle.

Bien des choses sont restées de ce que Mörike a vu et vécu lorsqu'il se promenait dans les vallées et sur les plateaux pour rendre visite à ses nombreux amis. «Idyllique et plein de poésie», c'est ainsi que Mörike décrivait ce petit coin de terre qui lui paraissait «une poignée d'Allemagne modelée avec une tendresse particulière». Et en se promenant il a souvent dû réciter ce qu'il avait écrit: «Le printemps étire à nouveau son beau ruban bleu/ Et des senteurs douces et connues s'exhalent de tout le pays.» La même atmosphère auréole encore cette région même si, par la force des choses, la vie y est devenue moins paisible. Jagsthausen, par exemple, est un des carrefours les plus curieux de cette région et toutes sortes de visiteurs s'y côtoient. Et souvent c'est seulement en arrivant à Jagsthausen qu'ils se rendent compte de la douceur de ce pays, qu'ils soient de cette espèce rare du randonneur suivant la route du *limes*, l'ancienne frontière romaine, ou de cette espèce plus courante du «randonneur à vapeur», qu'ils aient été attirés par le festival au château de Götz von Berlichingen ou qu'ils suivent les

across the hills and dales on visits to his many friends. "Idyllic and full of poetry", was how Mörike described this corner of the world which seemed to him to be a "handful of Germany which was formed with particular tenderness". When walking through this countryside, he no doubt often recalled his own lines: "Spring doth let her colours fly,/ Wafts them through the air so gaily;/ Wonted perfumes greet us daily,/ Earth doth pulse with ecstasy."

The same atmosphere is still alive, even though the hustle and bustle of life has no doubt increased since then. Nearby Jagsthausen, for example, is a crossroads for a wide variety of visitors to the region. Many of them only realize when they reach Jagsthausen how pleasant this countryside is – whether they belong to that rare type, the rambler, following, perhaps, the route of the old Roman wall *limes*, or the more common "steam rambler" type; whether they have been drawn here by the Festival at Götz von Berlichingen's castle, or because they are following in the footsteps of that popular hero, or even because of his association with Goethe.

The term "steam rambler", by the way, is part of the vocabulary of the "German Historical Railway Society". This grandiloquent-sounding society offers visitors to Hohenlohe amenities called "steam cycling" and "steam paddling" – both under the auspices of an iron lady called "Helene", an old steam locomotive which, on certain summer days, puffs along beneath copious clouds of steam on West Germany's longest narrow-gauge

Vorfrühling im Kochertal. Unten: Bei Kocherstetten und bei Untermünkheim, wo im Tal nur noch Wiesen liegen, weil sich die Felderwirtschaft auf die Hochfläche zurückgezogen hat

Ambiance pré-printanière dans la vallée du Kocher. En bas: près de Kocherstetten et près d'Untermünkheim où il n'y a plus que des prés dans la vallée car la culture se pratique sur le plateau.

Early spring in the Kocher Valley. Below: Near Kocherstetten and Untermünkheim, where the valleys are used only as grassland, arable farming having withdrawn to the higher land.

► Das Schlößchen von Buchenbach ist die seltene Kombination eines wehrhaften Hauses mit einem Bergfried. Dieser Turm war wohl ehedem höher.

► Le petit château de Buchenbach représente la combinaison rare d'une maison fortifiée avec un donjon. Cette tour a sans doute été plus haute autrefois.

► The little castle of Buchenbach: an unusual combination of fortified house and keep (which was presumably originally higher).

Berlichingen oder gar Goethes hergekommen sei.

Das Wort »dampfwandern« ist übrigens dem Sprachgebrauch der »Deutschen Gesellschaft für Eisenbahngeschichte« entnommen. Dieser hochtönende Verein bietet dem Gast Hohenlohes auch das »Dampfradfahren« und das »Dampfpaddeln« an. Alles zu Lasten einer eisernen Dame namens »Helene«, das ist eine stets von weißen Wolken umgebene Museumslokomotive, die auf den längsten bundesdeutschen Schmalspurgleisen an ausgesuchten Sommertagen 40 Kilometer weit von Möckmühl nach Dörzbach schnauft.

Und weil es da immer der Jagst entlang geht, läßt sich dieses liebliche Tal auf dem Rückweg auf das beste erwandern, mit dem Fahrrad erkunden oder aus dem Kanu im Vorbeitreiben betrachten.

Nur Zeit muß man sich nehmen zu diesem Ausflug ins Dampfzeitalter. Schon der Bahndamm dieses eingleisigen Bähnchens ist außerordentlich hinfällig. Die Züglein dürfen vorsichtshalber nur mit 30 Kilometern Geschwindigkeit in der Stunde über den nur so ungefähr geradlinigen Schienenweg schleichen. Hier ist das Blumenpflücken während

traces de ce héros populaire ou encore la pensée de Goethe. Soit dit en passant, l'expression «randonneur à vapeur» est empruntée au vocabulaire de la «Société allemande d'histoire des chemins de fer». Cette association au nom ronflant offre aux visiteurs du pays de Hohenlohe la possibilité de randonnées combinées à bicyclette et à vapeur ou en canoë et à vapeur. Et ceci grâce à une dame de fer qui répond au nom d' «Hélène», une ancienne locomotive à vapeur qui, certains jours d'été, crachote des nuages blancs de vapeur sur la plus longue ligne de chemin de fer à voie étroite d'Allemagne et qui couvre les 40 kilomètres qui séparent Möckmühl de Dörzbach. Et comme elle longe la Jagst, les voyageurs peuvent faire le trajet de retour à bicyclette ou en canoë et ainsi découvrir à loisir cette charmante vallée.

Mais il faut prendre son temps pour une telle excursion car le tortillard ne peut rouler qu'à une vitesse maximum de 30 kilomètres à l'heure sur cette ligne plutôt tortueuse. Les voyageurs ont le droit de cueillir des fleurs durant le parcours; dommage toutefois que le petit train effraye les hérons et les chevreuils. Presque chaque station le long de cette ligne

railway, covering the 25-mile stretch between Möckmühl and Dörzbach. And as it follows the route of the River Jagst, one-way passengers can make the return journey by bike or canoe and explore this charming valley more closely. Such an excursion cannot be rushed, for not only the locomotive, but also the railway embankment is ancient, so the little train is permitted a maximum speed of only 18 mph along the slightly crooked permanent way. Nearly every station along the line is associated with the name of that wild knight Götz von Berlichingen (immortalized in Goethe's play to which he gives his name). The first stop, Möckmühl, for example, marks the spot where he had to capitulate to the Swabian League in 1519 when he vainly tried to defend the hopeless cause of Duke Ulrich of Württemberg, who had been banished by the Emperor. Götz of the Iron Hand evidently always understood more about war than about politics, which was no doubt why he drew no conclusions from the fact that he was the last to stand by that anything but beloved Duke. At any rate, the citizens of Möckmühl quickly surrendered to the Duke's enemies, which embittered Götz, for how could he

der Fahrt durchaus erlaubt, schade nur, daß die schnaubende »Helene« die Reiher und Rehe vertreibt.

Fast jede dieser Bahnstationen ist zudem eine Gedächtnisstätte an den wilden Ritter Götz. Schon im ersten Ort, in Möckmühl, hat er 1519 vor dem Schwäbischen Bund kapitulieren müssen, als er die hoffnungslose Sache des der Acht und Aberacht des Reiches verfallenen Herzogs Ulrich von Württemberg verteidigen wollte. Götz hat jedoch offenkundig immer mehr vom Kriegswesen als von der Politik verstanden. Deshalb machte es ihn auch nicht stutzig, daß er um diese Zeit der allerletzte war, der zu diesem keineswegs geliebten Herrn hielt. Die Bürger von Möckmühl kapitulierten jedenfalls schnell vor des Herzogs Gegnern, und das erbitterte den Ritter, denn wie sollte er die Stadtburg verteidigen, da deren Mauern doch so angelegt waren, daß die lebenswichtigen Brunnen samt dem Fruchtkasten mit den Vorräten in der vom Feind besetzten Stadt lagen? Götz hat es dann doch versucht, aber als nach dem letzten Tropfen Wasser auch der letzte Tropfen Wein von »Mensch, Pferd, Hund und Katze« weggetrunken war, da mußte er aufgeben. Er tat es auf Götz'sche Art, er machte einen Ausfall. Dabei wurde er eingefangen, und nur sein ritterlicher Rang rettete dem Aufrührer gegen des Kaisers Gebot das Leben. Ein weniger prominenter Burgherr wäre wohl geköpft worden. Möckmühl ist noch immer verwinkelt, ummauert und von Türmen bewacht. Wer hier in das Züglein einsteigt, sollte zuvor auf

est associée au nom du condottiere Götz von Berlichingen qu'a immortalisé Goethe dans un de ses drames. La première étape, Möckmühl, marque par exemple l'endroit où il a dû capituler en 1519 devant la Ligue Souabe alors qu'il tentait de défendre la cause sans espoir du duc Ulrich de Wurtemberg banni par l'empereur. Apparemment, le chevalier à la main de fer a toujours mieux compris la guerre que la politique et c'est pourquoi le fait qu'il ait été le dernier à défendre le duc nullement aimé ne l'a pas rendu méfiant. Quoiqu'il en soit, les habitants de Möckmühl se rendirent très vite aux ennemis du duc, ce qui exaspéra Götz, car comment pouvait-il défendre la citadelle dont les murs avaient été construits de telle sorte que les puits et les réserves de vivres se trouvaient maintenant dans la partie de la ville occupée par l'ennemi? Götz fit de son mieux mais lorsqu'après la dernière goutte d'eau la dernière goutte de vin fut également bue par «homme, cheval, chien et chat», il fut contraint d'abandonner. Mais il le fit à sa manière en tentant une sortie. Il fut capturé et seul son rang de chevalier lui sauva la vie malgré les ordres donnés par l'empereurs. Un seigneur moins important aurait sans nul doute été décapité. Möckmühl est toujours entourée d'un mur d'enceinte et abonde en ruelles tortueuses et en tours. Quiconque prend ici le train devrait auparavant aller jusqu'au château et y admirer les anciens édifices des caves desquels monte en automne un délicieux parfum de cidre. D'autant plus que l'on peut y admirer un remarquable exemple de construction sanitaire, un

defend the citadel when the walls had been constructed in such a way that the wells and food supplies were in the part of the town now occupied by the enemy? Götz did his best, but when the very last drops of water and wine had been drunk "by man, horse, dog, and cat" he was forced to give up. He did this in his inimitable way by making a foray. He was captured in the process, and only his knightly rank saved his life – against the Emperor's instructions. Any less prominent personality would no doubt have been beheaded. Möckmühl is still walled and full of crooked streets and towers.

Anyone joining the train here should first climb up to the castle, and admire the old house there from whose cellars a wonderful smell of cider rises in autumn. Furthermore, there is a fine example of sanitary architecture to be seen incorporated in the town wall: a privy poised high above the ground, complete with peepholes so arranged that the enemy could be kept in sight even at the most pressing moments. The third stop is at Olnhausen, the home of the skilled smith who constructed Götz's first iron hand. The knight urgently needed this substitute hand, as the original had been shot away in a battle near Landshut in 1504. The 24-year-old warrior had no intention of giving up soldiering, however. The iron hand was later perfected to such an extent that he could hold the fingers shut in three different positions.

"Helene's" next stop is Jagsthausen, and this is where Götz was born. Only the wing between the octagonal towers is original. In this

der Burg gewesen sein und dort die alten Amtshäuser bestaunt haben, aus deren tiefen Kellern im Herbst ein herrlicher Mostduft strömt. Zudem ist an der Stadtmauer ein musterhaftes hygienisches Bauwerk zu bewundern, ein Wehrgang mit eingebautem stillem Örtchen, das aus der Mauer vorkragt und durch sinnreich angebrachte Gucklöcher auch in drängenden Situationen den sichernden Blick zum Feind erlaubt.

Die dritte Haltstation des Bähnchens ist Olnhausen. Hier lebte der kunstreiche Schmied, der Götzens erste eiserne Hand konstruierte. Diese Ersatzhand brauchte der Haudegen dringend, nachdem ihm seine eigene Hand im Jahre 1504 bei Landshut weggeschossen worden war. Der damals 24 Jahre alte Götz von Berlichingen wollte jedoch weiterhin Krieg spielen, und dazu ließ er sich seine Prothese später bis zu einem mechanischen Wunderwerk vervollkommnen. Am Ende konnte er die Finger in drei verschiedenen Scharnierstellungen fixieren.

Das nächste Mal pfeift die »Helene« nun schon in Jagsthausen, und hier ist Götz geboren worden in der heutigen Götzenburg, von der allerdings nur noch der Flügel zwischen den achteckigen Türmen ursprünglich ist. In diesem Dorf voller Schlösser ist Goethes Weissagung bisher bestimmt nicht eingetroffen, die als allerletzter Satz in seinem Götz-Drama steht: »Wehe der Nachkommenschaft, die Dich verkennt!« Denn daß Götz verkannt würde, ist im Bannkreis der Jagsthausener Burgfestspiele unwahrschein-

chemin de ronde avec un «petit endroit» qui fait saillie et dont des judas judicieusement disposés permettaient de surveiller l'ennemi même en cas de besoins pressants. La troisième station est Olnhausen, patrie de l'habile forgeron qui construisit la première main de fer de Götz pour remplacer celle que le chevalier avait perdue lors d'une bataille près de Landshut en 1504. Agé à l'époque de 24 ans, Götz von Berlichingen n'avait nullement l'intention de renoncer à la guerre. Sa main de fer fut par la suite perfectionnée à un tel point qu'il put tenir les doigts dans trois positions différentes.

La prochaine étape d'«Hélène» est Jagsthausen, l'endroit où Götz est né, l'actuel Götzenburg dont seule l'aile entre les tours octogonales est d'époque. Dans ce village plein de châteaux, la prophétie proférée par Goethe dans la dernière phrase de son «Götz von Berlichingen» – «Malheur à ceux qui t'oublient!» – est certainement loin de se réaliser. Car son souvenir est soigneusement entretenu dans le cadre du festival de Jagsthausen. Le musée du château conserve la main de fer dans sa version simple et sa version plus compliquée ainsi que de nombreuses reliques du passé de Jagsthausen. Comme par exemple une facture datée de 1795 de l'«Office de la Poste impériale» de Thurn et Taxis pour un abonnement au «Schwäbischer Merkur» de Stuttgart. A cette époque, la cour de Wurtemberg suivait avec inquiétude les événements en France et se demandait comment se termineraient les négociations entre l'empereur à Vienne, les hommes politiques révolution-

village, consisting largely of castles and palaces, the threat implied in the last words of Goethe's "Götz" tragedy is certainly in no danger of being carried out: "Woe to the descendants that forget you!" His memory is kept far too alive for that in the vicinity of the Jagsthausen Festival. The Castle Museum preserves the original iron hands in both the simpler and sophisticated forms, plus many historical mementoes of Jagsthausen's past. These include, for example, a bill dated 1795 from the Thurn and Taxis "Imperial Post Office" for a subscription to the "Schwäbischer Merkur", published in Stuttgart. At that time the Württemberg court was anxiously watching events in France, and wondering how the negotiations between the Emperor in Vienna, the revolutionary politicians in Paris, and the Prussians, who were interested in making peace, would end. This could certainly not have left the Jagsthausen baron unperturbed, especially as the rest of the Hohenlohe aristocracy was on the side of the Bourbons. Bartenstein and Schillingsfürst, for example, were overrun with noble and priestly refugees from France. The heir to the House of Hohenlohe-Bartenstein was even commander of a regiment in the refugee army set up by the Prince Condé. In such a critical situation, the news provided by the "Schwäbischer Merkur" was of great importance.

Berlichingen, where the square, tower-like castle – the seat of the family – lies, is the next railway station. This one-time moated castle probably dates back to the 13th century.

Die ganze Götzenburg ist die Kulisse der hochsommerlichen Festspiele von Jagsthausen. Goethes »Götz von Berlichingen« ist natürlich ein Pflichtstück in der Burg, in der
nicht nur sein Wappen, sondern auch seine eisernen
Hände im kleinen Burgmuseum an ihn erinnern.

Le château de Götz sert de décor au festival d'été de Jagsthausen. Le «Götz von Berlichingen» de Goethe y est bien
sûr représenté dans le château où l'on peut voir entre
autres souvenirs les armoiries et la main de fer du héros
dans le petit musée.

The whole of Götz von Berlichingen's castle is used as a
background for the summer Festival in Jagsthausen.
Goethe's drama "Götz von Berlichingen" is, naturally, a
must in the repertoire. Götz's coat of arms on the wall is not
the only relic of his times: the castle also has a small
museum whose exhibits include Götz's iron hands.

lich. Im Burgmuseum ist die eiserne Hand in der einfachen und in der komplizierten Konstruktion zu bewundern, dazu sind viele Kleinigkeiten aus der großen Welt ausgestellt, die für Jagsthausen Bedeutung hatten. So eine Rechnung des Thurn- und Taxischen »Kayserlichen Reichs-Post-Amtes« von 1795 für ein Abonnement des »Schwäbischen Merkur« aus Stuttgart. Der württembergische Hof blickte damals angstvoll nach Frankreich und bangte, wie der Handel zwischen dem Kaiser in Wien, den inzwischen nationalrevolutionären Politikern in Paris und dem friedwilligen Preußen ausgehen würde. Das alles konnte dem Baron in Jagsthausen nicht gleichgültig sein, zumal da die hohenlohischen Standesherren ringsum auf der Seite der Bourbonen standen. In Bartenstein und in Schillingsfürst wimmelte es von französischen adligen und geistlichen Emigranten aus Frankreich. Der hohenlohisch-bartensteinische Erbprinz war sogar Regimentskommmandeur in der Emigrantenarmee des Prinzen Condé. Bei dieser Weltlage waren die Neuigkeiten des »Schwäbischen Merkur« dringend vonnöten. Berlichingen, wo das quadratisch-turmähnliche Stammschloß des Geschlechts steht, ist schon die nächste Bahnstation. Diese ehemalige Wasserburg stammt wohl aus dem 13. Jahrhundert. Heute gehört sie einem Landwirt, ist verputzt und modernisiert als Teil eines bäuerlichen Anwesens. Die Burg verrät sich fast nur durch das landesübliche Götz-Relief und den Götz-Spruch an der Tür. Das Bähnele zuckelt mitten durch Berlichingen hindurch, und wenn es vor und nach dem

naires à Paris et les Prussiens qui voulaient la paix. Cela ne pouvait laisser indifférent le baron de Jagsthausen d'autant plus que le reste de l'aristocratie de Hohenlohe était du côté des Bourbons. Bartenstein et Schillingsfürst grouillaient de nobles et de prêtres qui avaient fui la France. Le prince héritier de la maison de Hohenlohe–Bartenstein était même commandant d'un régiment dans l'armée de réfugiés mise sur pied par le prince de Condé. Aussi, dans une telle situation, les nouvelles fournier par le «Schwäbischer Merkur» étaient-elles de la plus haute importance. Berlichingen, où se trouve l'ancienne résidence des seigneurs de Berlichingen, un château carré en forme de tour, est la prochaine station. Cet ancien castel d'eau date sans doute du 13e siècle. Aujourd'hui, c'est la propriété d'un agriculteur; il a été crépi et modernisé et fait partie des bâtiments de la ferme. Un seul élément atteste les origines du château: le relief traditionnel de Götz et la citation de Götz au-dessus de la porte. Le tortillard avance lentement à travers Berlichingen et lorsqu'il cahote sur les vieux ponts de fer avant et après la ville et s'arrête aux gares dont la plupart des fenêtres sont condamnées, les yeux des collectionneurs de souvenirs ferroviaires se mettent à briller. Car fort heureusement ils n'ont pas connu l'ère enfumée de la vapeur et ne font plus que des excursions dominicales dans cette époque révolue. Même un bâtiment aussi austère que la gare de Schöntal semble revivre lorsqu'«Hélène» s'en approche en sifflant. Tous les seigneurs de Berlichingen sont inhumés au monastère

Today it belongs to a farmer, and has been plastered over and modernized to form part of the farm buildings. Only one feature reveals the castle's origins: the traditional Götz relief and quotation above the door. The little train clatters through the middle of Berlichingen, and when it jerkily proceeds across the old iron bridges before and after the town and stops in the stations, most of whose windows are boarded up, the eyes of the railway enthusiasts glitter with joy. But: they were fortunate enough not to live through the smoky, sooty steam era, and can now romantically experience it in the form of pleasant Sunday excurions into a past age.

Even such an undecorative building as the station at Schöntal seems to come to life when "Helene" blows her whistle. The Monastery church at Schöntal contains the tombs of all the aristocratic Berlichingens. Each of them has a life-sized monument in the cloisters, and if the stone feet of the knight rest on a lion, then he must have died in battle. The old war-horse Götz, depicted kneeling on his iron hand, escaped that fate. He died in bed at the age of 83 in his castle at Hornberg on the Neckar, having previously dictated his memoirs to his priest under the rough-hewn title: "Wars and Battles Fought over a Long Period of Time Against both Nobles and Commoners".

Krautheim, today six stops away from Schöntal, was the place where Götz's fame achieved Olympic heights of the kind that he could never have managed simply by the strength of his arm. And, of course, it sprang from a

Ort über die alten eisernen Jagstbrücken holpert und verschnaufend vor den vielen Bahnhöfen mit den meist vernagelten Fenstern hält, dann glitzern die Augen der Sammler von Eisenbahnerinnerungen. Denn sie haben die rußige Dampfzeit ja zu ihrem Glück nicht mehr selber erleben müssen und machen nur noch Sonntagsausflüge in diese Vergangenheit hinein.

Selbst ein so schmuckloses Gebäude wie der Bahnhof in Schöntal scheint aufzublühen, wenn ihm die »Helene« entgegenpfeift. Im Kloster Schöntal sind alle ritterschaftlichen Berlichinger begraben. Jeder hat im Kreuzgang sein lebensgroßes Standbild, und wenn die Füße der steinernen Ritter auf einem Löwen stehen, dann ist der Mann im Kampf gefallen. Dem alten Streithahn Götz, der da auf seiner Eisenhand kniet, ist das nicht passiert. Der ist mit 83 Jahren im Bett auf seiner Burg Hornberg am Neckar gestorben, und hat vorher noch einem seiner Patronatspfarrer seine Memoiren diktiert mit dem rauhbeinigen Titel »Kriegen und Fehden, welche ich lange Zeit gegen hohe und niedere Stände führte.«

Krautheim, heute sechs Bahnstationen von Schöntal entfernt, war dann der Ort, wo Götzens Nachruhm jene olympischen Höhen erreichte, die der Ritter mit seinen Raufereien allein niemals errungen hätte. Und natürlich war auch da wieder ein übler Handel im Spiel: Götz wollte sich am kurmainzischen Amtmann von Krautheim rächen und zündete zu diesem Zweck nach schlechter Rittermanier »ungern«, wie er selbst behauptete, einige

de Schöntal. Chacun d'entre eux a sa statue grandeur nature dans le cloître et lorsque les pieds de celle-ci sont posés sur un lion, le chevalier est mort dans une bataille. Götz, le batailleur, représenté agenouillé sur sa main de fer, a échappé à ce sort. Il est mort dans son lit à l'âge de 83 ans dans son château de Hornberg sur le Neckar non sans avoir dicté auparavant à son chapelain ses mémoires au titre sévère de «Guerres et batailles menées pendant une longue période contre nobles et roturiers».

Krautheim, à six stations aujourd'hui de Schöntal, a été l'endroit où la renommée de Götz a atteint des sommets olympiques mais auxquels il ne serait jamais parvenu par la seule force de son bras. Et, bien entendu, c'est un vilain incident qui en fut la cause. Götz voulait se venger du bailli de Krautheim et à ces fins mit le feu, à la manière des chevaliers, à quelques fermes – involontairement comme il l'affirma. Du château le bailli proféra des injures et un seigneur de Hohenlohe lui répliqua la phrase devenue célèbre, qui se traduit littéralement par «lèche-moi le cul» et que les Souabes ont adoptée en guise de salut mais que l'on écrit ainsi: «…!». Götz l'a certainement dictée dans sa forme originale mais son aumônier a choisi une forme édulcorée: «Il peut me lécher le derrière». Et dans son drame, Johann Wolfgang Goethe l'a encore plus atténuée en en faisant: «Er kann mich …» (Il peut me …).

La formule utilisée par le prêtre qui a transcrit les mémoires de Götz se trouve sur une modeste pierre en relief que les habitants de

vicious incident: Götz wanted to revenge himself on the bailiff in Krautheim, and to this end set fire in the chivalric style to a few farmhouses – "unwillingly" as he himself reported. The bailiff hurled curses down from the castle, and a Hohenlohe knight hurled back the famous saying, which literally translates as "lick my arse", and which has since been taken over by the Swabians as their favourite form of greeting. In polite writings, however, it is still rendered as "…!" Götz certainly dictated it in its original full-blooded form, but his priest chose a modified form: "He can lick me behind". And Goethe, in his drama which turned the phrase into a household word in Germany and immortalized its original recorder, further softened it to "Er kann mich …" (He can … me). The formulation used by the priest who took down Götz's memoirs is recorded on a modest stone relief which the Krautheimers have put up in their main road, in order confound all those who, like Goethe, claim that the saying was created in Jagsthausen, or who suggest with the aid of life-sized figures that it originated in their place, as is the case in Hornberg Castle. The ulteriority of this symbolic saying, which typifies a whole philosophy of life, is summed up in an official proclamation of the Municipality of Krautheim, which runs: "May this saying ever and again go forth from Krautheim into the world at large at moments of jollity and delight". And the (Swabian) president of the "Götz von Berlichingen Academy" (whose sole purpose is to research and disseminate the thought expressed in this saying) was

kurmainzische Bauernhäuser an. Im damaligen »Crautheim« brannte der Schafstall, und als der Amtmann deswegen vom Schloß herabschimpfte, da fiel von einem hohenlohischen Ritter der Spruch, den die Schwaben inzwischen als schwäbischen Gruß annektiert haben und der ihr Land mindestens so bekannt gemacht hat wie Daimlers Auto oder der Zeppelin. Geschrieben ist der Ausspruch allerdings nur so erlaubt: »…!«.
Götz hatte das sicher in der mündlichen Urform diktiert, doch schon sein Patronatspfarrer wählte eine feinere Form: »Er solte mich hinden lekhen.« Und der angeblich hohenlohisch inspirierte Johann Wolfgang von Goethe milderte dann noch weiter ab: »Er kann mich …«
Die Formulierung des Pfarrers aus Götzens Memoiren steht auch auf einem bescheidenen Reliefstein aus Muschelkalk, den die Krautheimer an ihrer Hauptstraße aufgestellt haben wider alle Zeitgenossen, die etwa, wie Goethe, behaupten, der Spruch sei der Welt in »Jaxthausen« geschenkt worden, oder die figürlich mit lebensgroßen Puppen unterstellen, das sei bei ihnen geschehen, wie es auf der Burg Hornberg zu sehen ist. Hintergründig wie alles, was mit diesem Symbolspruch einer ganzen Lebensphilosophie zusammenhängt, wünscht man in Krautheim rathausamtlich, der Spruch möge »in frohen Stunden immer wieder von Krautheim aus in die Welt gehen«, und sicher hatte jener (schwäbische) Präsident der »Götz von Berlichingen-Academie« (die sich allein der

Krautheim ont placée dans leur rue principale de manière à confondre tous ceux qui, comme Goethe, prétendent que cette phrase a vu le jour à Jagsthausen ou qui laissent entendre, au moyen de figures grandeur nature, qu'elle est née chez eux comme c'est le cas au château de Hornberg. L'équivoque, qui caractérise cette formule symbolisant toute une philosophie de la vie, est résumée dans une proclamation officielle de la municipalité de Krautheim qui dit: «Puisse cette formule être toujours prononcée aux heures gaies de Krautheim et aller de par le monde». Et le président (souabe) de l'«Académie Götz von Berlichingen» (qui se consacre uniquement à la recherche et à la propagation de la pensée exprimée dans cette formule) avait sûrement raison en disant que ces mots célèbres et qui sont d'un grand soulagement dans des moments de colère sont caractéristiques des Hohenloher qui «n'attendent pas toujours que leurs paroles soient suivies d'actes».
Ces plaisanteries font souvent oublier que le château de Krautheim représente un morceau d'histoire allemande. Certains experts pensent que cet imposant édifice des Hohenstaufen érigé à l'emplacement d'une tour préhistorique a même été utilisé pour abriter des joyaux impériaux. Le fait que ce fut un château impérial a été établi et démontré par les quelques éléments qui datent encore du 13e siècle lorsque les murs déjà anciens furent reconstruits avec beaucoup de magnificence. Le château qui n'était constitué au début que d'un imposant donjon fut modernisé à l'époque gothique et agrandi

surely right when he suggested that the famous words, with the relief they can bring at moments of rage, are characteristic of the Hohenlohers who "do not always expect their words to be followed by deeds".
Such humorous thoughts often obscure the fact that Krautheim Castle represents a piece of German history. Some experts consider that this mighty Hohenstaufen building, which stands on the site of a prehistoric refuge tower, was even used to safeguard the Imperial Jewels. The fact that it was an imperial castle is established, and is demonstrated by the few remaining parts from the 13th century, when the then already venerable walls were rebuilt in magnificent style. The castle, which had first consisted only of a huge keep, was modernized in Gothic times and extended to include a chapel and an ornamental gateway leading to the residential quarters.
Even the remnants of the rather worldly ornamentation suffice to give an insight into the splendour that prevailed in the Hohenstaufen castle. The master mason responsible for the chapel immortalized himself in his lively stonework: his bearded figure is to be seen kneeling beneath the gallery, supporting a capital decorated with vine leaves. Climbing the tower is a worthwhile effort for anyone who can sit still for a while. The six-foot-thick walls have lookout niches let into them, and although the view nowadays reveals a mass of modern utilitarian buildings in the Jagst Valley, it is possible to imagine how the castle owners felt when they looked down on their

Der Aufgang zur staufischen Burgkapelle in Krautheim.
Viel spricht dafür, daß hier einige Zeit lang Krone, Reichs-
apfel und Szepter, die Zeichen der Reichsmacht und
Insignien des Kaisers, aufbewahrt worden sind.

L'escalier qui mène à la chapelle du château des Hohenstaufen à Krautheim. Bien des éléments montrent que la
couronne, le globe impérial et le sceptre, les insignes de la
puissance impériale, ont été conservés ici pendant un certain temps.

The entrance to the Hohenstaufen castle chapel in
Krautheim. It is very likely that at one time the imperial
crown, orb, and sceptre of the Holy Roman Empire were
kept here.

Erforschung und Verbreitung dieses Gedankens widmet) recht, der Götzens seelisch so befreienden Ausruf als charakteristisch für die Hohenloher ansah, weil die »nicht immer eine Tat erwarten, wenn sie eine solche anregen«.

Über solchen Scherzen wird oft vergessen, daß die Burg Krautheim ein Stück deutscher Geschichte repräsentiert. Manche Burgenforscher meinen, daß dieses mächtige staufische Bauwerk auf dem Platz einer vorgeschichtlichen Fliehburg sogar ein Hort der Reichskleinodien gewesen sei. Eine Kaiserpfalz war die Burg ganz bestimmt, das zeigen schon die wenigen erhaltenen Bauteile aus dem 13. Jahrhundert, als das schon damals alte Gemäuer geradezu prunkvoll umgebaut wurde. Die Trutzburg, die zuerst aus einem mächtigen, alleinstehenden Bergfried bestanden hatte, wurde gotisch-modern verschönert mit Burgkapelle und Palas-Portal.

Selbst die Reste dieses recht weltlichen Schmuckes lassen ahnen, welche Pracht in der Stauferburg geherrscht haben muß. Der Baumeister der Kapelle verewigte sich selber in seinem heiteren Steinwerk: Er hockt bärtig unter der Herrenempore und trägt ein Kapitell voller Weinlaub. Den Turm zu besteigen, ist ein Erlebnis für den, der auch mal stillsitzen kann. In die fast zwei Meter dicke Mauer sind Ausgucknischen eingelassen, und obwohl man von dort heute auf lauter Zweckbauten im Jagsttal hinuntersieht, kann man sich doch vorstellen, wie sich die Burgherren gefühlt haben mögen, die dieses weite Tal von hier aus beherrscht haben. Mit

pour inclure une chapelle et un portail ornemental.

Même les vestiges de cette ornementation plutôt temporelle suffisent à donner une idée de la splendeur qui prévalait dans le château des Hohenstaufen. L'architecte de la chapelle s'est immortalisé dans son ouvrage de pierre: sa figure barbue est représentée agenouillée sous la galerie supportant un chapitre orné de feuilles de vigne. Faire l'ascension de la tour est un effort qui en vaut la peine pour quiconque peut aussi rester tranquillement assis un certain temps. Des niches ont été aménagées dans le mur de deux mètres d'épaisseur et permettent de contempler l'horizon. Et bien que la vallée de la Jagst soit remplie de bâtiments utilitaires, on peut imaginer ce que les seigneurs du château ressentaient lorsqu'ils contemplaient de là-haut leur vaste domaine.

Mais il y avait des limites à leur joie de propriétaire car Altkrautheim, l'endroit que l'on peut voir de l'autre côté de la rivière, a été pendant des siècles territoire étranger pour le château. Quelques différences subsistent encore aujourd'hui car de l'autre côté de la Jagst les gens parlent un dialecte plus franconien que sur la rive nord qui jusqu'à maintenant fait partie de l'évêché de Fribourg alors qu'Altkrautheim appartient au diocèse de Stuttgart–Rottenburg. Chaque côté admet à contrecœur que l'autre est plus ou moins catholique mais, il y a quelques années encore, ils utilisaient des livres de cantiques différents et c'est pourquoi les mariages par delà la rivière étaient alors un événement socialement embarrassant. En ce qui me con-

wide domain from here. There were nevertheless limits to their proprietorial joys, for Altkrautheim, the place that can be seen on the other side of the river, was foreign territory for the castle for centuries. Some differences persist even today, for on the north bank of the river the people speak a somewhat more Franconian dialect, and look to their Bishop in Freiburg, and those on the other side in Altkrautheim belong to the diocese of Stuttgart–Rottenburg. Each side grudgingly admits that the other is more or less Catholic, but until only a few years ago they used different hymnbooks, and that was why marrying across the river was still a socially embarrassing event until quite recently.

For my taste, the finest new building in Hohenlohe Land is the parish church up in the old village round the castle. The church on this site has been rebuilt three times, and now the age of concrete has interposed itself between the Gothic walls. Everything harmonizes magnificently: the square exposed concrete pillar with the old Stations of the Cross, the Gothic tracery windows with the new altar, the austere, modern pews with the fairytale effect of the golden altar behind the Gothic vaulting. The old masons, who thought nothing of converting Romanesque windows to the Gothic or Baroque form, would surely be satisfied with this happy mixture of reinforced concrete and masonry.

The last station on the Jagst Valley narrow-gauge railway is the attractive little market-town of Dörzbach, which also belonged to the Berlichingens for centuries. One of Götz's

Einschränkungen allerdings: Altkrautheim, der Ort über dem Fluß drüben, war jahrhundertelang Ausland gewesen für die auf der Burg. Bis heute wird auf der anderen Seite der Jagst anders gesprochen, fränkischer eben als am Nordufer, wo man bis heute auf den Bischof von Freiburg hört und zwar zugibt, daß die Altkrautheimer auch so etwas Ähnliches wie katholisch sind, aber doch zu bedenken gibt, daß sie immerhin zur Diözese Stuttgart-Rottenburg gehören und bis vor wenigen Jahren sogar noch andere Gesangbuchverse hatten. Deshalb war auch das Heiraten über den Fluß hinweg noch bis vor wenigen Jahren ein soziales Ärgernis.

Für mich steht der schönste Neubau Hohenlohes oben im Burgdorf, es ist die Pfarrkirche Mariä Himmelfahrt. Dreimal sind die Kirchen an diesem Platz umgebaut worden, und jetzt hat sich das Betonzeitalter in die gotischen Vorläufer-Mauern eingeschoben. In großartiger Harmonie ist dort nun alles vereint: die viereckige Sichtbetonsäule mit den alten Kreuzwegbildern, das gotische Maßwerkfenster mit dem neuen Zelebrationsaltar, das sachlich-moderne Gestühl mit dem märchenhaft leuchtenden Goldaltar hinter dem gotischen Bogen. Die alten Baumeister, die ja auch bedenkenlos aus romanischen Fenstern gotische und barocke gemacht haben, wären mit dieser glücklichen Mischung von Stahlbeton und Steinmetzarbeit sicher zufrieden. Am Ende des Jagsttal-Bähnchens liegt dann als letztes Bilderbuchdorf der Marktflecken Dörzbach, der ebenfalls jahrhundertelang den Berlichingern gehört hat. Ein Verwandter des

cerne, la plus jolie des nouvelles constructions dans le pays de Hohenlohe est l'église paroissiale dans le village qui entoure le château. A cet endroit, l'église a été reconstruite trois fois et l'ère du béton s'est interposée entre les murs gothiques. Tout y est en harmonie: les piliers carrés en béton avec les anciennes stations du chemin de croix, la fenêtre aux découpes gothiques avec le nouvel autel, les bancs modernes avec l'effet féérique de l'autel doré derrière la voûte gothique. Les anciens architectes qui transformèrent sans y penser des fenêtres romanes en fenêtres gothiques et baroques seraient certainement satisfaits de cet heureux mélange de béton armé et de maçonnerie.

La dernière étape du petit train de la vallée de la Jagst est le ravissant bourg de Dörzbach qui a également appartenu pendant des siècles aux Berlichingen. Un parent de Götz qui s'appelait Valentin et qui résidait au château de Dörzbach était un chevalier pillard notoire. A l'inverse de Götz, qui exerçait généralement ses activités de pillage au service de quelque grand seigneur dans des circonstances plus glorieuses, l'avidité de Valentin von Berlichingen servait uniquement ses intérêts et n'épargnait personne. Avant lui son château avait déjà acquis une mauvaise réputation: quelques décennies plus tôt, il avait été détruit par le comte palatin comme un «méchant nid». Ce qui en reste provient de la reconstruction qui fut effectuée après la guerre des paysans de 1525 au cours de laquelle il fut également endommagé par le peuple en colère.

contemporary relations, called Valentin, whose seat was the castle in Dörzbach, was a notorious robber knight. In contrast to Götz, whose plundering activities were mostly carried out in the service of some greater lord in more glorious circumstances, Valentin von Berlichingen's rapacity served entirely his own interests and spared no one. His castle had acquired a bad reputation before his time: only a few decades earlier it had been destroyed by the Count Palatine as an "evil nest". The parts that now remain were the result of the rebuilding that was carried out after the Peasants' War of 1525, during which it was damaged by the enraged populace.

As true Hohenlohers, the Dörzbach knights still evidently regarded the preservation of their own luxurious lifestyle to be the most important thing in the world, even after all the blood that had flowed during the Peasant's War. They strongly resented the fact that the unruly common people were more concerned with filling their own stomachs than with the wellbeing of their rulers, and so, in 1535, the Berlichingens published a village edict which included a complaint about intemperance and gluttony at weddings: "… to such an extent that three days, or even a whole week is devoted to nothing but drinking and gorging, and disorderly, beastly behaviour." Such jollities were, naturally, expected to be the sole preserve of the nobility.

Götz, der im Schloß Dörzbach saß, war zu Götzens Lebzeiten sogar als ein gemeiner Raubritter verschrien. Im Unterschied zu Götz, der seine Räubereien meist als ruhmreiche Fehden im Dienste größerer Herren verübte, betrieb dieser Dörzbacher Valentin von Berlichingen eine ganz private Raubritterei gegen jedermann. Dabei saß er auf einem Schloß, das wenige Jahrzehnte zuvor schon einmal als »böses Nest« vom Pfalzgrafen zerstört worden war. Was heute noch davon zu sehen ist, entstammt der Neubauzeit nach dem Bauernkrieg, in dem sich 1525 auch der Volkszorn gegen diese Burgherren entladen hatte.

Nach all dem Blut, das im Bauernkrieg vergossen wurde, scheinen die Dörzbacher aber als rechte Hohenloher das vergnügliche Weiterleben als die wichtigste Sache der Welt angesehen zu haben. Ihre Herrschaft sah jedenfalls voller Unmut, daß diese unbotmäßigen Menschen immer noch mehr an ihren eigenen Bauch als an das Wohlergehen ihrer Herrschaft dachten. Und also erließen die Berlichinger im Jahre 1535 eine Dorfordnung, in der sogar die Völlerei bei den Hochzeiten gerügt wurde: »... also, daß man etwa drey Tage, ja eine gantze Wochen nichts anderes gethan, denn gefressen und gesoffen und ein unordentlich viehisch Leben geführet«. Solche Lustbarkeiten standen schließlich nur der Herrschaft zu.

En bons Hohenloher, les chevaliers de Dörzbach considéraient de toute évidence la préservation de leur luxueux style de vie comme la chose la plus importante au monde même après toutes les effusions de sang auxquelles avait donné lieu la guerre des paysans. Ils voyaient d'un très mauvais œil le fait que leurs insubordonnés sujets songeassent plus à remplir leur estomac qu'au bien-être de leurs seigneurs. Aussi, en 1535, les Berlichingen publièrent-ils un édit de village qui condamnait même l'intempérance aux mariages: «... à tel point que trois jours ou même toute une semaine est consacrée uniquement à boire et à manger et à une conduite désordonnée, animale.» De tels plaisirs ne devaient évidemment être réservés qu'aux seigneurs.

Wie zu Großvaters Zeiten bietet sich Dörzbach im Reiseführer an als »Sommerfrische mit lohnenden Spaziergängen in schöner Landschaft mit Weinberg und Waldhängen«.

Comme du temps de nos grands-parents, le guide de Dörzbach vante «cet endroit de villégiature avec ses promenades agréables au milieu d'un beau paysage de vignobles et de versants boisés».

Dörzbach advertises its charms with the now old-fashioned sounding phrase: "Summer holiday resort with pleasant walks in a delightful landscape with vineyards and wooded slopes."

# Schöntal:
## Glauben und Bauen

In Dörzbach also endet die Dampfzeit, diese winzige technische Episode in diesem seit vielen Jahrtausenden besiedelten Tal, das sich weiter weitet gen Hohebach. Dort haben die Württemberger eine mit dem Königswappen geschmückte Triumphsäule mitten auf der Jagstbrücke errichtet, doch zuvor lugt über der Jagst drüben der Chor der kleinen Kapelle von St. Wendel zum Stein aus dem Uferwald. Das gotische Gewölbe verschwindet im Vorbeifahren so schnell, wie es aufgetaucht ist zwischen den hohen Bäumen am felsensteilen Waldufer. Die Jagst plätschert dort von einer niederen Staustufe zur anderen, das Flüßlein bildet immer wieder kleine Stauseen, doch dazwischen fließt es breit und behäbig dahin – ein seichtes Wasser, so schien mir, als ich am Ufer stand und als die Wellen überall gegen die Grundsteine stießen und in flachen Bachwellen weiterhüpften. Fast von jedem Uferplatz aus schien es möglich zu sein, mit aufgekrempelten Hosen zur Kapelle hinüberzuwaten, vor der ein steinernes Männlein mit einem spitzen Hut stand, das mir den Rücken zukehrte.
Ich zog die Schuhe aus und stapfte los. Das Wasser über dem groben Flußgeröll war wirklich bis über die Mitte des Gewässers hin nur fußtief. Doch dann kam ein Gumpen. Auf einmal war nur noch Wasser unter mir, ich plumpste hinein wie ein voller Sack, und während ich noch um mich platschte und nur noch silberhell blitzende Wasserspritzer vor den Augen hatte, da war mir, als ob sich das Steinmännlein neben der Kapelle rasch umdrehte, mir ein Weikersheimer Hofnarren-

# Schöntal:
## croire et bâtir

Dörzbach nous amène ainsi à la fin de l'époque de la vapeur: un petit épisode technique dans la longue histoire de la vallée qui s'étend maintenant vers Hohebach où les Wurtembergeois ont érigé une colonne de triomphe ornée des armes royales au milieu du pont sur la Jagst. Mais nous apercevons auparavant le chœur de la petite chapelle de St. Wendel zum Stein qui émerge des bois le long de l'autre rive. En passant, la voûte gothique n'apparaît qu'un court instant entre les hauts arbres sur la rive aux rochers escarpés. La Jagst y clapote d'un barrage à l'autre formant de petits lacs entre lesquels elle s'étale et coule paisiblement. Debout sur la rive, il me semblait qu'en retroussant mon pantalon il devait m'être possible de traverser l'eau à n'importe quel endroit pour rejoindre la chapelle devant laquelle je pouvais voir une petite statue en pierre d'un homme au chapeau pointu qui me tournait le dos. L'eau ne m'allait réellement que jusqu'à la cheville mais, une fois franchi le milieu du lit de galets, je rencontrais un endroit plus profond. Soudain, je n'eus plus pied et je m'enfonçais comme un sac de pommes de terre. Tandis que je m'ébrouais et faisais jaillir des gerbes d'eau argentées, il me sembla que le petit homme de pierre à côté de la chapelle se retournait, me jetait un regard comme le fou de la cour de Weikersheim et éclatait de rire. Il riait tant qu'il devait se tenir le ventre à deux mains – mais, à ce moment-là, je ne vis plus rien dans l'eau et dus m'efforcer de reprendre pied sur le fond glissant. Lorsque finalement j'atteignis l'autre rive, il n'y avait plus de petit homme en pierre. Sans

# Schöntal:
## Faith and building

So Dörzbach brings us to the end of the steam age – a tiny technical episode in the long history of this valley, which now broadens towards Hohebach, where the Württembergs have erected a triumphal column, decorated with the royal arms, in the middle of the bridge over the Jagst. But, before that, we see the chancel of the little chapel of St. Wendel zum Stein peeping out of the woods along the opposite riverbank. The Gothic structure is glimpsed for only a few moments between the tall trees on the steep rocky bank as you drive past. There, the Jagst babbles along from one low weir to another, forming small lakes behind them, and generally flowing in a broad, tranquil, and rather shallow stream. As I stood on the bank, it looked as if it would be no problem, with rolled up trouser-legs, to paddle through the water from almost any point on the bank across to the chappel, in front of which I could see a small stone statue of a man with a pointed hat standing with its back to me.
I took off my shoes and socks, and set off through the water. The water really did run only ankle-deep across the gravelly bed until past the middle of the river, but then came a deeper spot. Suddenly there was no ground beneath my feet, and I plunged into the pool like a sack of potatoes. While I was still off balance, and filling the air with silverbright splashes, I had the impression that the little stone man by the chapel turned round, giving me a glimpse of a face like the Weikersheim Court Jester's, and burst into laughter! He found it so funny that he had to hold his sides

▼ Als die hohenlohischen Lande 1806 zu Württemberg geschlagen wurden, da brachten die schwäbischen Beamten an möglichst vielen auffälligen Stellen das Wappen ihres Königs an. Auf der Jagstbrücke von Hohebach ließen sie eine Art von Triumphsäule errichten – hier ging eine neue Straße über die Jagst, die Altwürttemberg mit Hohenlohe verbinden sollte.

▶ Die verwunschene Kapelle St. Wendel am Stein, die aus dem Beginn des 16. Jahrhunderts stammt, aber damals schon aus den Teilen eines noch älteren Bauwerks errichtet worden ist.

▼ Lorsqu'en 1806 le pays de Hohenlohe fut annexé au Wurtemberg, les fonctionnaires souabes apposèrent bien en vue les armes de leur roi en de nombreux endroits. Sur le pont de la Jagst à Hohebach, ils firent ériger une sorte de colonne de triomphe – d'ici partait une nouvelle route au-dessus de la Jagst qui devait relier le vieux Wurtemberg avec la Hohenlohe.

▶ La ravissante petite chapelle de St. Wendel zum Stein qui date du début du 16e siècle mais qui, à l'époque déjà, fut édifiée à partir d'une construction encore plus ancienne.

▲ When Hohenlohe Land was alloted to Württemberg in 1806, the Swabian officials displayed their king's arms in as many prominent places as possible. On the bridge over the Jagst at Hohebach, where a new road joining Old Württemberg with Hohenlohe crossed the river, they erected a kind of triumphal column.

▶ The picturesque chapel of St. Wendel am Stein, built at the beginning of the 16th century, incorporates the remains of an even older building.

gesicht zudrehte und das Maul aufriß wie ein meckernder Ziegenbock. Der Kerl lachte! Er lachte so, daß er seinen Bauch mit beiden Händen halten mußte – doch dann sah ich gar nichts mehr im Wasser und mußte mich mühen, auf den glitschigen Grundkieseln wieder Fuß zu fassen. Und als ich endlich auf der Böschung stand, da war kein Steinmännlein mehr da. Wahrscheinlich stand es jetzt schon wieder im Weikersheimer Hofgarten und amüsierte die übrige Gnomenschar mit diesem Streich.

St. Wendel zum Stein war ehedem eine Wallfahrtskirche. Sie wurde 1511 samt den Teilen eines noch älteren Höhlen-Kapellchens zwischen die Felsen und die Jagst geklemmt, und weil sie dem heiligen Wendelin geweiht ist, hält sich die Sage, ein Schäfer habe sie dem Schutzheiligen seiner damals noch unehrlichen Zunft gestiftet. Der im dichten Uferwald verborgene Platz ist wie von einem Heiligen zurecht geformt für Bedrängte, die mit frommen Bitten in die stille Einsamkeit ziehen, in der das leise rauschende Wasser und das Geplauder der Grasmücken im Ufergebüsch die einzigen hörbaren Zeichen lebender Bewegung sind. Die Stille drückt hier so sehr, daß sich wohl niemand wundern würde, wenn da ein Einsiedler aus dem verrammelten Tor der Kapelle oder aus den Höhlen in den Tuffelsen heraustreten würde. Völlig bedeckt vom Kronendach der Uferbäume ist auch das Mesnerhaus. Kaum ist's zu glauben, daß hier in den schlimmen Jahren nach dem letzten Krieg noch Flüchtlinge wohnten. Jetzt sind

doute avait-il retrouvé sa place à Weikersheim et divertissait-il le reste de la galerie avec le récit de ma mésaventure.

St. Wendel zum Stein fut autrefois une église de pélerinage. Construite en 1511, elle a été enserrée entre les rochers et la Jagst avec les vestiges d'une ancienne chapelle de grotte. Elle est dédiée à St. Wendelin, le patron des champs et des animaux et la légende veut qu'elle soit le don d'un berger. Dissimulée dans l'épaisse forêt d'où l'on n'entend que le clapotis de la Jagst et le chant des fauvettes dans les buissons le long de la rive, elle semble avoir été créée par un saint uniquement pour recevoir les prières des âmes en détresse. Ce silence est si oppressant que l'on ne serait pas surpris de voir un ermite sortir de la porte barricadée de la chapelle ou d'une des grottes de la rive rocheuse. La sacristie est elle aussi complètement recouverte par la couronne des grands arbres. On a peine à croire que des réfugiés y ont vécu au cours des années les plus terribles d'après-guerre. Aujourd'hui, ces murs sont aussi abandonnés et les habitants de Dörzbach ne viennent à cet endroit que pour la fête de la forêt.

Je montais jusqu'à la grotte supérieure et m'assis pour contempler à travers un rideau de lierre le vert paysage le long de la rivière. Au bout d'un moment, le poids des soucis quotidiens se fait moins lourd, le temps semble suspendu et l'idée que les nains de Weikersheim puissent jouer des tours paraît de plus en plus probable. Les priorités commencent à changer et l'illusion et la réalité se confondent et se mélangent.

– but at that moment I went right under, and had to concentrate on recovering my equilibrium. When I finally reached the other bank, there was no little stone man to be seen. By that time he was probably back in his place in Weikersheim and amusing the rest of the courtly gathering with the story of my mishap!

St. Wendel zum Stein was once a pilgrimage church. Built in 1511, it was squeezed into a space between the rocks and the river, and incorporated the remains of a older cave-chapel. It is dedicated to St. Wendelin, the patron saint of fields and animals, and legend says that it was endowed by a shepherd. Half concealed in its sylvan setting, where the only sound to be heard is the gurgling of the Jagst and the chatter of warblers in the bushes along the bank, it gives the impression of having been created by a saint specially to receive the pious prayers of those in distress. The silence is so evocative that no one would be surprised if a hermit were to emerge from the barred door of the chapel or from one of the caves in the rocky bank. The sexton's house, too, is completely covered by the protective crowns of the tall trees. It is said that refugees lived here in the worst years after the last war, but now the old building is deserted, and the place is frequented only when the Dörzbachers organize a forest fête here.

I climbed up to the highest cave, and sat down behind a loose curtain of ivy, gazing out into the green wilderness along the river. After a while, the pressure of everyday events appeared to recede, time seemed suspended, the possibility of impish tricks played by the

auch diese Mauern verlassen, nur noch zu Waldfesten kommen die Dörzbacher hierher.

Ich bin in der obersten Höhle hinter den Efeuranken gesessen, die dort als ein lückenhafter Vorhang vor dem Ausblick in die grüne Wildnis hängen – hier, fast in der Zeitlosigkeit, wurde das Gewicht der alltäglichen Kümmernisse immer kleiner und die Wahrscheinlichkeit gnomenhafter Streiche der Weikersheimer Gartengesellschaft immer größer. Die Bedeutsamkeiten unserer betriebsamen Tage wurden leicht und fern in dieser Abgeschiedenheit, das Wichtigste reihte sich in anderer Reihenfolge ein, und Traumbilder vermischten sich mit dem Greifbaren.

Ein Wunder wäre es nicht, wenn einsame Wallfahrer hier getröstet würden. Das nahe Dörzbach, das nur über einen Weg am Waldhang zu erreichen ist, weil die wilden Hochwasser der Jagst alle jemals gebauten Stege weggerissen haben, fühlt sich ohnedies zuständig für Wunder. Sein Wein heißt »Mirakel« – »das Wunderwerk«, und wer sich ihm ergibt, tut gut daran, gleich ein Bett neben seinem Tisch aufzustellen.

Einsam, wundersam und fern der Welt liegen auch die einzigen Gebäude des nahen Neusaß über Schöntal im Land: das Forsthaus, die Kirche und die Grotte. An Schöntal ist das Zügle ohnehin viel zu schnell vorbeigefahren – als ob man einen solchen Ort wie eine ganz gewöhnliche Haltestation durchfahren könne.

Und überhaupt sollte man zu Fuß von Neusaß her nach Schöntal herunterkommen.

C'est l'endroit où des pélerins solitaires peuvent trouver le réconfort et où les miracles semblent possibles. Quoiqu'il en soit, la petite ville de Dörzbach, que l'on ne peut atteindre d'ici que par un sentier sur le versant boisé car la Jagst, lorsqu'elle est en crue, arrache tous les débarcadères construits ici, se considère compétente en matière de miracles. Son vin s'appelle «miracle» et celui qui en boit fait bien de placer auparavant un lit à côté de la table.

Les quelques édifices de Neusass, une localité toute proche au-dessus de Schöntal, sont également isolés du monde, solitaires et merveilleusement beaux: la maison forestière, l'église et la grotte. Le petit train à vapeur traverse trop vite Schöntal comme si un tel endroit pouvait être une station normale.

De toute façon, c'est à pied que l'on devrait descendre de Neusass à Schöntal. Selon la légende, des moines auraient d'abord voulu construire leur monastère sur cette hauteur, et ce n'est pas improbable car dans le goulot que forme la plaine de Hohenlohe entre le Kocher et la Jagst passe l'ancienne route appelée la «Hohe Straße» et l'air y est plus frais que dans la vallée à Schöntal où les moines se sont finalement installés. A Neusass, ils avaient construit des étangs à poissons pour pourvoir aux besoins de la période difficile du Carême et certains de ces étangs sont devenus des aquariums naturels et paisibles au-dessus desquels les libellules rivalisent d'ardeur avec les poissons pour la chasse aux moustiques qui bourdonnent au-dessus de l'eau. Le soir, des myriades de moustiques tourbillonnent dans

Weikersheim gnomes grew more and more likely, priorities began to change, and illusion and reality shift and merge.

It is a place for lonely pilgrims to find solace, a place where miracles could happen. At any rate, the little town of Dörzbach, only reachable from here by a path up the sleep slope, because landing stages built here are always torn away when the Jagst is in a wild mood, evidently considers that is has a special relationship to miracles: its wine is called "Mirakel". It can have a devilish effect, however, despite its name, and anyone indulging in it is well-advised to have a bed set up right next to his table.

The few buildings that make up nearby Neusass above Schöntal also stand withdrawn from the world, lonely and strangely beautiful: the forester's house, the church, and the grotto. The little steam train puffed its way much too swiftly through Schöntal! An altogether better way of approaching Schöntal is on foot from Neusass. Legend has it that the monks at first wanted to build their monastery up on the heights, and this is not at all unlikely, since up here, in the bottle-neck of the Hohenlohe Plain formed between the Kocher and Jagst, runs the ancient road called the "Hohe Straße", and the air is fresher than down in the valley at Schöntal where the monks finally did build. In Neusass they laid out their fish ponds to provide for the inner man during the tiresome Lent period, and some of these ponds have in the meantime grown into quiet, natural aquariums above which the dragonflies vie with the fish for the

Der Winter ist nicht allzu streng im Hohenlohischen. Dafür pfeift dann ein kalter Wind über die Hochebenen zwischen Kocher und Jagst.

L'hiver n'est pas trop rigoureux en Hohenlohe mais un vent froid souffle sur les hauts plateaux entre le Kocher et la Jagst.

Although the winters are not too severe in Hohenlohe Land, the winds that whistle across the uplands between the rivers Kocher and Jagst can be bitingly cold.

Nach den alten Geschichten sollen die Mönche ihr Kloster zuerst dort oben haben bauen wollen. Und das ist nicht unwahrscheinlich, denn hier im Flaschenhals der Hohenloher Ebene zwischen Kocher und Jagst führt auch die uralte Straße, die »Hohe Straße« übers Land und weht ein frischerer Wind als im Tal drunten, wo die Schöntaler Mönche dann hinzogen. In Neusaß legten sie entlang des Honigbaches ihre Fischteiche für die beschwerliche Fastenzeit an. Einige dieser Teiche sind jetzt wieder einsame natürliche Aquarien, über denen die Libellen mit den Fischen um die Wette nach den Mücken jagen, die übers Wasser schwirren. Am Abend huschen ganze Mückenwolken durch die Luft und ist ringsum nur noch das Klatschen der springenden Forellen zu hören. Am Mittag aber schmatzen die Karpfen in der Wiesenstille, wenn sie sich durch das Gewirr der Seerosenblätter, der Binsen und der vielen kleinblättrigen Pflänzlein an der Wasseroberfläche der Teiche pflügen.

Noch immer kommen gläubige Pilger vom Tal herauf, die ausruhen auf den Holzbänken unter dem Dach des geduckten Wallfahrtskirchleins unter den hohen Linden. Andäch-

l'air et l'on ne perçoit que le bruit que font les truites en sautant. Mais à midi on entend les carpes se faufiler dans le labyrinthe des nénuphars, des joncs et des petites plantes qui recouvrent à demi la surface des étangs.

Il y a toujours des pélerins qui montent de la vallée. Après s'être reposés sur les bancs de bois sous le larmier de la petite chapelle de pélerinage à côté du grand tilleul, ils se dirigent le long de l'étang supérieur vers la grotte artificielle où se trouve la fontaine de la Vierge. Son eau de source aurait, dit-on, des vertus curatives et les malades des yeux en particulier y viennent dans l'espoir d'une guérison; ils mouillent leurs yeux de cette eau et passent ensuite leurs doigts humides sur la clé de voûte d'un brun tacheté, le rituel traditionnel de tous les pieux visiteurs de la grotte.

Aussi la pierre a-t-elle déjà deux rainures qu'y ont gravées les innombrables mains qui l'ont caressée.

Un croisé, dit-on, a ramené de Terre Sainte cette pierre inconnue dans la région mais celui qui prend la peine d'étudier les déblais des sentiers creusés sur le versant des vallées trouvera des morceaux de pierre semblable, brune, pas très dure, dans les couches de

tastiest midges which teem above the water. In the evening whole clouds of midges whir through the air, and the only other sound to be heard is the jumping of the trout. At midday, though, the carp can be heard lazily swishing between the labyrinth of waterlily leaves, rushes, and other plants that half cover the surface of the ponds.

Pilgrims still come up from the valley. After resting on the wooden benches under the eaves of the little pilgrimage chapel by the tall lime-tree, they make their way along the topmost pond to the scarcely man-high artificial grotto, with its loudly splashing Blessed Mary fountain. Its waters are said to have healing properties. Sufferers from eye diseases, in particular, come here in hope of relief, moisten their eyes with the water, and then run their damp fingers over the speckled brown boss in the vaulted ceiling: the traditional ritual for all pious grotto visitors. The stone has two grooves worn in it from the countless hands that have caressed it.

The story goes that a crusader brought this stone, of a kind allegedly unknown in the area, from the Holy Land, but anyone who takes the trouble to look closely along the

▶ Vor allem die Mönche haben jahrhundertelang dafür gesorgt, daß sie zur Fastenzeit möglichst viele Fische hatten. So liegen bis heute viele idyllische Fischteiche rings um die meisten der alten Klosteranlagen.

▶ Pendant des siècles, les moines surtout ont veillé à ne pas manquer de poissons pendant le carême. C'est pourquoi aujourd'hui encore il y a de nombreux étangs à poissons idylliques tout autour de la plupart des anciens bâtiments conventuels.

▶ For centuries the monks, in particular, made sure that they had plenty of fish to tide them over Lent, and idyllic fishponds are still a feature of many old monasteries.

tig gehen sie dem obersten Teich entlang zu der kaum mannshohen gemauerten Grotte mit dem laut plätschernden Marienbrünnlein, dessen Quellwasser im Ruche der Heilsamkeit steht. Augenkranke vor allem netzen ihre Augen damit und streichen dann mit den feuchten Fingern über den braun-speckigen Schlußstein in der Gewölbedecke. Das ist das althergebrachte Ritual aller gläubigen Grottenbesucher. Der Stein hat schon zwei Rillen von den unzähligen Händen, die über ihn gestrichen sind.

Ein Kreuzfahrer habe diesen in der Gegend angeblich völlig fremden Stein mitgebracht, aus dem Gelobten Land soll er stammen, heißt es, doch wer aufmerksam die Wegeinschnitte an den Talhängen absucht, kann auch dort solche braunen, nicht allzu harten Steinbrocken in den Mergelschichten finden. Die Wallfahrer kümmert das nicht, und das ist gut so, denn wie sollte ihnen geholfen werden, wenn sie nicht an die heilende Kraft dieses Wassers und dieses Steins glaubten? »Maria hat geholfen«, steht auf den Votivtäfelchen in der Kirche.

Neusaß, der bescheidene Einödweiler, ist also älter als das prunkvolle Kloster im Tal. Das aber hat jahrhundertelang auch viel bescheidener als heute ausgesehen. Maulbronner Zisterzienser haben es im Jahre 1157 mit dem glühenden Glaubenseifer und Fleiß ihres Ordens zu bauen begonnen und zu einem geistigen Mittelpunkt gemacht. Das heutige Klosterbild jedoch erinnert kaum mehr an diese Herkunft. Wie ein lebender Organismus hat diese Klostersiedlung mehrfach ihr

marne. Toutefois, cela importe peu aux pélerins car comment pourraient-ils trouver aide et consolation s'ils ne croyaient pas aux vertus curatives de l'eau et de la pierre? «Marie a secouru» peut-on lire sur les plaques votives dans l'église.

Neusass, le modeste petit bourg, est plus ancien que le splendide monastère dans la vallée qui toutefois, des siècles durant, n'a pas été aussi important qu'aujourd'hui. Des cisterciens de Maulbronn en ont commencé la construction en 1157, animés de la foi et du zèle ardents de leur ordre, et en ont fait un centre spirituel et intellectuel. Mais aujourd'hui le monastère ne révèle plus grand-chose de ses origines. Tel un organisme vivant il a changé plusieurs fois sa carcasse de pierre et même de foi. De nos jours son aspect est toujours dominé par les bâtiments édifiés au début du 18e siècle par le grand abbé Benedikt Knittel. A cette époque, le monastère devait être un immense chantier et l'on peut imaginer l'aspect qu'il devait avoir vers 1715 grâce à l'histoire des deux cerfs et du chien en pierre qui s'élèvent au-dessus du sol sur une corniche sur la face nord de la tour de l'église baroque. En 1715, les architectes étaient certes déjà capables de construire de hauts échafaudages en bois mais ceux-ci n'étaient accessibles que par des rampes semblables à des échelles de poulailler.

L'abbé Knittel pouvait ainsi, lorsqu'il le voulait, grimper sans trop d'effort jusqu'en haut pour se rendre compte de l'avancement des travaux. Quelques années auparavant, l'abbé et maître de cette petite ville monastique avait

▶ Das einsame Kirchlein von Neusaß über Schöntal erlebt heute zwar keine so vielbesuchten Wallfahrten mehr wie früher, doch die kleine Grotte daneben wird immer noch aufgesucht von Augenleidenden, die auf die Heilkraft des Wassers vertrauen, das aus dem kleinen Brünnlein kommt.

▶ La petite église solitaire de Neusass au-dessus de Schöntal n'accueille plus autant de pélerins qu'autrefois mais la grotte à ses côtés est encore visitée par des malades des yeux qui croient en la vertu curative de l'eau qui coule de la petite source.

▶ The lonely little church of Neusass, above Schöntal, is no longer a popular pilgrimage place as in the old days, but the grotto next to it is still sought out by sufferers from eye complaints who trust in the healing properties of its spring.

sides of the paths cut into the hillsides will find similar chunks of such brown, not very hard rock, embedded in the marl layers. The pilgrims are rightly unconcerned with such things, for how could they find help and consolation if they did not believe in the healing powers of the water and stone? "Mary helped" is the simple inscription on the votive pictures in the church.

Neusass, the humble little hamlet, is older than the magnificent monastery in the valley. But, for centuries, that, too, was considerably less grand than it is today. Cistercian monks from Maulbronn began the building in 1157 with the ardent faith and zeal of their order, and made it into a spiritual and intellectual centre. Today's monastery, however, scarcely betrays those early origins. Like a living organism, this monastic settlement has changed its stone shell a number of times in the course of the centuries, and even its faith. Now its appearance is still largely the one imposed upon it by the great Abbot Benedikt Knittel at the beginning of the 18th century. At that time the monastery must have been one huge building site, and what the place must have looked like round about the year 1715 can be imagined from the story of the two stone stags and the stone dog which stand high above the ground on a ledge on the north side of the north Baroque church tower. In 1715, the builders were well capable of constructing high wooden scaffolding, but this was accessible only via a series of sloping catwalks. Using these, it was possible on one occasion for the Abbot himself to climb to the

steinernes Kleid und sogar ihr Bekenntnis gewechselt. Vor allem beherrschen heute des großen Abtes Benedikt Knittel alles überragende Bauten aus dem beginnenden 18. Jahrhundert das Bild. Damals muß das Kloster eine einzige Baustelle gewesen sein, und wie der Platz um das Jahr 1715 ausgesehen haben mag, läßt sich rekonstruieren aus der Geschichte der beiden steinernen Hirsche und des Hundes, die auf der Nordseite des barocken Kirchturmes hoch über dem Boden auf einem Gesims stehen. Im Jahre 1715 konnten die Bauleute zwar schon hohe Holzgerüste errichten, doch diese Gerüste waren nur zugänglich über schräge Rampen, die als breite Hühnerleitern zum Bauwerk hinaufführten. So war es möglich, daß auch Knittel ohne große Kletterein auf der Schräge nach oben steigen konnte, als er wieder einmal nach der Höhe der Mauerkrone sehen wollte.

Nun hatte der Abt und Herr über den kleinen Klosterstaat aber vor Jahren von einem befreundeten Standesgenossen, dem Grafen von Hohenlohe-Öhringen, einige lebende Hirschkälber geschenkt bekommen, die er in einem Waldgehege hinter dem Kloster auf-

reçu en cadeau du comte de Hohenlohe–Öhringen quelques faons qu'il avait élevés dans un enclos dans la forêt derrière le couvent et qui, une fois grands, le suivirent comme ses chiens. Aussi, un jour qu'il inspectait les travaux, les animaux le suivirent sans qu'il s'en aperçoive jusqu'au sommet de l'échafaudage, ce qui inspira à l'abbé des vers devenus célèbres sous le nom de *Knittelvers*, l'équivalent des vers de mirliton en français et dont la traduction libre donne ceci: «Deux cerfs, un chien et leur maître grimpèrent jusqu'ici sans encombre/ Et s'en revinrent comme ils étaient venus». L'abbé avait également composé ses vers en latin, la langue réservée à l'instruction des moines, l'allemand étant utilisé pour les communications avec l'extérieur. La plupart des vers de mirliton de l'abbé Knittel, que l'on peut lire sur les linteaux de porte, sur les fûts de vin, sur les murs de la salle capitulaire ou dans la boulangerie où étaient fabriquées les hosties, ont été traduits de façon moqueuse au siècle dernier par les élèves du séminaire protestant qui s'est installé dans le monastère après la sécularisation en 1802. Leurs versions allemandes ont même survécu à l'année 1975 lorsqu'une fois de plus Schöntal a

Schöntal im Jagsttal ist eine sehr gut erhaltene Klosteranlage, an der über viele Generationen hinweg gebaut worden ist. Ursprünglich war es eine Zisterzienserabtei (1157 gegründet), die dann eine barocke Wallfahrtskirche und große Konventsgebäude dazu bekommen hat.

Schöntal dans la vallée de la Jagst est un monastère merveilleusement bien conservé et dont l'édification est l'œuvre de plusieurs générations. A l'origine, ce fut une abbaye de cisterciens (fondée en 1157) à laquelle furent ajoutés une église de pélerinage baroque et de grands bâtiments conventuels.

Schöntal in the Jagst Valley is an outstandingly well-preserved monastery complex constructed in the course of many generations. It was originally a Cistercian Abbey (founded in 1157); later a Baroque pilgrimage church and large conventual buildings were added.

gezogen hatte und die ihm inzwischen als erwachsene Tiere ebenso nachliefen wie seine Hunde. So kam es, daß ihm die Tiere an diesem Tag unbemerkt bis auf das höchste Rampenbrett folgten, und dieses denkwürdige Ereignis beflügelte den Abt Knittel alsbald zu einem der Verse, die als Knittelverse berühmt geworden sind und bis heute als die Sinnbilder eines ungelenken Verseschmieds gelten. Diese echten Knittelverse gingen so: »Ein gross Paar Hirsch sambt einem Hund/ Nebst ihrem Herrn frisch und gesund/ Auf diesem Platz vor Zeiten stund./ Mit Wahrheitsgrund/ sei dies kund.«

Das steht natürlich auch lateinisch da. Denn Äbtliche Gnaden dichteten zur Belehrung ihrer Mönche vor allem lateinisch. Nur was die Außenwelt anging, wurde auch in deutsch gesagt. Die meisten Knittelverse über den Türbalken, auf den Weinfässern, an den Wänden des Kapitelsaales, des Arrests oder der Hostienbäckerei wurden im letzten Jahrhundert spottfreudig übersetzt von den Buben des evangelischen Seminars, die nach 1802 in das säkularisierte Kloster einzogen. Deren Eindeutschungen überlebten auch das Jahr 1975, als Schöntal wieder einmal sein Bekenntnis wechselte und ein katholisches Bildungszentrum wurde. Und so können die Klosterführerinnen dort bis heute jene klassische Schülerübersetzung eines lateinischen Knittelverses auf dem Abort vortragen: »Jetzt stehst vor dem Örtle/ no net geniert/ tu d'Hose ronter,/ wenn's pressiert!«

Direkt zum Herzen eines jeden weinfrohen Franken geht auch der (echte) Knittel-Vers

changé de confession et est devenu un centre de formation catholique. Et c'est ainsi que les directrices du couvent peuvent encore lire une de ces traductions dans les toilettes: «Au petit coin vous voici/ Alors pas d'hésitation ici/ Et sans tarder de votre culotte/ Libérez-vous sans honte.»

Dans le cellier, les (vrais) vers de Knittel vont droit au cœur de chaque Franconien amateur de bons vins: «Pour ce bon vin que j'ai de peine/ De l'existence cachée qu'il mène/ Prisonnier dans un fût/ Il vit comme un reclus.» Knittel était un esprit éclairé, pieux et populaire et seuls les gens qui ne sont pas de Hohenlohe doutent encore de l'origine du terme «Knittelvers» et prétendent que Luther aurait déjà utilisé cette forme de poème didactique et que «Knittel» serait un dérivé de «Knüttel», le bâton dont se servaient autrefois les maîtres pour mieux imprégner de savoir le cerveau de leurs élèves.

La superbe église de Knittel se termine par un chœur où l'œil a besoin de temps pour s'accoutumer à l'obscurité et distinguer les autels derrière la grille noire, or et argent. Les nombreuses sculptures donnent l'impression que les autels sont suspendus dans l'espace. C'est un endroit où l'on revient. Et qui ne voudrait pas revenir vers les eaux calmes sous les cinq vieilles arches de pierre du pont de la Jagst, l'incomparable statue de St. Jean Népomucène sur le pont devant les murs, les tours et les pignons de ce monastère séculaire? Qui pourrait oublier l'élégante cage d'escalier en bois de la nouvelle abbaye: une envolée de doubles marches d'un bleu d'ardoise clair

top without too much effort when he wanted to see how the work was progressing. The Abbot and lord of the small monastic settlement had some years previously been presented with a few young stags which he kept in a pen in the woods behind the monastery, and, when fully-grown, they had retained the habit acquired when fawns of following the Abbot everywhere. Thus it was that they also followed him up to the very top of the scaffolding on the day he inspected the building work, and the Abbot (whose name is immortalized in the term *Knittelvers*, a form of simple verse called "doggerel" in English) lost no time in composing a few lines to commemorate the incident. They ran, roughly translated, thus: "A pair of stags with dog and master/ Climbed to this point without disaster./ And all descended without rue/ In one long queue;/ Which is true."

He also composed it in Latin, for the Abbot composed primarily in Latin for the better instruction of his monks. German was reserved for communication with the outside world. Most of the doggerel rhymes of Abbot Knittel, which are to be seen on door lintels, on the wine casks, on the walls of the chapter house, in the detention cell, and in the bakery for the consecrated wafers, were mockingly translated in the last century by the schoolboys attending the Protestant seminary which moved into the monastery after the secularization of 1802. Their German versions of the originals survived even the year 1975, when Schöntal once more changed sides and became a Catholic training centre. And thus

Die Schöntaler Klosterkirche des als Baumeister und Verseschmied berühmt gewordenen Reichsabtes Benedikt Knittel.

L'abbatiale de Schöntal édifiée par l'abbé Benedikt Kittel devenu célèbre comme constructeur et versificateur.

Schöntal Monastery Church, erected by the Imperial Abbot Benedikt Knittel, famous for his building activities and for his doggerel verse.

aus dem Weinkeller: »Den guten Wein ich sehr beklag/ Er liegt im Keller Jahr und Tag/ In Banden, Stock und Block gefangen:/ Was Böses hat er denn begangen?« Knittel war ein volkstümlich-frommer Aufklärer, und nur Leute, die keine Hohenloher sind, deuteln nach wie vor unerbeten an der Herkunft des Begriffes »Knittelvers« herum und mäkeln, schon Luther habe solche Lehrgedichte gepflegt und dabei wohl an die Schulmeister gedacht, die ihre Weisheiten den Kindern mit dem Knüttel einzubläuen pflegten.

Knittels stolze Kirche wird von einem Chor abgeschlossen, vor dem das Auge lange Zeit braucht, bis es die Altäre hinter dem schwarz-silber-goldenen Gitter vor dem Altarraum abgetastet hat. Die Fülle der Figuren läßt die Altäre im Chor nahezu schweben, es ist ein Ort der Wiederkehr. Und wer sehnte sich nicht ebenso zurück zum stillen Stauwasser unter den fünf alten Steinbögen der Jagst-brücke, zu dem unvergleichlichen Bild des Brückenheiligen St. Nepomuk vor den Mauern, Türmen und Giebeln dieses klöster-lichen Baukunstwerks aus vielen Jahrhun-derten? Wer könnte das wundersam leicht geschwungene hölzerne Treppenhaus in der Neuen Abtei vergessen? Das ist ein Reigen von Doppelstufen in hellem Schieferblau, in Weiß und in Gold. Die geschnitzten Geländer schwingen sich wie Bachufer herunter, und über allem glänzt ein Deckengemälde, das die Verherrlichung der Mutter Kirche durch die damals bekannte Menschheit und Tierwelt zeigt. Wie in vielen hohenlohischen Barock-schlössern hatte der Künstler auch hier eine

associé à du blanc et de l'or? Les rampes sculptées descendent telles les berges d'un ruisseau et au-dessus resplendit la glorifica-tion de l'Eglise par les hommes et les animaux connus à l'époque. Comme dans de nom-breux châteaux baroques de Hohenlohe, l'ar-tiste a fait preuve, ici également, d'une étrange prédilection pour les éléphants dont toutefois il ne connaissait pas très bien la forme vérita-ble et qui de ce fait ressemblent à des dau-phins munis d'une trompe. Aussi ce qui devait être une peinture réaliste a pris un caractère de conte de fées. Les angles du plafond sont décorés de très jolis stucs représentant les quatre éléments. On ressent ici douloureuse-ment les dommages causés par les autorités protestantes qui, pour des raisons morales, ont fait enlever les stucs d'un caractère trop temporel à leurs yeux de puritains de façon à ce que les séminaristes ne succombent pas à la tentation. D'un autre côté, ces honorables prélats à l'esprit étroit étaient les véritables successeurs des anciens fondateurs pieux et zélés du monastère et veillaient à ce qu'il y ait de la mesure en toute chose. C'est ainsi qu'un séminariste de Schöntal qui avait lancé un croûton de pain à un camarade fut répri-mandé «… pour avoir jeté en l'air un don de Dieu». Ce reproche et bien d'autres peuvent avoir été mesquins mais l'idée du pain comme don de Dieu ne l'était certainement pas.

the ladies that run the centre now can still read the Classical schoolboy translation of a Latin *Knittelvers* in the privy: "Now you're in the place/ Do not pull a face,/ But let your trousers down/ Without a frown."

The (genuine) Knittel verse in the wine cellar speaks to the heart of every Franconian wine-lover: "I do feel sory for good wine/ Banned to the cellar for such a time./ Confined to hogshead, vat, or tun,/ What awful deed, then, has it done?" Knittel was a pious but a popu-lar enlightener, and only small-minded people who are not from Hohenlohe continue, unasked, to doubt this version of the origin of the term "Knittelvers" and object that Luther already used this form of didactic poem, and that "Knittel" is simply derived from "Knüt-tel", the stick or cudgel used by schoolmasters in earlier times to beat knowledge into their pupils.

Knittel's proud church ends in a choir. Here, the eye needs a long time to accustom itself to the obscurity and make out the altars behind the black-and-gold iron screen that separates the chancel from the nave. The many figures have the effect of making the altars appear to be suspended in space. It is a place to return to. And who would not like to return to the quiet waters under the five old stone arches of the Jagst bridge, to the incomparable statue of St. John of Nepomuk on the bridge outlined against the walls, towers and gables of this centuries-old monastery? Who could forget the splendid, gracefully curved double timber staircase in the New Abbey: a dancing series of steps in light slate colour, white and gold?

Ein Abtswappen im Kloster Schöntal und der steinerne
St. Nepomuk auf der alten Jagstbrücke.

Des armes abbatiales dans le couvent de Schöntal et la
statue en pierre de St. Jean Népomucène sur le vieux pont
de la Jagst.

An abbot's arms in Schöntal Monastery, and the stone
figure of St. John of Nepomuk on the old bridge over the
Jagst.

»Das Wunder von Schöntal« ist das hölzerne Treppenhaus in der Neuen Abtei genannt worden. Die Treppenbögen schwingen sich elegant empor zu einer wunderschön zart modellierten Stuckdecke.

«La merveille de Schöntal», c'est ainsi que l'on appelle l'escalier en bois dans la nouvelle abbaye. Ses courbes s'élèvent avec élégance vers un merveilleux plafond en stuc finement ciselé.

The wooden staircase in the New Abbey, has been called the "miracle of Schöntal". The stairs rise gracefully towards a stucco ceiling of wonderful delicacy.

seltsame Vorliebe für Elefanten, die er aber so wenig wie seine Kollegen kannte, weshalb das Tier einem berüsselten Delphin gleicht. So wirkt, was wirklichkeitsnah sein sollte, durchaus märchenhaft.

Zarteste Stuckbildungen zieren die Ecken dieser Decke. Die vier Elemente sind hier dargestellt, und da wird schmerzhaft bewußt, was die evangelischen Oberen zu ihrer Zeit angerichtet haben, als sie aus moralischen Gründen alle für ihr puritanisches Herz zu weltfrohen Stuckbilder abschlagen ließen, damit die Seminaristen nicht in Versuchung geführt würden. Diese ehrsam-engen Prälaten waren andererseits die wahren Nachfolger der gläubig-arbeitsamen frühen Klostergründer und sorgten für ein rechtes Maß der Dinge. So wurde ein Schöntaler Seminarist, der einem anderen einen Kanten Brot zuwarf, streng gerügt »… wegen Werfens einer Gottesgabe durch die Luft«. Diese Rüge und viele andere Pressionen mögen eng und kleinlich gewesen sein, die Einschätzung des Brotes als eine Gottesgabe war es sicher nicht.

The carved banisters come sweeping down like the banks of a stream, and above all rises the splendid ceiling painting which glorifies the Mother Church through the medium of the then-known animal and human world. The artist that worked here, like those in many Hohenlohe Baroque palaces, had a penchant for elephants, but he was as unfamiliar with their true form as were all his colleagues, so that the animal resembles a dolphin with trunk. This lends a truly fairytale quality to the realistic intentions. The corners of the ceiling are decorated with the most delicate stucco-work, representing the four elements. Here one becomes painfully aware of the damage done by the Protestant authorities, when, for moral reasons, they had all the stucco work in the complex which was too worldly for their puritanical ideas chipped away so that their pupils would not be led into temptation. On the other hand, these worthy, narrow-minded prelates were the true successors of the piously-zealous early founders of the monastery, and insisted on due proportion being observed in all things. Thus a Schöntal pupil who threw a crust of bread to a friend was reprimanded: "… for throwing one of God's gifts through the air". This reproof, and many others, may have been narrow and small-minded, but the assessment of bread as a gift of God was certainly not.

# Der Muster-Limes

Wer etwa im 18. Jahrhundert dem Kocher, der Jagst oder der Tauber entlang wanderte, kam kaum vorwärts vor lauter ritterschaftlichen, gräflichen, fürstlichen, deutschordensritterlichen, klösterlichen oder bischöflichen Grenzpfählen. Ganz anders war es, als die Hälfte des Landes noch römisch war. Am Ende des 2. Jahrhunderts war die politische Situation eindeutig, damals konnte jemand nur entweder hinter dem Limes im Schutz der römischen Gesetze wohnen oder vor dem Limes bei den Stämmen der germanischen Nachbarn. Der Grenzverkehr floß an ganz wenigen Limestoren zusammen, doch gingen dort mehr Soldaten durch als Händler oder gar Ein- und Auswanderer.

Wahrscheinlich waren die damaligen hohenlohischen Ureinwohner zufrieden mit den römischen Neuerungen. Denn sie hatten ja eben erst als letzte Herrschaft die keltischen Stammesfürsten mit ihren Prunkhöfen überstanden und erlebten, wie die Römer, die da vom Rhein und vom Neckar her kamen, für jedermann nützliche Zivilisationsgüter wie billiges und schönes Geschirr mitbrachten. So etwas hatten auch die germanischen Zuzügler nicht, die immer wieder aus dem Nordosten

# Le limes

Quiconque longeait le Kocher, la Jagst ou la Tauber au 18e siècle n'avançait guère à cause de tous les poteaux marquant les limites des propriétés appartenant à toutes sortes d'autorités: seigneurs, comtes, princes, chevaliers teutoniques, abbés ou évêques. Il en était autrement lorsque la moitié du pays était encore romaine. A la fin du 2e siècle, la situation politique était claire: à cette époque ou bien on vivait derrière le limes sous la protection des lois romaines ou bien devant le limes avec les tribus germaniques. Seuls quelques passages dans le limes permettaient un trafic frontalier et ceux-ci étaient plutôt empruntés par des soldats que par des marchands ou même des immigrants ou des émigrés.

Les habitants de ce qui est aujourd'hui la Hohenlohe étaient probablement satisfaits des innovations romaines. Car ils venaient de subir le régime des princes celtes avec leurs cours extravagantes et voyaient maintenant les Romains, qui avançaient dans la région à partir du Rhin et du Neckar, amener avec eux toutes sortes de produits utiles de leur civilisation tels que de la belle vaisselle bon marché et accessible à tous. Les tribus germaniques qui ne cessaient de faire des incursions à

# The Roman wall

Anyone travelling along the Kocher, Jagst, or Tauber in the 18th century was constantly help up by borders marking the limits of properties belonging to a wide variety of different authorities: knights, counts, princes, Teutonic knights, abbots, or bishops. This was not so during the Roman period. At the end of the 2nd century, the political situation was clear and simple: at that time you either lived behind the Roman wall – called *limes* – or in front of it, with the Germanic tribes. Border traffic was restricted to a few gateways in the wall, but most of those passing through were soldiers rather than merchants, and of immigrants or emigrants there were certainly also few.

It is probable that the natives of what is now Hohenlohe were pleased enough with the Roman innovations. For they had just been through a period of rule by Celtic princes, with their extravagant courts, and now they saw how the Romans, who advanced into the region from the Rhine and Neckar, brought all kinds of useful civilized products with them, such as cheap and fine pottery, which were available to all. The Germanic tribes that kept encroaching from the north-east also

▶ Ein stilles Wiesental ohne jede Ortschaft ist das Ohrntal zwischen Ohrnberg und Öhringen.

▶ La vallée de l'Ohrn entre Ohrnberg et Öhringen est une vallée paisible couverte de prés et sans aucun village.

▶ The Ohrn Valley between Ohrnberg and Öhringen: a green valley without even a hamlet to disturb its tranquillity.

ins Land kamen. Die Römer ihrerseits erklärten selbstbewußt alles Land vor ihrem Limes zum Ausland, als sie ihre Reichsgrenze bis vor das Flüßlein Ohrn vorschoben. Mitten durch das Land zog sich nun der vorderste Limes als eine Kolonialgrenze, die entstanden war, weil die römischen Feldherren ihre Truppen so schnell wie möglich von Köln nach Augsburg verschieben wollten. Als die Römer erst am Rhein und im Voralpenland gestanden waren, da mußten ihre Legionen einen riesigen Umweg über das Land am Bodensee machen. Um diesen Weg abzukürzen, zettelten die Kaiserhäuser, in denen stets Bedarf an siegreichen Feldherren war, mehrere Krieglein an, bis wenigstens die Neckarlinie erreicht war. Dann aber muß ein Beamter in der römischen Heeresverwaltung als letzte Grenzbegradigung auf einer Landkarte einen Linealstrich vom heutigen Walldürn bis zum heutigen Welzheim gezogen haben, und diese 80 Kilometer lange Linie gab er als vorderste Limesgrenze auf dem Dienstweg weiter.
An der Front im fernen Obergermanien gelang den römischen Landvermessern zwar keine solche exakte Ideallinie, doch wer heute auf der Römer Spuren über den Limes-Wanderweg des Schwäbischen Albvereins durch Hohenlohe pilgert, der muß nicht mehr davon überzeugt werden, daß blödsinnige Befehle zu allen Zeiten für das Militärwesen typisch sind. Denn diese längste unter all den vielen geraden Limesstrecken, die die Römer in Europa und Asien gebaut haben, war militärisch bestenfalls eine Weckerlinie für das schlafende Weltreich.

partir du Nord–Est n'avaient également pas ces produits. Poussant leur limes jusqu'à la petite rivière de l'Ohrn, les Romains, sûrs d'eux, déclaraient pays étranger tout territoire au-delà de leur rempart. C'est ainsi que le limes le plus avancé, qui s'étirait au milieu du pays, devint une frontière coloniale établie pour permettre aux généraux romains de déplacer leurs troupes aussi vite que possible entre Cologne et Augsbourg. Lorsque les Romains s'installèrent pour la première fois le long du Rhin et dans les Préalpes, leurs légions avaient à faire un immense détour autour du lac de Constance. Afin de raccourcir ce chemin, les empereurs romains menèrent plusieurs petites guerres pour repousser leur frontière jusqu'au Neckar. Mais un fonctionnaire quelconque de l'état-major de l'armée romaine a dû alors prendre une règle et tracer une ligne droite sur la carte, de l'actuel Walldürn à Welzheim, et indiquer ensuite par la voie officielle que cette bande de 80 kilomètres de long constituait le limes le plus avancé. Les arpenteurs romains sur le front dans la lointaine Haute–Germanie ne parvinrent pas à établir une ligne aussi idéale que celle requise par Rome. Cependant quiconque suit le sentier tracé par l'Association des randonneurs souabe le long de la zone du limes à travers la Hohenlohe n'aura aucune peine à croire que les décisions stupides ont de tout temps été l'apanage de l'organisation militaire car le plus long des remparts construit en ligne droite par les Romains en Europe et en Asie pouvait tout au plus être une sorte de système d'alerte pour l'empire assoupi.

had no such goods. Pushing their *limes* up to the little River Ohrn, the Romans confidently declared all the country beyond their wall to be foreign territory. Thus the most advanced Roman frontier line runs through the middle of present-day Hohenlohe – a colonial boundary established to enable the Roman generals to move their troops as quickly as possible between Cologne and Augsburg. When the Romans first established themselves along the Rhine and in the foothills of the Alps their legions had to make a huge detour round Lake Constance. In order to shorten this line, the Roman emperors fought a series of small wars to push the border back as far the Neckar. But then some official in the Roman army staff at home must have taken a ruler and drawn a straight line across the map from present-day Walldürn to Welzheim, and then he forwarded this idea, involving an 80-kilometre-long straight stretch of frontier, through official channels, as the most advanced *limes* boundary.
The Roman surveyors at the front in distant Upper Germania did not succeed in drawing quite such an ideal, straight line as the instructions from Rome demanded, but, nevertheless, anyone following the footpath along the *limes* zone through Hohenlohe, established by the Swabian Rambling Association, will have no difficulty in believing that stupid decisions have been typical of military organizations throughout the ages, for this longest of all the many straight sections of wall built by the Romans in Europe and Asia could have at the most functioned as a kind of

Hinter den vielen hunderttausend Palisaden-pfosten dieses obergermanischen Limes lag für alle Völker, die davor standen, eine andere Welt. Obwohl auch das Land hinter dem Limes noch ziemlich wild war. Auch dort waren Auerochs, Bär und Elch daheim, wie wir aus dem Speisezettel der römischen Besatzungssoldaten wissen. Doch selbst die bescheidenste menschliche Siedlung hinter dem Limes muß für die östlichen Nachbarn eine Schatzkammer voll der erstaunlichsten Dinge gewesen sein. Der rätische Limes gar, das gemauerte Anschlußstück durch das heutige Bayern, glich der Zauberwand vor einem Märchenreich, denn er war blendend weiß und mit roten Fugenlinien verziert. Der Palisadenwall auf der Linie Osterburken–Jagsthausen–Öhringen–Mainhardt war schmuckloser und sicher auch leichter zu überwinden, denn er war ja ohne Rücksicht auf das Gelände aufgehäuft worden. Auf weiten Strecken scheint es das wichtigste gewesen zu sein, daß sich die Wachposten auf den Türmen gegenseitig sahen. So konnten sie sich und den Soldaten in den kleinen Kastellen im Hinterland Rauch- und Licht-zeichen geben und Alarm schlagen, sobald sich verdächtige Gestalten im Vorland zeigten.

Ein besonders gut erhaltener Limesabschnitt im Norden von Öhringen war allerdings erstaunlich stark befestigt. Dieses Limesstück erhebt sich ganz in der Nähe des Hotelschlos-ses Friedrichsruhe, das sich ein hohenlohe-öhringischer Graf 1612 als Jagd- und Lust-schloß hatte bauen lassen und das im letzten

Pour tous les peuples qui se trouvaient en deçà du limes, au-delà des centaines de mil-liers de poteaux de ce rempart romain s'ou-vrait un monde différent bien qu'encore assez sauvage comme nous l'indiquent les menus des forces d'occupation romaine sur lesquels figuraient de l'aurochs, de l'ours et de l'élan, toutes bêtes qui peuplaient encore le pays à l'époque. Pourtant, pour les voisins de l'Est, même la plus petite colonie du côté romain du limes devait être comme un trésor renfermant les choses les plus étonnantes. Et le limes rhé-tique, la continuation du rempart à travers l'actuelle Bavière, devait, avec ses pierres d'un blanc éblouissant et ses joints rouges, ressem-bler à un mur magique défendant l'entrée d'un royaume féerique. La palissade fortifiée sur la ligne Osterburken–Jagsthausen–Öhringen–Mainhardt était plus simple et certainement plus facile à franchir car elle avait été cons-truite sans tenir compte du terrain. Sur de lon-gues distances, il semble que son principal objectif ait été de permettre aux sentinelles dans les tours de se voir mutuellement. Elles pouvaient ainsi, de même que les soldats dans les petits forts de l'arrière-pays, rester en con-tact au moyen de signaux de fumée et de signaux lumineux et donner l'alarme aussitôt qu'il y avait des mouvement suspects du côté étranger du rempart.

Un tronçon du limes a toutefois été étonnam-ment bien fortifié et de ce fait particulière-ment bien conservé. Cette partie du limes s'élève à proximité du château-hôtel «Fried-richsruhe» qu'un comte de Hohenlohe–Öhringen avait fait construire en 1612 comme

trip-wire to warn the sleeping empire.
For all those people on the "wrong" side, a different world lay behind the many hundred thousand palisade stakes of this Roman ram-part – although even this world was still rather wild, for, as we know from extant menus of the Roman occupation forces, there were still wild European bison, bears, and elks roaming the countryside. But, to the east-ern neighbours, even the most modest settle-ment on the Roman side of the *limes* must have seemed like a treasure chamber contain-ing the most amazing things. And the Rhae-tian *limes* – the continuation of the wall, built in solid masonry through present-day Bavaria – being brilliant white and decorated with red jointing, must have resembled a magic wall blocking the way to a veritable fairytale land. The palisaded earthern rampart along the route Osterburken–Jagsthausen–Öhringen-–Mainhardt was simpler, and was certainly easier to cross, because it had been con-structed without regard to the terrain. It seems that over long stretches, its main purpose was to enable the posts in the watchtowers to be able to see one another. In this way they and the soldiers in the small forts in the hinterland were able to keep in touch by means of smoke and light signals and give the alarm as soon as there were suspicious movements on the foreign side on the wall.
One part of the wall to the north of Öhringen was, however, amazingly strong, and is par-ticularly well preserved. This section is quite close to the castle hotel "Friedrichsruhe", which was built by a Hohenlohe–Öhringen

Nur dort, wo seit der Römer Zeiten Wald gewachsen ist, hat sich der Limes erhalten. Wo Ackerland lag, wurde er allmählich eingeebnet. Hier ein besonders gut erhaltener Limes-Abschnitt bei Pfahlbach.

Le limes s'est conservé uniquement là où la forêt a poussé depuis l'époque romaine. Dans les terres arables, il a été peu à peu nivellé. On voit ici une partie du limes particulièrement bien conservée près de Pfahlbach.

The *limes* (wall) that once marked the border of the Roman Empire has only survived in places which have been wooded since those times, having gradually been levelled in arable areas. Here we see a particularly well-preserved section of the *limes* near Pfahlbach.

101

Jahrhundert indirekt berühmt wurde durch die Vorleserin Eugenie Marlitt, die als Gartenlaube-Autorin dafür sorgte, daß die Nation Anteil nahm am erregenden Leben der »hohen Herrschaften«.

Ungefähr vom Jahr 160 an war der spätere Schloßboden allerdings noch ein Beobachtungspunkt der römischen Wachkorporale im heutigen Waldteil Pfahldöbel am höchsten Punkt der Straße Pfahlbach–Westernach. (Überall, wo ein Ort die Wörter »Pfahl« oder »Hag« im Namen hat, ist ganz sicher ein Stück Limes oder ein keltischer oder mittelalterlicher Wall die Ursache der Benennung.) Im Pfahldöbel läßt sich heute beim Marsch über den inzwischen mit alten Eichen bestandenen Wall nachempfinden, wie die römischen Landser aus den einheimischen Hilfstruppen über ihre Palisade hinweggespickt haben zu ihren Landsleuten auf der germanisch-hohenlohischen Seite. Manche Archäologen meinen sogar, im Pfahldöbel sei ein Musterlimes als Demonstrationsobjekt aufgebaut worden. Das könnte stimmen, weil man hier einen vorzüglichen Limesblick hat: nach Norden über das Kochertal hinweg und gen Süden zu den Wachtürmen des Mainhardter Waldes. Der oberste Wachturm dort könnte durchaus einer der Hauptvermessungspunkte für die Geometer gewesen sein. Auch muß gerade dieses Pfahldöbelstück von ferne her wie eine Festung gewirkt haben. Der vor dem Wall liegende Graben war acht Meter breit, der Erdwall war fünf Meter hoch, und darauf stand dann die Palisadenwand, die wiederum von den Wachtürmen dahinter

pavillon de chasse et qui est devenu indirectement célèbre au 19e siècle grâce à Eugénie Marlitt, auteur d'histoires de la haute société qui furent publiées dans «Die Gartenlaube», un hebdomadaire familial illustré.

A partir de l'an 160 environ, une tour de guet pour les sentinelles romaines fut construite près du site du futur château, un endroit appelé aujourd'hui Pfahldöbel, au point le plus élevé de la route Pfahlbach–Westernach (chaque fois que les mots «Pfahl» – poteau, pieu – ou «Hag» – barrière, palissade – entrent dans la composition d'un nom de lieu, on peut être sûr qu'une partie du limes ou un rempart celtique ou médiéval a été à l'origine de cette dénomination). En longeant le rempart à Pfahldöbel recouvert aujourd'hui de vieux chênes, on peut fort bien imaginer ce que ressentaient les soldats romains recrutés parmi la population locale lorsqu'ils regardaient leurs compatriotes de l'autre côté du rempart. Certains archéologues pensent même que le rempart à Pfahldöbel a été construit comme une sorte de limes modèle à des fins de démonstration. C'est possible car on a de cet endroit une excellente vue sur le pays: vers le nord au-delà de la vallée du Kocher et vers le sud en direction des tours de guet de la forêt de Mainhardt. La tour de guet la plus élevée a pu fort bien être un des principaux points de repérage pour les géomètres et de loin la section de Pfahldöbel devait avoir l'air d'une véritable forteresse. Le fossé devant le rempart avait huit mètres de largeur, le rempart cinq mètres de hauteur et au-dessus se trouvait la palissade rehaussée encore de

count in 1612 as a hunting lodge, and which achieved indirect fame during the 19th century through Eugenie Marlitt, one of the staff, who kept the nation agog with her stories of high life published in "Die Gartenlaube", an illustrated family weekly.

From about AD 160, a watchtower for the Roman frontier guards was built near the site of the later castle, a spot now called Pfahldöbel, at the highest point on the Pfahlbach–Westernach road. (Whenever a place has the words "Pfahl" – post, stake – or "Hag" – hedge, fence – in its name, one can be sure that part of a Roman, Celtic, or medieval wall was nearby.) Walking along the wall at Pfahldöbel, now overgrown with old oaktrees, it is easy to imagine how the Roman auxiliaries recruited from the local population felt when they stared from the wall at their compatriots on the outside. Some archaeologists regard the section of the wall at Pfahldöbel as having been a kind of model *limes* for demonstration purposes. This might have been the case, for from here there is certainly a fine clear view of the countryside: to the north across the Kocher Valley, and to the south towards the watchtowers of the Mainhardt Forest. The highest watchtower there might well have been one of the benchmarks for the surveyors, and, from such a distance, the Pfahldöbel section must have looked like a veritable fortress. The ditch in front of the wall was 25 feet wide, the rampart was 16 feet high, and on top of this was the palisade, which, again, was overtopped by watchtowers – an impressive sight.

überhöht wurde – das sah gefährlich aus. So um die Jahre zwischen 245 und 260 durchbrachen dennoch mehrere Alemannenstürme auch dieses Hindernis, und in den folgenden Jahrhunderten ebneten die Bauern den ganzen überflüssig gewordenen Limes beim Ackern ein. Wer heute am südlichsten Punkt des Pfahldöbel-Limes steht, kann erst am Horizont der nächsten Geländewelle eine leichte Bodenwölbung in der Limesfluchtlinie erahnen, und deshalb hat es der Limeswanderer hier schwer. Nur in den Wäldern findet er sein Ziel. Doch solch ein Marsch, etwa von Sindringen im Kochertal zum Schießhof hinauf, ist beschwerlich. Viele natürliche Schluchten verwirren den Wanderer – was ist da Wall, was Graben, was Erosionseinschnitt? Auf der Höhe aber läuft die Straße nach Pfahlbronn schon seit Jahrhunderten direkt über den längst eingeebneten Limeswall.

Wer seine Phantasie voll in diese Vergangenheit Hohenlohes schweifen lassen will, muß das Land verlassen. Doch nicht weit: Im Norden, in Osterburken und in Walldürn sind die Fundamente von ganzen Kastellflügeln und Badeanlagen im unzerstörten Original zu sehen, und südlich von Ellwangen steht das gewaltige, wiederaufgebaute Limestor von Dalkingen. In Osterburken erzählen die bei einer Überschwemmung verschütteten Weihesteine einer römischen Straßenstation besonders viel vom Leben der damaligen Hohenloher. Diese ehedem weiß, rot und schwarz angemalten steinernen Devotionalien zeichnen allerdings kein zärtliches Bild

tours de guet – tout cela avait un air redoutable.

Et pourtant entre les années 245 et 260, plusieurs assauts lancés par les Alamans contre cet obstacle furent couronnés de succès et au cours des siècles suivants les paysans nivelèrent en labourant le limes devenu superflu. Celui qui se trouve aujourd'hui au point le plus au sud du limes de Pfahldöbel peut tout au plus deviner l'alignement du limes sous la forme d'un léger renflement du terrain à l'endroit où il croise le sommet de la prochaine inclinaison et c'est pourquoi le randonneur qui veut suivre la route du limes a bien du mal à s'y retrouver ici. Ce n'est que dans la forêt qu'il arrive à son but bien qu'une telle marche – entre Sindringen dans la vallée du Kocher et Schießhof par exemple – ne soit pas des plus faciles. Car de nombreux fossés naturels déroutent le randonneur qui se demande s'il s'agit d'un rempart, d'un fossé ou le fait de l'érosion. Mais, sur la hauteur, la route vers Pfahlbronn suit depuis des siècles déjà le rempart du limes nivelé de longue date. Quiconque veut laisser son imagination vagabonder dans le passé de la Hohenlohe doit quitter le pays. Pourtant point n'est besoin d'aller loin: vers le nord, à Osterburken et Walldürn, on peut voir les fondations bien conservées d'ailes entières de forts et d'installations de bains et au sud d'Ellwangen, à Dalkingen, se trouve l'imposante porte du limes reconstruite. A Osterburken, les pierres votives d'un fort romain, qui ont été ensevelies lors d'une inondation, sont très éloquentes sur la vie des gens qui habitaient à l'époque la Hohenlohe.

And yet in the years between AD 245 and 260 a number of assaults on the wall by the Alemanni were successful. In the following centuries the peasants levelled nearly all of the obsolete wall. Anyone standing at the southernmost point of the Pfahldöbel limes can only make out the continuation of the wall in the form of a slight swelling in the ground at the place where it crosses the top of the next incline. That is why the rambler trying to follow the route of the limes has a difficult job here. It is only in the woods – on the stretch between Sindringen and Schießhof, for example – that he can find traces of the wall, although even here it is by no means easy, as there are many natural ditches to confuse him. What is wall, which formation is man-made, which the result of natural causes? Anyone wanting to get a good impression of this chapter of Hohenlohe's past must leave the region. But he need not go far: to the north, in Osterburken and Walldürn, well-preserved foundations of whole wings of forts and baths are to be seen, and to the south of Ellwangen, at Dalkingen, is the tremendous, reconstructed limes gate. In Osterburken, the votive stones of a Roman road fort, which were buried by a flood, tell a great deal about the life of the Hohenlohers in those faraway days. Once painted white, red, and black, they make it appear that life was not all that happy here, for with them the commanders of the Roman provincial police at Osterburken, who held this post for two years, gave "happy and joyful" thanks that they were at last being posted back to Mainz

von diesem Volksstamm, denn die Posten-kommandanten der römischen Landjäger setzten immer einen Weihestein, sobald sie nach jeweils zwei Jahren das Kommando in Oster-burken hinter sich hatten. Auf diesen Votiv-steinen dankten sie »froh und freudig« ihren Göttern, wenn sie endlich nach Mainz oder Straßburg zurückkehren durften. Fortuna redux, die Göttin der glücklichen Heimkehr, war hier mindestens so angesehen wie ein paar keltische Gottheiten, bei denen sich die Hilfstruppen-Polizisten ebenso bedankten.
In dankbarer Erinnerung an ihre römischen Ortsgründer haben die Kastellortschaften Jagsthausen und Öhringen kleine Museen eingerichtet, die vom Wohlstand, ja vom Luxus des Lebens unter dieser Besatzungs-macht zeugen. In Jagsthausen zum Beispiel wurde feines Geschirr produziert, das sowohl über den Limes hinüber als auch ins Hinter-land verhandelt wurde. Und allein schon die Kult- und Berufsvereine, die sich aus den Inschriften in Öhringen nachweisen lassen, beweisen eine wohlhabende einheimische Bürgerschicht, die römisch lebte, ohne den Adelsbrief des römischen Bürgerrechts zu haben.

Peintes autrefois en blanc, rouge et noir, elles montrent que la vie était loin d'être gaie dans cette région car les commandants de la police provinciale romaine à Osterburken, qui avaient été en poste pendant deux ans, expri-maient avec une pierre votive leur bonheur et leur joie et remerciaient ainsi leurs dieux de pouvoir enfin retourner à Mayence ou Stras-bourg. Fortuna redux, la déesse de l'heureux retour, était ici au moins aussi vénérée que les dieux celtiques adorés par les policiers de l'ar-mée auxiliaire.
En souvenir reconnaissant de leurs fonda-teurs romains, les villes de Jagsthausen et Öhringen ont aménagé de petits musées qui témoignent du bien-être et même du luxe dont bénéficiait la population sous cette force d'oc-cupation. A Jagsthausen, par exemple, on fabriquait de la belle vaisselle qui se trouvait vendue des deux côtés du limes. Et rien que les différentes associations cultuelles et pro-fessionnelles dont l'existence a été révélée par des inscriptions trouvées à Öhringen mon-trent qu'il y avait une classe moyenne locale aisée qui vivait comme les Romains sans avoir la citoyenneté romaine.
Le plus bel objet du musée de Jagsthausen est

or Strasbourg. Fortuna redux, the goddess of happy homecomings, was venerated at least as highly as the Celtic gods to which the aux-iliary policemen paid their devotions.
In grateful memory of the Roman founders of their towns, Jagsthausen and Öhringen have set up small museums which bear witness to the affluence, even luxury, that prevailed under the occupation forces. In Jagsthausen, for example, fine pottery was produced which was sold on both sides of the wall. And the various associations alone, both of a cultic and professional nature, which are documented by the inscriptions found in Öhringen, make it clear that there was a well-to-do local middle class which lived in Roman style, though without the blessing of Roman citizenship.
The pride of the Jagsthausen museum is a small bronze statue of Hercules, the copy of a Greek Hercules from Lysippos of the fourth century BC. Such copies were bought and sold then just as copies of Gothic madonnas are today, and they were regarded as symbols of good taste and education. The counterpart to this is another bronze piece in the Öhringen Weygang Museum. It is a statuette

► Wirtshausschilder künden von Wirten, die stolz sind auf ihr gastliches Haus. Von oben links an: »Krone« in Langen-burg; »Traube« in Kupferzell; »Krone« in Schwäbisch Hall; »Rose« in Ingelfingen; »Krone« in Mulfingen; »Schwanen« in Kirchberg und »Rößle« in Neuenstein.

► Les enseignes d'auberge annoncent des aubergistes fiers de l'hospitalité de leur maison. A partir du haut à gauche: «Krone» à Langenburg; «Traube» à Kupferzell; «Krone» à Schwäbisch Hall; «Rose» à Ingelfingen; «Krone» à Mulfin-gen; «Schwanen» à Kirchberg et «Rössle» à Neuenstein.

► Inn signs suggest landlords who are proud of their hospit-able house. From top left: the "Krone" in Langenburg; the "Traube" in Kupferzell; the "Krone" in Schwäbisch Hall; the "Rose" in Ingelfingen; the "Krone" in Mulfingen; the "Schwan" in Kirchberg; and the "Rössle" in Neuenstein.

Das Prunkstück im Jagsthausener Museum ist ein kleiner bronzener Herkules, die Kopie eines griechischen Herkules von Lysippos aus dem vierten vorchristlichen Jahrhundert. Solche Kopien wurden damals so gehandelt wie heutzutage die nachgemachten gotischen Madonnen und waren Beweise der feinen Bildung. Das Gegenstück dazu ist der ebenso kleine bronzene Silen im Öhringer Weygang-Museum. Diesem bäuchigen, trunkenen Satyr mit der Weintraube in der Hand begegnet der Wanderer im Hohenlohischen bis heute noch leibhaftig in allen Wirtschaften. Zwar sehen sich die Hohenloher selbst als hager an, doch ihr vom Wein begeistertes Gemüt ähnelt dem Geist des Silen sehr.

un petit Hercule en bronze, la copie d'un Hercule grec de Lysippos datant du 4e siècle avant J. C. De telles reproductions étaient négociées à l'époque comme aujourd'hui les copies de madones gothiques et étaient une preuve de bon goût. Le pendant de cet objet est une statuette, en bronze également, qui se trouve au musée Weygang d'Öhringen. Elle représente le satyre Silène, personnage ventru et ivre qui tient dans sa main des grappes de raisins et que le randonneur peut encore rencontrer aujourd'hui en chair et en os dans toutes les auberges de la région de Hohenlohe. Les gens de Hohenlohe se considèrent certes comme appartenant à une race de maigres mais leur nature rendue gaie par le vin rappelle beaucoup celle de Silène.

of a big-bellied, drunken Silenus with a bunch of grapes in his hand – a figure the wayfarer will find alive and drinking in the inns all over the Hohenlohe region today. The Hohenlohers regard themselves as a lean race, but they nevertheless have one thing in common with Silenus: their love of wine.

# Bœuf d'Hohenlohe

## Le bœuf de Hohenlohe

## Bœuf d'Hohenlohe

Die Hohenloher Bauern teilen ihre Böden ein nach der Farbe. Es gibt weiße und braune Böden. Das ist zwar keine präzise geologische Benennung, doch sie ist augenfällig. Die braunen Böden, das sind vor allem die Muschelkalkböden im Nordwesten, die Böden der Brauereigerste, der Luzerne und der Zuckerrüben. Das weiße Feld sind die schon ausgelaugten Lößauflagen über dem Lettenkeuper und die sandigen Flächen vor allem in den Höhenlagen.

Doch was ist schon eine Höhenlage im Hohenlohischen. Waldenburg, der schloß-gekrönte Ausguck hoch über der Hohenloher Ebene, liegt nur 506 Meter hoch und wirkt doch schon wie ein Bergstädtchen auf einem richtigen Gebirgssporn. Die Erdbeerfelder auf der Haller Ebene aber blühen und reifen auf der vierhunderter Höhenlinie und sind im Winter nur ganz selten schneebedeckt. Allein dieses freundlichen Klimas wegen ist Hohenlohe schon immer ein Bauernland gewesen, und als es im letzten Jahrhundert zu »Neuwürttemberg« wurde, da entwickelte es sich sogar zur Kornkammer des Königreichs. Das war aber keine Auszeichnung, sondern nur die Folge der Vernachlässigung durch die neuen Herren. Hier wurde fast nichts investiert, die Industrialisierung ging an Hohenlohe vorüber, das immer nur brav Korn liefern sollte. So entwickelte sich das alt-württembergische Neckarland wirtschaftlich und sozial weiter, während Hohenlohe stehenblieb. Heute macht das allerdings mancherorts seinen Charme aus. Denn im großen und ganzen ist es ja

Les paysans de Hohenlohe divisent leur sol d'après la couleur. Il y a des sols blancs et des bruns. Une méthode du moins simple si elle n'est pas précise géologiquement parlant. Les sols bruns sont essentiellement les terrains de calcaire coquillier dans le Nord-Ouest, les sols sur lesquels poussent l'orge pour les brasseries, la luzerne et la betterave sucrière. Les terres blanches se trouvent dans les régions où les couches de lœss se sont carbonatées au-dessus du keuper argileux ainsi que dans les régions sablonneuses, surtout dans les hauteurs.

Mais qu'est-ce qu'une hauteur dans la Hohenlohe? Couronné par son château, Waldenburg, établi sur un éperon qui domine la plaine de Hohenlohe n'est qu'à 506 mètres d'altitude et a déjà l'aspect d'un village de montagne. Les températures clémentes de la Hohenlohe – les fraises mûrissent jusqu'à 400 mètres d'altitude près de Hall et sont rarement couvertes de neige en hiver – ont fait de la région une terre agricole si bien que lorsqu'elle est entrée dans le royaume de Wurtemberg au siècle dernier, elle est devenue rapidement le grenier du pays. Ceci ne fut toutefois pas une distinction mais un signe de négligence de la part de ses nouveaux maîtres. Pratiquement rien n'a été investi dans la Hohenlohe et l'industrialisation est passée à côté de la région qui devait continuer à fournir bravement du grain. C'est ainsi que la vieille région du Wurtemberg le long du Neckar a continué à se développer économiquement et socialement tandis que le temps s'arrêtait en Hohenlohe, ce qui fait en partie aujourd'hui le

The Hohenlohe farmers divide their ground into two types distinguished by their colour: white and brown., A practical, if not exactly a geological, method. The brown soil is mostly the shelly Triassic limestone in the northwest, the soil on which brewing-barley, lucerne, and sugar-beet grow. The white ground is to be found in areas where loess layers above clayey keuper rock have carbonated, and also in the sandy areas, above all in higher elevations.

But what is a "higher elevation" in Hohenlohe? Dominated by its castle, Waldenburg, poised on a spur rising above the Hohenlohe Plain, looks like a real mountain village, and yet it is only 1,660 ft high. Hohenlohe's mild climate – strawberries flourish up to altitudes of about 1,300 ft near Hall, and rarely see snow – makes it good farming country, so much so, that when it became part of the Kingdom of Württemberg in the last century, it soon developed into the country's granary. This, however, was no mark of distinction, but rather a sign of neglect by its new masters. Practically nothing was invested in Hohenlohe, and industrialization bypassed the region, which was regarded simply as a kind of immense larder. Thus the old Württemberg region along the Neckar continued to develop economically and socially while time stood still in Hohenlohe. This, indeed, is now one of the reasons for its charm, for this general division of economic activities has remained largely unchanged despite the fact that many middle-sized businesses have in the meantime established themselves in the Hohenlohe

geblieben bei dieser Verteilung der Wirtschaftskraft, obwohl sich inzwischen viele mittlere Betriebe im Hohenloher Land niedergelassen haben. Hier sind tatkräftige Menschen zu finden, die in der Landwirtschaft nicht mehr unterkommen, seit auf den Höfen immer rationeller gearbeitet wird und seit die Höfe auf Kosten der ehemaligen Kleinbauern auch immer größer werden müssen, um rentabel zu bleiben.

Der in Hohenlohe unvergessene Johann Friedrich Mayer, der den Bauern im Amte Kupferzell in der zweiten Hälfte des 18. Jahrhunderts auch schon auf der Erde die Glückseligkeiten bescheren wollte, die er ihnen als Pfarrer im Jenseits zu versprechen hatte, dieser wahre Menschenfreund hat die Hohenloher Ebene einmal so geschildert: »Von überall her sehen kleine Weiler, das ganze Land ist von ihnen wie durchsät. Ein jeder einzelne Hof darin siehet durch die Bauerngärten einem Lustwäldgen ähnlich, über welchem die weißgetünchten Bauernhäuser herfürragen. All die erhöhten Plätze dieser Ebene liegen im Frühling grün im Samen, goldgelb im Sommer. Diese erhöheten Felder durchschneiden die etwas vertief-

charme du pays. Car dans l'ensemble cette division des activités économiques est restée inchangée bien que de nombreuses moyennes entreprises se soient établies entretemps dans le pays de Hohenlohe. Il y a ici une main-d'œuvre efficace qui ne trouve plus de travail dans l'agriculture à cause de l'introduction de méthodes agricoles plus rationnelles et à cause de la disparition de petites fermes au profit de plus grandes, plus rentables.

Johann Friedrich Mayer, ce pasteur de Kupferzell dans la seconde moitié du 18e siècle et qui reste dans la mémoire de la population de Hohenlohe parce qu'il a fait de son mieux pour rendre les paysans aussi heureux dans ce monde qu'il leur promettait de l'être dans l'autre, a ainsi décrit la plaine de Hohenlohe: «Il y a partout de petits hameaux, tout le pays en est parsemé. Chaque ferme a un charmant petit jardin derrière lequel se dresse le bâtiment tout blanc de la ferme. Tous les endroits surélevés de la plaine sont verts de semence qui lève au printemps et d'un jaune doré en été. Ces champs quelque peu en hauteur alternent avec des surfaces moins élevées et le tout est parcouru de petits ruisseaux aux eaux claires et pures.»

area. There are plenty of good workers available who can no longer find work in agriculture because of the introduction of more rational farming methods and because of the disappearance of small-holdings in favour of larger, more profitable farms.

Johann Friedrich Mayer, priest in Kupferzell in the second half of the 18th century, and still unforgotten as a true friend of the people, who did his best to make the peasants as happy in this world as he promised them they would be in the next, once described the Hohenlohe Plain as follows: "There are little hamlets everywhere, the whole countryside is dotted with them. Each individual farm has a charming cottage garden, behind which the whitewashed farmhouse rises. All the more elevated areas of this plain are green with seed in spring, and golden-yellow in summer. These somewhat higher patches alternate with lower-lying parts, all of which have small streams running through them with pure, chuckling spring water."

Such a pleasant picture is still reproduced in many places today, although the "hamlets" have by now grown into villages. Thus it is that a poet like Gottlieb Haag was able to

◄ Wintertag auf der Haller Ebene.

◄ Journée d'hiver sur le plateau de Hall.

◄ Winter near Schwäbisch Hall.

Der Reiz der Hohenloher Landschaft liegt im Wechsel der tiefen Flußtäler mit den Hochebenen dazwischen. Unten das Jagsttal und das Kochertal. Rechts die für das Land typische Bauernlandschaft.

Le charme du paysage de Hohenlohe réside dans l'alternance des profondes vallées fluviales avec les hauts plateaux. En bas la vallée de la Jagst et la vallée du Kocher. A droite, un paysage de culture typique pour la région.

The charm of the Hohenlohe landscape lies in the contrast between the deep valleys and the uplands between them. Bottom left: The Jagst and Kocher Valleys. Right: Typical farming land.

110

ten Flächen, die allesamt in ihrer Mitten von kleinen Bächen mit hell hinrieselndem Quellwasser gefüllt sind.«
Diese heitere Landschaftsschilderung gilt an vielen Plätzen bis heute, nur das Wort »Weiler« ist heute durch »Dörfer« zu ersetzen. Und so hat auch ein Dichter wie der schon zitierte Gottlob Haag voll inniger Freude beim Anblick seiner Heimat schreiben können: »Auf die Schultern eines Hügels steigen/ und sehen, wie die Sonne die Ebene umarmt,/ an einem Morgen in Hohenlohe!«
Zu solchem Jubel kann sich unter den wirtschaftlich denkenden Bauern allerdings nur der aufraffen, der dort auf lößbedecktem Lettenkeuper sitzt. Dort nämlich liegen die besten Kornböden. Diese geologischen Voraussetzungen sind aber nicht selbstverständlich. Schon der kundige Pfarrer Mayer beklagte, daß es hier entweder zu leichten oder zu schweren Boden gebe und erst die Mischung der beiden Bodensorten den Bauernstand gedeihen lasse. Weil er für die leichten Kupferzeller Böden den Gips von den nahen Waldenburger Bergen empfahl, wurde er bald der »Gips-Mayer« geheißen, doch das war eine viel zu enge Bezeichnung für diesen Mann, der sich über alles Gedanken machte, was seinen Bauern nützen konnte. Heute wäre er sicher Landwirtschaftsprofessor.
Von alters her sind hier die sozialen Unterschiede unter den Bauern beträchtlich. Fast traditionsgemäß wohnten die Knechte der großen Bauern in den Tälern, wo sich auch die kleineren Bauern mit den versumpften

Ce ravissant tableau se retrouve aujourd'hui en maints endroits quoique les hameaux soient devenus des villages. C'est pourquoi un poète comme Gottlob Haag a pu, animé d'une joie intérieure, écrire à la vue de sa patrie: «Grimper sur les flancs d'une montagne/ et voir le soleil embrasser la plaine/ un matin en Hohenlohe!»
Aujourd'hui, seuls les fermiers qui cultivent les terres blanches peuvent saluer le jour avec un tel enthousiasme, car c'est là que le blé pousse le mieux. Ces conditions géologiques n'existent toutefois pas partout. J. F. Mayer avait déjà fait remarquer que le sol dans la plaine était généralement ou trop léger ou trop lourd et que seul un mélange de ces deux propriétés autorisait une agriculture florissante. Il avait suggéré que pour le sol léger autour de sa paroisse de Kupferzell, il serait bon d'ajouter du gypse des montagnes de Waldenburg toutes proches, ce qui lui avait valu le surnom de «Mayer-Gypse», un qualificatif bien trop restreint pour cet homme qui s'intéressait à tout ce qui pouvait être utile à ses paysans. De nos jours, il serait certainement professeur d'agronomie.
Les conditions sociales ont toujours varié de façon considérable entre les paysans dans cette région. Il était presque de tradition pour les valets des grandes fermes de vivre dans les vallées où habitaient également les petits paysans aux prises avec un sol marécageux. Au milieu du dernier siècle, une femme d'une famille de tâcherons qui avait émigré en Amérique décrivait la vie prospère qu'elle y menait et la comparait avec celle dans son pays où il

write in quiet joy at the sight of his homeland: "O to climb the nearest hillside,/ And to see the sun embrace the plain/ on a morning in Hohenlohe!"
Today it is only those farmers who tend the "white ground" who are likely to greet the day with such enthusiasm, for it is there that the corn grows best. Such conditions do not prevail everywhere, however. T. F. Mayer already pointed out that the ground in the plain was usually either too light or too heavy, and that only a mixture of these two properties would enable the farmer to flourish. He suggested that for the light soil around his parish of Kupferzell it would be good to add some gypsum from the nearby Waldenburg hills, for which reason he was soon given the nickname "Gypsum Mayer" – a far too one-sided description of a man who took an interest in everything that could be of use to his farmers. Today he would certainly be a professor of agriculture.
Social conditions have always varied considerably among the farmers here. It was almost a tradition for the labourers of the large farmers to live in the valleys, where the smaller farmers also lived, struggling to get a living out of the swampy ground. In the middle of the last century a woman from a labourer's family who had emigrated to America described her prosperous life there and compared it with conditions at home where they had to toil all day "for sour milk and rough, hard bread, and meat once a month".
And yet there was plenty of meat in Hohenlohe even in those days, because, since the

Wiesen herumplagen mußten. Eine Auswanderin aus einem Taglöhnerhäuschen im Tal hat in der Mitte des letzten Jahrhunderts ihr Wohlergehen in Amerika geschildert und es verglichen mit dem Leben daheim, wo man sich den ganzen Tag »um Sauermilch und rohes hartes Brod und alle vier Wochen einmal Fleisch« plagen müsse.

Dabei gab es auch damals Fleisch genug in Hohenlohe. Seit dem 18. Jahrhundert wurden traditionell Mastochsen gezüchtet und nach Frankfurt, Mainz, Metz, Straßburg und Paris gebracht. Die Ochsen wurden nur fünf Stunden lang am Tag getrieben und waren wochenlang unterwegs, bis sie etwa in Paris ihren Metzger fanden. Weil sie aber auch unterwegs immer gut gefüttert wurden, wartete man in Paris tatsächlich auf dieses »Bœuf d'Hohenlohe« – kein Wunder, daß vor allem die Pfälzer da neidisch wurden und ebenfalls nach Hohenloher Muster die Mastochsenzucht begannen. Noch heute aber kennt jeder Rinderzüchter in Europa das fränkisch-hohenlohische Fleckvieh oder gar das schwäbisch-hällische Zuchtschwein. Und daheim gilt das Wort eines guten Hummeles-Züchters, also eines Bullenzüchters, noch immer viel im Wirtshaus. Immerhin hat es auch eine Zeit gegeben, in der mancher regierende Hohenloher Fürst bei diesen Hummeles-Züchtern schwer verschuldet war.

Das Vieh hatte früher den außerordentlichen Vorteil, daß es eine selbstbewegliche Ware war. Denn dort, wo heute die Autos von Stuttgart her durch den Mainhardter Wald

fallait peiner toute la journée «pour du lait caillé et du pain dur et de la viande une fois par mois».

Et pourtant il y avait de la viande en abondance en Hohenlohe à cette époque car, depuis le 18e siècle, il était de tradition d'engraisser des bœufs pour les vendre à Francfort, Mayence, Metz, Strasbourg et Paris. Les bêtes n'étaient menées que cinq heures par jour et étaient en route pendant des semaines avant d'atteindre Paris par exemple où le boucher les attendait. Mais comme elles étaient également bien nourries en route, on attendait vraiment à Paris ce «bœuf de Hohenlohe» – et il n'est pas étonnant que les paysans du Palatinat, jaloux de ce succès, se soient mis à copier les méthodes de production bovine de la Hohenlohe. Aujourd'hui encore chaque éleveur de bœufs en Europe connaît les bêtes tachetées de Franconie/Hohenlohe ou même le porc d'élevage de Schwäbisch-Hall. Et en Hohenlohe passer pour un bon éleveur de taureaux vaut encore son pesant d'or. N'y-a-t-il pas eu une époque en effet où certains princes régnants de Hohenlohe étaient fort endettés chez ces éleveurs?

Autrefois le bétail avait le gros avantage d'être une marchandise qui pouvait se déplacer elle-même. Car jusqu'au début du 19e siècle, la route qui traverse la forêt de Mainhardt, de Stuttgart à Schwäbisch Hall et sur laquelle filent aujourd'hui les voitures n'était qu'un «malheureux chemin de terre glaise et de boue». Les habitants de Hall n'avaient même pas de route pour se rendre dans la capitale et les conditions étaient encore pires dans le

18th century, it had been a tradition to breed prime fattened steers for sale in Frankfurt, Mainz, Metz, Strasbourg, and Paris. The steers were driven only five hours a day, and they were underway for weeks before they reached Paris, for instance, and the slaughterhouse. But because they were also fed well en route this "bœf d'Hohenlohe" was always well received in Paris – no wonder that the Palatinate farmers soon began to emulate Hohenlohe beef-producing methods. Every breeder in Europe still knows the Franconian/Hohenlohe brown and white cattle and also the Schwäbisch-Hall pig. And in Hohenlohe the word of a good bull breeder still bears a lot of weight. It has, after all, often happened that a ruling Hohenlohe prince was heavily in debt to the bull breeders.

One of the great advantages of livestock in former times was that it could travel on its own legs. For right up to the beginning of the 19th century, the road through the Mainhardt Forest from Stuttgart to Schwäbisch Hall, along which motor vehicles now rush, was a "miserable muddy path and quagmire". The people from Hall did not even have a decent road to take them to the capital, and conditions were worse in the rest of the region – "Württembergs' granary" could only be emptied in the summer or on fine winter days when the roads were dry and firm. The two motorways which cross and embrace the region now make it all-too easy to forget the extent to which people had to be self-sufficient in earlier times if they were not at least within half a day's march of one of the few

nach Schwäbisch Hall rollen, war noch zu Beginn des 19. Jahrhunderts ein »übler Lehmweg und Morast«. Nicht einmal zur Hauptstadt konnten die Haller auf einer Chaussee fahren, und im übrigen Hohenlohischen sah es noch schlimmer aus – die »Kornkammer Württembergs« war nur in trockenen Sommerwochen oder an schönen Wintertagen zu entleeren, wenn die Straßen auf natürliche Weise fest und trocken geworden waren. Die beiden Autobahnen, die das Land heute durchqueren und umarmen, lassen nicht einmal mehr ahnen, wie sehr die Menschen hier ganz auf sich gestellt waren, wenn sie auch nur einen halben Tagesmarsch entfernt von den wenigen Durchzugsstraßen wohnten – auf denen allerdings auch die Heere marschierten über alle die Jahrtausende hinweg bis zum Jahre 1945.

Handel, Wohlstand und Unheil zugleich brachte zum Beispiel der Weg (denn eine Straße im heutigen Sinn war es ja nicht), auf dem die deutschen Kaiser und Könige von Wimpfen über Öhringen nach Nürnberg ritten. Kein Bauer heiratete gern in einen Hof an dieser Straße, denn dort wurde ständig Vorspann verlangt, und dort holten die vorbeiziehenden Soldaten nicht nur in Kriegszeiten das letzte Huhn und das letzte Korn und Futter aus der Scheuer.

Aus dem Jahre 1847 blieb die Schilderung von den Reiseschwierigkeiten eines jungen Richters erhalten, der damals von Stuttgart nach Langenburg versetzt wurde. Zunächst wußte niemand in der Kanzlei, wo dieses Langenburg überhaupt lag. Dann stellte sich heraus,

reste de la Hohenlohe – le grenier du Wurtemberg ne pouvait être vidé qu'en été ou certains beaux jours d'hiver lorsque les routes étaient sèches et dures. Les deux autoroutes qui traversent et embrassent la région aujourd'hui font oublier la situation dans laquelle se trouvaient autrefois les gens obligés de compter uniquement sur eux-mêmes alors même qu'ils n'étaient qu'à une demi-journée de marche de l'une des rares grandes routes – que prirent bien entendu également les armées pendant des siècles jusqu'en 1945.

Le chemin (car ce n'était pas une route dans l'acception moderne du terme), qui reliait par exemple Wimpfen à Nuremberg via Öhringen et qu'empruntèrent les empereurs et rois allemands, amena le commerce et la prospérité mais trop souvent aussi le malheur dans les régions qu'il traversait. Aucun paysan ne se mariait volontiers dans une des fermes sur cette route car les chevaux étaient toujours réquisitionnés et les soldats de passage allaient jusqu'à prendre la dernière poule et les dernières réserves de blé et de fromage dans la grange et ceci pas seulement en temps de guerre.

Une description des problèmes rencontrés par un jeune juge lorsqu'il fut muté en 1847 de Stuttgart à Langenburg est fort édifiante. Pour commencer, personne dans son cabinet ne savait où se trouvait Langenburg. Puis on se rendit compte qu'il était plus facile d'aller de Stuttgart à Vienne qu'à Langenburg. Une fois en route le jeune fonctionnaire découvrit, une fois passée l'ancienne frontière wurtembergeoise, que les gens étaient plus aimables, les

Auf den Hohenloher Ebenen haben auch Bauern reich werden können. Einige konnten sogar ihren Fürsten Darlehen geben. Kein Wunder, daß diese Bauerngeschlechter auch ihre eigenen Hauswappen hatten.

Sur les plateaux de Hohenlohe les paysans ont également pu s'enrichir. Certains ont même pu prêter de l'argent à leurs princes. Il n'est donc pas étonnant que cette sorte de paysans ait eu aussi ses armoiries.

In Hohenlohe only upland farmers could become prosperous. Some were even rich enough to lend money to their princes. No wonder that such farming families could afford to have their own coats of arms.

femmes «plutôt jolies» et le vin blanc «étonnamment agréable». Seules les routes étaient misérables et lorsqu'elles descendaient dans les vallées «pratiquement suicidaires».

C'est bien après minuit que la diligence arriva à Bächlingen où il lui fallait prendre un attelage supplémentaire pour pouvoir monter jusqu'à Langenburg. Mais ô miracle, les paysans qui devaient atteler ici leurs chevaux n'étaient pas fâchés du tout d'avoir dû attendre la diligence. Ils avaient tué le temps à l'auberge en jouant aux cartes. Lorsque notre voyageur arriva à Langenburg après une montée qui avait été «encore plus meurtrière et plus raide que tout ce qu'il avait connu auparavant», l'aube pointait déjà et les derniers notables venaient de quitter l'auberge à l'enseigne de la «Post» et étaient rentrés chez eux, ce qui lui fit bien augurer de son avenir en ce lieu.

La construction moderne de routes, et en particulier les excavations faites pour la construction de l'autoroute près de Kupferzell-Bauersbach, a mis au jour des richesses naturelles de la Hohenlohe impossibles à évaluer en argent: le monde subtropical d'un delta fluvial dans la mer qui existait à cet endroit au trias. De gigantesques amphibies ressemblant à des grenouilles, de cinq mètres de long, y pourchassaient des dipneustes de trois mètres de long et étaient eux mêmes dévorés par des dinosaures de cinq mètres de haut.

Il n'y a plus rien à collectionner ici mais les amateurs de fossiles se concentrent maintenant sur la région de Crailsheim et de Hall où ils cherchent des crinoïdes dans le calcaire coquillier supérieur ou des fossiles de la pé-

long-distance routes – which however, had the disadvantage that they were also used by armies throughout the centuries right up to 1945.

The route ("road" would too flattering a description) from Wimpfen via Öhringen to Nuremberg, for example, along which the German emperors and kings rode, brought trade and prosperity, but all too often, also disaster to the regions it passed through. No one was keen on marrying into one of the farms along this route, for horses were always being requisitioned, and the passing soldiers lived off the land – and not only in wartime –, taking the last hen and the last reserves of grain and forage from the barn.

A description of the problems encountered by a young judge when he was transferred in 1847 from Stuttgart to Langenburg makes interesting reading. To start with, no one at his office knew where Langenburg was. Then it became clear that it was easier to travel from Stuttgart to Vienna than to Langenburg. Once on his way, the young official discovered, as soon as he had crossed the former border between Württemberg and the newly annexed Hohenlohe region, that the people were friendlier, the women "passing pretty", and the white wine "surprisingly pleasant". Only the roads were miserable, and, when they led down into valleys were "almost suicidal". It was long after midnight by the time the coach arrived in Bächlingen, where additional horses were needed for the pull up to Langenburg. But amazingly enough, the farmers who were providing the horses were not at all put

daß man von Stuttgart aus bequemer nach
Wien als nach Langenburg reisen konnte.
Unterwegs erlebte der junge Beamte gleich
hinter der ehemaligen württembergischen
Grenze, daß die Leute auf einmal freundlicher
wurden, die Frauenzimmer »leidlich hübsch«
waren und der weiße Wein »überraschend
lieblich«. Nur die Straßen waren miserabel
und wurden, wenn es die Steigen in die Täler
hinunter ging, zum »fast verwegenen Selbst-
mord«.
Lange nach Mitternacht kam die Postkutsche
in Bächlingen an, wo sie Vorspann brauchte
nach Langenburg hinauf. Doch o Wunder:
Die Bauern, die hier ihre Pferde vorspannen
mußten, waren gar nicht bös, weil sie hatten
warten müssen auf die Kutsche. Sie waren so
lange im Wirtshaus gesessen und hatten
Karten gespielt. Als der Reisende nach der
Langenburger Steige, die »noch mörderischer
und noch steiler war als alles bisher Erlebte«,
in Langenburg ankam, da dämmerte schon
der Morgen und waren in der »Post« zu
Langenburg soeben die letzten Honoratioren
nach Hause gegangen. Dies wiederum ließ
ihn frohgemut in eine weinselige Zukunft
blicken.
Der moderne Straßenbau, nämlich die Bau-
grube der Autobahn bei Kupferzell-Bauersbach, hat in unserer Zeit einen in Geld nicht
meßbaren Bodenschatz Hohenlohes zu Tage
gefördert: die subtropische Welt eines Fluß-
deltas im Muschelkalkmeer vor 200 Millionen
Jahren. Gewaltige froschartige Amphibien
von fünf Meter Länge jagten dort drei Meter
lange Lungenfische und wurden ihrerseits

◄ Die höchste Brücke der Bundesrepublik ist die Kochertal-
brücke, über die der Autobahnverkehr 185 Meter über dem
Flüßchen rollt. Das Ulmer Münster mit seinen 161 Metern
Höhe hätte bequem Platz unter dieser höchsten Spann-
betonbrücke Europas.
► Ein aufgelassener Weg im Bauernwald.

◄ Le plus haut pont de la République fédérale d'Allemagne
est le pont de la vallée du Kocher sur lequel le trafic auto-
routier passe à 185 mètres au-dessus de la rivière. La cathé-
drale d'Ulm, avec ses 161 mètres de haut, aurait largement
de la place au-dessous de ce pont, le plus grand en béton
précontraint d'Europe.
► Un chemin tracé dans la forêt.

◄ The Kocher Valley Bridge, that carries a motorway
606 ft above the river, is the highest in West Germany. Ulm
Minster, with its 530 ft spire, would fit comfortably underneath Europe's highest pre-stressed concrete bridge.
► An abandoned path through the woods.

gefressen von aufrecht rennenden Dino-
sauriern, die fünf Meter hoch waren.
Aufzusammeln ist dort heute nichts mehr, die
Fossiliensammler Hohenlohes stöbern dafür
in der Crailsheimer und Haller Gegend nach
den Seelilien im Oberen Muschelkalk oder
nach den Knochenlagern aus der Übergangs-
zeit zwischen Trias und Jura bei Rothenburg
und Crailsheim. Saurierknöchelchen, Ur-
fischschuppen und Haizähne sind schließlich
ebenfalls Souvenirs an Hohenlohe.

riode transitoire entre le trias et le jurassique
près de Rothenburg et de Crailsheim. Des os
de dinosaures, des écailles de poissons préhis-
toriques et des dents de requins sont en fin de
compte aussi des souvenirs de Hohenlohe.

out that they had had to wait for the coach.
They had simply gone to the inn and played
cards. When our traveller arrived in Langenburg after the long haul up the hill which was
"even more murderous and steeper than anything experienced before", dawn was already
breaking, and yet, as he discovered, the last
gentlemen had only just left the "Post" inn for
home, a fact which he felt augured well for his
future in the place.
Modern road-building, more specifically the
excavations made for the building of the
motorway near Kupferzell–Bauersbach, has
revealed mineral deposits in Hohenlohe
whose value cannot be measured in money:
the sub-tropical world of a river delta in the
sea that existed here in Triassic times. In it,
huge, 15-foot-long frog-like amphibians
hunted 10-foot lung-fish and were themselves
devoured by 16-foot-high dinosaurs.
There is nothing left there to collect any more,
so Hohenlohe fossil-hunters now concentrate
on the Crailsheim and Hall area, looking for
sea-lilies in the upper Triassic limestone, or
for fossilized bones from the transition period
from the Triassic to the Jurassic in the areas
near Crailsheim and Rothenburg, where they
find dinosaur bones, prehistoric fish-scales,
and sharks' teeth.

Wo sich die Hohenloher Flüsse durch Felsgestein nagen müssen und oft in Baumschluchten verschwinden, haben sie den oberen Muschelkalk zu überwinden, der, wie hier in Hessental, seit jeher auch als Baumaterial verwendet worden ist.

Là où les rivières de Hohenlohe doivent se frayer un passage dans la roche et disparaissent souvent dans des gorges, il leur faut ronger le calcaire coquillier supérieur qui, de tous temps, comme ici dans le Hessental, a été utilisé comme matériau de construction.

The Hohenlohe rivers have to cut their way through layers of Triassic limestone – as here in the Hessen Valley. This stone has been used as building material since ancient times.

# Die deutsche Gralsburg

Hohenlohe hat viel ältere Gotteshäuser als die Comburg, doch keines ist erhabener. Schon die ganz nahe Kirche der Stöckenburg bei Vellberg ist viel älter, weil sie als eine Martinskirche in den Wällen eines fränkischen Königshofes aus dem 8. Jahrhundert entstanden ist. Damals war der Umlaufberg des Kochers bei Hall noch kahl. Die Grafen von Comburg begannen erst zu Beginn des 11. Jahrhunderts, dort einen wehrhaften Herrensitz zu errichten. Schon einer der allerersten Burgbesitzer muß dann aber damit begonnen haben, aus der Burg nach und nach ein Kloster zu machen, und von da an war der Umbau das Schicksal der Comburg.

Ein nach dem Skelettfund völlig verwachsener Graf Burkhard von Comburg (der sichtlich von seinen Gebrechen daran gehindert wurde, bei den Händeln seiner Zeit mitzuraufen) soll der erste fromme Mann gewesen sein, der an dieser Burg zu werken begann und den Mauern und Türmen die ersten Klosterzellen hinzufügte. Nach den Comburgern formten die Staufer und nach denen die Würzburger Bischöfe an der Klosterburg, und so kamen zu den streng romanischen Anlagen mit dem heute noch

◄ Burg und Kloster, Kirche und Chorherrenstift, Adels- und Mönchssitz, all dies ist die Comburg, an der seit dem 11. Jahrhundert ständig weitergebaut worden ist.

# Le château allemand du Graal

La Hohenlohe a de nombreuses églises plus anciennes que celle de Comburg mais aucune n'est aussi sublime. L'église St.-Martin à Stöckenburg près de Vellberg, par exemple, est beaucoup plus ancienne puisqu'elle a été édifiée dans les remparts d'un château royal franconien du 8e siècle. A l'époque, la montagne sur laquelle s'élève Comburg et que contourne le Kocher était dépourvue de constructions. Ce n'est qu'au 11e siècle que les comtes de Comburg commencèrent à y construire une résidence fortifiée. Mais l'un des tout premiers comtes qui y aient vécu – Burkhard von Comburg – a dû commencer à transformer le château en abbaye et à partir de ce moment-là les transformations ont été le destin de Comburg. (Le squelette de Burkhard révèle qu'il était tout à fait difforme et par conséquent incapable de mener une vie de guerrier.) Après les Comburg, les Hohenstaufen et ensuite les évêques de Wurtzbourg ont rajouté et transformé des parties de l'abbaye fortifiée de sorte qu'en plus de l'austère complexe roman avec ses deux tours toujours imposantes et sa chapelle hexagonale mystérieuse, on y trouve différentes constructions de la Renaissance et du baroque. Maisons,

◄ Château et couvent, église et collégiale, résidence de seigneurs et de moines, la Comburg où l'on construit en permanence depuis le 11e siècle est tout cela à la fois.

# The German Castle of the Grail

Hohenlohe has many older churches than the one at Comburg, just outside Schwäbisch Hall, but none more noble. St. Martin's church at nearby Stöckenburg/Vellberg, for example, is much older, as it incorporates some of the walls of a Franconian royal castle of the 8th century. At that time, the hill on which Comburg stands, round the foot of which the Kocher flows, was still innocent of buildings. The Counts of Comburg only began to build a fortified residence there at the beginning of the 11th century. But one of the very first of the counts to live there – Burkhard von Comberg – must have started to convert the castle into a monastery, adding monastic cells to the building, and, from that point onwards, reconstruction was the story of Comburg. (Burkhard's skeleton reveals that he was extremely deformed and therefore was certainly unable to lead a warrior's life.) After the Comburgs, the Hohenstaufens, and after them, the Würzburg bishops, added to and converted parts of the fortified monastery, so that, in addition to the austere Romanesque complex with its still imposing twin-towered gateway and its arcane hexagonal chapel, there are Renaissance and Ba-

◄ Comburg – castle, monastery, church, collegiate church, home of nobility and of monks – has been in the process of construction and reconstruction since the 11th century.

imposanten zweitürmigen Torbau und dem geheimnisvollen Sechseckbau nacheinander Renaissance- und Barockbauten der verschiedensten Art dazu. Wohnhäuser, Kirchen, neue Tortürme und eine Ringmauer wuchsen auf dem Berg empor.

Das alles und noch viel mehr Einmaliges wie der romanische Radleuchter mit seinen 412 Figuren oder der goldene Altarvorsatz mit Christus in der Mandorla ist vieltausendfach beschrieben worden. Doch der Besucher mag noch so viel davon gelesen haben, ehe er hierherkommt – er wird dennoch sprachlos überwältigt sein, wenn sich diese deutsche Gralsburg plötzlich über ihm gegen den Himmel abhebt. Die Comburg kann man beschreiben, gewiß, doch hier versagt die Phantasie vor der Wirklichkeit, die alle Vergleiche aushält mit den bedeutendsten Bauten unseres europäischen Kulturkreises. An der Comburg haben Meister aus neun Jahrhunderten gebaut. Der überwältigte Betrachter irrt fast ratlos durch die riesige Anlage und sucht nach dem Geist, aus dem das alles entstanden ist. Der aber weht unverfälscht von späteren Zutaten über dem Tal drüben in der von außen so unscheinbaren Kleinen Comburg, einer Probstei aus dem Jahre 1108. Deren Kirchenbasilika ist danach niemals verändert worden. Ohne Gestühl, wie an ihrem ersten Tag, wuchtigleer mit acht archaisch dicken quadratischen Säulen ruht diese Halle in sich selbst. Die Reste der Bemalung zeigen, wie großartigeinfach die Christen dieser Zeit gedacht haben, und wer mit der Stimme das gewaltig

églises, de nouvelles tours d'enceinte et des remparts ont proliféré sur la montagne.

Tout cela et bien d'autres éléments uniques comme le lustre roman avec ses 412 figures ou le devant d'autel doré avec le Christ dans la mandorle ont été décrits des milliers de fois. Mais le visiteur aura beau lire tout ce qu'il peut à ce sujet avant de venir en ces lieux, il sera saisi d'admiration lorsqu'il verra soudain s'élever devant lui dans le ciel ce château allemand du Graal. On peut certes décrire le Comburg mais la réalité dépasse l'imagination, une réalité qui supporte la comparaison avec les constructions les plus importantes d'Europe. Neuf siècles durant des grands bâtisseurs ont travaillé à l'édification de Comburg. Le visiteur subjugué par ses dimensions erre, presque désorienté, au milieu de cet immense complexe en quête de l'esprit qui l'anime. Celui-ci est plus facilement reconnaissable à la Klein-Comburg sur le versant opposé où se trouve un petit prieuré, d'un aspect modeste et tout à fait intact, datant de 1108 et dont la basilique n'a subi aucune transformation.

Dépourvue de stalles, d'une vacuité aussi imposante qu'au premier jour avec ses huit piliers carrés d'une épaisseur archaïque, cette halle se suffit à elle-même. Les vestiges des peintures murales illustrent la magnifique simplicité de la foi chrétienne à cette époque et quiconque essaye l'extraordinaire écho que donne ici la voix humaine peut imaginer quelle résonance ont eue autrefois les sermons et les chants. C'est un bon point de départ pour celui qui veut comprendre le moyen-âge.

roque buildings of many different kinds. Houses, churches, new gate towers, and ramparts profilerated.

All this and many other unique features such as the Romanesque corona lucis with its 412 figures, or the golden antependium with Christ in the mandorla have all been described a thousand times. But the visitor can have read as much as he likes about it before he comes and he will still be rendered speechless when he sees this magnificent German castle of the grail rising above him to the skies. Comburg can be described, of course, but here imagination succumbs before a reality which can stand comparison with any of Europe's most important buildings. Master builders worked on Comburg through the course of nine centuries. The visitor, overwhelmed by the sheer size of it, wanders almost bewildered through the huge complex, searching for the spirit behind it all.

This is more easily identified at Klein-Comburg on the opposite slope, where a still completely unadulterated, unassuming little priory, founded in 1108, stands. Its basilica has been unchanged since then. Without pews, imposingly empty as on its first day, with its eight archaically massive square pillars, this room is sufficient to itself. The remnants of the original wall-paintings illustrate the magnificent simplicity of the Christian belief in those days, and anyone who tries out the tremendous echo set up here by the human voice can imagine how sermon and song once sounded. It is a good starting point for anyone wanting to understand the Middle Ages:

Auf der Comburg.

Sur la Comburg.

Comburg.

nachhallende Echo erprobt, der kann sich
vorstellen, wie Predigt und Gesang hier
einmal gewirkt haben. Wer das Mittelalter
verstehen will, sollte hier mit dem Nachdenken und Nachhören beginnen.
Es sei denn (Hohenlohe ist ja so unerschöpf-
lich), er habe damit schon im »Dom des
Taubergrunds« begonnen, in der nahezu
unbekannten romanischen Kirche zu Wölchingen im Umpfertal bei Boxberg. Die ist nur
wenig jünger als die Kleine Comburg und von
ebenso überwältigender Klarheit und
Schlichtheit. Diese kreuzförmige Pfeilerbasi-
lika ist heute noch ein Gotteshaus, und wenn
der Begriff »Glaubensburg« in friedlichen
Zeiten überhaupt einen Sinn hat, dann gilt
das hier.
Auch Hall gehörte einmal den Comburgern.
Mindestens zur Hälfte. Ihre Erben waren die
Staufer, von denen wohl die meisten einmal
in diesen Mauern gewesen sind. Jedenfalls
nannten sie die Stadt »civitas nostra« –
unsere Stadt. Als sich die Haller aber
selbständig gemacht hatten als Freie Reichsstadt, da gaben sie sich selbst einen
bedeutenden Schmucknamen: »halle regia« –
»königliches Hall«. Der Gipfel des hällisch-

Am Kocherufer von Hall, der noch heute stolzen ehemaligen Reichsstadt.
▶ St. Michael, dahinter der Giebel des Zeughauses.

Sur les rives du Kocher à Hall, une ancienne ville impériale
qui a gardé toute sa fierté.
▶ St.-Michel avec le fronton élevé de l'arsenal à droite.

The Kocher embankment in Schwäbisch Hall, the still
proud one-time imperial city.
▶ St. Michael's, with the great gable of the arsenal.

protestantischen Stolzes ist jedoch die Feststellung, das heutige Schwäbisch Hall komme als einzige Stadt der Welt in der Bibel vor. Das allerdings ist wahr und falsch zugleich. Zwar steht tatsächlich in Matthäus 5/26 das Wort vom letzten »Heller«, aber daran ist schließlich nicht der Evangelist Matthäus schuld, sondern Martin Luther, der eben das griechische »kothrantes« so übersetzt hat – in französischen Bibeln steht statt dessen »le dernier quadrant«, und alle anderen Bibelübersetzer haben ähnliche landesübliche alte Münznamen benützt. In Deutschland war der in Hall geprägte »Häller« eine wertbeständige Münze, die auch kleinen Leuten zugänglich war. Und weil die Häller auf der Vorderseite ein Kreuz und auf der Rückseite eine rechte Hand zeigten, wurde diesen »Händleinspfennigen« auch noch wundertätige Gaben zugesprochen; die Hand wurde als Hand Gottes gedeutet, und das Kreuz war ohnedies das wichtigste Heilssymbol – kein Wunder, daß der Häller viele Jahrhunderte lang eine beliebte Münze war. Die reiche Salzstadt Hall ist allein durch diese Münzprägung schon immer bekannt gewesen im Deutschen Reich. Die Freie Reichsstadt hatte auch ein beachtliches Territorium von über hundert Dörfern. Das Salz und diese Untertanen machten sie so reich, daß sie sich ein glänzendes Stadtbild leisten konnte. Eduard Mörike hat im Jahre 1844 nur ganz kurz in Hall gelebt und war eher verwirrt von der Vielfalt dieser Stadt. Jedenfalls schrieb er: »Es ist fürwahr ein höchst merkwürdiger Ort und kann einer

A moins que (la Hohenlohe est inépuisable) il ait déjà commencé dans l'église romane presque inconnue à Wölchingen dans la vallée de l'Umpfer près de Boxberg. Elle a quelques années de moins que Klein-Comburg et est d'une clarté et d'une simplicité aussi imposantes. Cette basilique à piliers en forme de croix où l'on célèbre aujourd'hui encore l'office divin ressemble à une forteresse de la foi. La moitié au moins de Schwäbisch Hall a également appartenu aux Comburg. Leurs successeurs furent les Hohenstaufen dont la plupart ont été au moins une fois dans ces murs. Quoiqu'il en soit, ils ont appelé la ville «civitas nostra» – notre ville. Mais lorsque Hall est devenue une ville libre impériale, ses citoyens lui donnèrent un nom plus imposant l'appelant «halle regia» – «hall royal». Toutefois pour les protestants de Hall le comble de la fierté c'est de constater que Schwäbisch Hall est la seule ville moderne au monde à être mentionnée dans la Bible. Une affirmation vraie et fausse à la fois qui se base sur un passage de l'Evangile selon Saint Matthieu (V, 26) où dans la version française l'évangéliste parle du «dernier quadrant», ce qui dans la version de Luther est le dernier «Heller». Un «Häller» était une pièce de monnaie frappée à Hall et bien connue en Allemagne comme une monnaie stable accessible également aux petites gens. Et parce que le Häller avait une croix sur l'avers et une main droite sur le revers, on lui attribuait des pouvoirs miraculeux. La main était considérée comme la main de Dieu et la croix était de toute façon le symbole de salut le plus important – il n'est

unless, of course – Hohenlohe is so rich in treasures – he has already begun in the almost totally unknown Romanesque church at Wölchingen in the Umpfer Valley near Boxberg. It is only a few years younger than Klein-Comburg, and radiates the same overwhelming qualities of clarity and simplicity. Still used for services, this cruciform-shaped basilica, with its nave walls supported by pillars, is like a fortress of faith.
At least half of Schwäbisch Hall, too, once belonged to the Comburgs. They were followed by the Hohenstaufens, most of whom were at least once within these walls. At any rate they called the town "civitas nostra" – our town. But when Hall became independent as a free city answerable only to the emperor, its citizens gave it an imposing addition to its name, calling it "halle regia" – "Royal Hall". The acme of Protestant pride in Hall is reached, however, with the claim that Schwäbisch Hall is the only modern town in the world mentioned in the bible. This is based on a passage in Matthew (5, 26) where, in the English bible, the Evangelist speaks of the "uttermost farthing", which in Luther's version is rendered as the last "Heller". A "Häller" was a coin minted in Hall, and wellknown in Germany as a small coin of stable value easily available to poorer people, which was why Luther chose it. And because the Häller had a cross on one side and a hand on the other it was also reckoned to have miraculous powers. The hand was interpreted as the hand of God and the cross was in any case the most important symbol of salvation –

Die alte Salzsole-Stadt Hall ist voller schön geschmückter Brunnen; überall wird der Reichtum der alten Salzsieder bis heute sichtbar. Hier eine Tafel am Fischbrunnen.

Hall, l'ancienne ville du sel, abonde en ravissantes fontaines; aujourd'hui encore la richesse des sauniers est visible partout. Ici, un panneau de la fontaine aux poissons.

The old town of Schwäbisch Hall, with its salt springs, is full of beautifully ornamented wells and fountains; the wealth of the old salt makers is still visible everywhere today. This coat of arms decorates a fountain.

Die gotische Michaelskirche beherrscht den Marktplatz von Schwäbisch Hall. Hier bauten auch die Notabeln der Stadt ihre Häuser. Dieser Stadtadel war reicher und mächtiger als die vielen kleinen Landadligen ringsum und zum Glück auch kunstbeflissener.

L'église St.-Michel de style gothique domine la place du Marché de Schwäbisch Hall. C'est ici que les notables construisirent également leurs maisons. Cette noblesse des villes était plus riche et plus puissante que les nombreux petits seigneurs terriens des alentours et, fort heureusement aussi, plus versée dans les arts.

The Gothic Church of St. Michael dominates the market place in Schwäbisch Hall. Here the town's notables built their houses. These burghers were richer and more powerful than the many minor nobles in the surrounding countryside, and were fortunately more interested in the arts.

Der Erzengel Michael in der Vorhalle der Kirche (um 1290).

L'archange St. Michel dans le porche de l'église (vers 1290).

Historische Freilichtspiele mit echter Kulisse regen die Phantasie gar mächtig an – kein Wunder, daß die hochsommerlichen Haller Freilichtspiele auf der gewaltigen Kirchentreppe ein begehrenswertes Urlaubserlebnis sind.

Des spectacles historiques en plein air dans un décor authentique ont de quoi stimuler l'imagination et il n'est donc pas étonnant que le festival d'été de Hall, dont les représentations se déroulent sur l'escalier monumental de l'église, soit un grand moment très apprécié des vacanciers.

Historical open-air peformances against a real background can be most impressive – no wonder that the summer Festival in Schwäbisch Hall, with performances on the magnificent flight of stairs leading up to the church, is a great tourist attraction.

wohl hundert Meilen reisen, ehe er der-gleichen antrifft.« Mörike allerdings kannte nur Württemberg.

Sieben Jahrhunderte haben am Marktplatz von Hall gebaut, und die Einmaligkeit dieses Platzes hat der Lehrer und »Urhohenloher« Rudolf Schlauch auch für unsere Zeit gültig so geschildert: »Der Haller Marktplatz ist der unter Gottes Himmel verlegte Festsaal und zugleich die Arbeitshalle der Stadt.« Hier läuft die Stadt wirklich zusammen wie ein glänzendes Gewässer: Von der aufragenden Kirche St. Michael senkt sich herrscherlich die Himmelsleiter der mächtigen Freitreppe herab, und aus all den vielverwinkelten Treppengäßchen ringsum strömt das pralle Leben zwischen Fachwerkhäusern auf diesen Platz. So war es wohl folgerichtig, daß auch die sommerlichen Freilichtspiele auf den 54 Stufen der Kirchentreppe sich ausweiteten vom feierlich deklamierten »Jedermann« Hofmannsthals bis zum Hurenhaus von Brechts »Dreigroschenoper«. Dieser Haller Markt ist ein Platz, an dem morgens Markttag ist, mittags Hochzeit und abends Theater, ein Lebens-Mittelpunkt, an dem verwaltet und geheilt, gewohnt, gefeiert, gespeist und übernachtet wird. In ihm fügen sich von den romanischen Grundmauern der Kirche bis zu den Neu- und Nachbauten nach dem letzten Kriege alle die vielen Jahrhunderte der Stadt-geschichte zusammen, während derer die Haller hier gelebt und geliebt haben und gestorben sind. An wenigen Plätzen Europas wird der Strom des Lebens so großartig in Stein gefaßt und gebannt.

donc pas étonnant que le Häller soit resté pendant des siècles une monnaie populaire. La ville qui devait sa prospérité au sel était connue dans toute l'Allemagne grâce à cette pièce de monnaie. La ville impériale avait éga-lement un territoire important de plus d'une centaine de villages. Le sel et ces sujets la ren-dirent si riche qu'elle put se permettre de don-ner d'elle une image brillante. Edouard Mörike qui n'a vécu que peu de temps à Hall en 1844 avait été plutôt troublé par la richesse de cette ville dont il écrivit: «C'est vraiment un endroit des plus singuliers et l'on peut voyager pendant des centaines de milles avant de rencontrer son pareil.» Il faut dire cepen-dant que Mörike ne connaissait que le Wur-temberg.

Sept siècles ont ciselé la place du Marché de Hall dont le caractère unique a été décrit par un natif de Hohenlohe, le maître d'école Rudolf Schlauch: «La place du marché de Hall est la salle de banquet de Dieu sur la terre et en même temps le lieu de travail de la ville.» C'est véritablement le centre de la cité. Sur cette place entourée de maisons à colombage et où s'élève l'église St. Michel à l'escalier monumental, il y a un va-et-vient perpétuel. Aussi est-il logique que le festival d'été se soit étendu du «Jedermann» d'Hofmannsthal déclamé solennellement du haut des 54 marches de l'escalier au bordel de «L'Opéra de quat'sous» de Brecht. Cette place est un lieu où il y a marché le matin, où l'on célèbre les mariages à midi, où l'on joue du théâtre le soir, c'est le centre de la vie, on y administre, guérit, habite, festoie, mange et

no wonder the Häller remained a popular coin for many centuries. The town, whose wealth was based on salt, was known throughout the German territories by virtue of this coin. The imperial city also controlled a large portion of the surrounding coutryside, with over a hundred villages. This property, together with the salt, made it so rich that it could afford to present an impressive front to the world. Eduard Mörike, who lived there for only a very short time in 1844, was evidently somewhat confused by its riches – he wrote of it: "It is truly an extremely notable place, and you can travel for a hundred miles without meeting its like". It must be noted, however, that Mörike only knew Württemberg.

Seven centuries have contributed to the pre-sent shape of the Market Square in Hall, whose unique character has been described by that genuine Hohenlohe character, the schoolmaster Rudolf Schlauch: "The Market Square at Hall is God's banqueting hall on earth and at the same time a workplace for the population."

It is the focal point of the town. A great flight of stairs cascades down from the dominating St. Michael's Church; and in all the crooked little lanes, some stepped, that lead into the square, between the half-timbered houses, there is a constant coming and going. Thus it is only logical that the summer festival, during which Hofmannsthal's "Everyman" used to be solemnly declaimed from the 54 steps leading up to the church, has been extended to embrace even the brothel in Brecht's "Threepenny Opera". Here you can experi-

»Euer Theater ist wirklich gut!« habe ich als Kritzelei auf einer im Kirchenvorbau abgestellten Kulisse gelesen, und das war eine Huldigung an einen »Wallenstein« und wohl auch an die ganze Stadt, die sich im Sommer bereitwillig selber zelebriert. Ob wohl der Spruch am Tuchmacherhaus bei den Besuchern verfängt, die sich hier meist staunend-überrascht in die Vergangenheit zurückversetzt fühlen? »Wir weben das Kleid – uns webt die Zeit!« steht dort.

Wie schön, daß hier ein Johannes Brenz als Reformator predigte und bei allem Glaubenseifer doch den großen Bildersturm verhinderte, der damals anderswo die Kirchen ausräumte. Auch das war fränkisch gehandelt – hier wird das Nötige getan, aber nicht mit schwäbischer Absolutheit. Dabei wissen die Haller heute im Grunde selber nicht mehr, was sie nun sind: Schwaben oder Franken? Im Mittelalter legte ihre Stadt viel Wert darauf, »Schwäbisch« zu heißen, doch als die Württemberger kamen, die schönen Wappen der Freien Reichsstadt abmeißelten und auf der Comburg droben die Juwelen aus dem goldenen Altarvorsatz herausbrachen, da nahmen sie der von Stuttgart aus gesehen fränkischen Stadt auch noch den ehrenvollen Namen »Schwäbisch« und nannten sie »Hall am Kocher«. Erst in diesem Jahrhundert benannte sich Hall wieder um zu »Schwäbisch Hall«. Sie erklärten sich also freiwillig zu Schwaben, und das erbittert manche fränkisch Denkende bis heute.

Wie den Hallern jedoch wirklich zumute ist, beschrieb schon vor 140 Jahren der Pfarrer

dort. En elle se fondent, des soubassements romans de l'église jusqu'aux nouvelles constructions édifiées depuis la dernière guerre, tous les siècles de la vie de la cité pendant lesquels ses habitants ont vécu, aimé et sont morts. Rares sont les places en Europe où le courant de la vie a ainsi été comprimé dans la pierre.

«Votre théâtre est vraiment bon!» ai-je pu lire une fois, griffonné sur un décor de théâtre remisé dans l'un des bâtiments latéraux de l'église. C'était un hommage rendu au «Wallenstein» de Schiller mais aussi certainement à la ville entière qui en été se consacre toute au festival. On peut se demander quel effet a sur les visiteurs qui se sentent non sans étonnement transportés dans le passé cette sentence inscrite sur l'un des vieux immeubles, le «Tuchmacherhaus» (la Maison des Drapiers): «nous tissons les habits – le temps nous tisse!»

Il est bon de savoir que Johannes Brenz a prêché ici pendant la Réformation et qu'en dépit de tout son zèle réformateur il a empêché la violence iconoclaste qui a ravagé à l'époque les églises dans tant d'autres lieux. Là également c'était d'esprit franconien – il était nécessaire de faire quelque chose mais pas avec l'absoluité souabe. Et aujourd'hui, les habitants de Schwäbisch Hall ne savent plus au fond ce qu'ils sont vraiment: souabes ou franconiens. Au moyen-âge, la ville attachait une grande importance à se faire appeler «Schwäbisch» mais lorsque les Wurtembergeois vinrent, qu'ils ôtèrent les belles armoiries de la ville impériale et arrachèrent les

ence market day in the morning, a wedding at midday, and the theatre in the evening. It is a microcosm of life, a centre of administration, healing, living, celebrating, eating, and sleeping. Here, from the Romanesque walls of the church to the new buildings put up since the last war, all the town's many centuries of life, during which the inhabitants have lived, made love, and died, harmonize to form an artistic entity. There are few places in Europe where the stream of life is so convincingly epitomized as in Schwäbisch Hall.

"Your theatre is really great", I once read scribbled on a piece of scenery stored in one of the church's side-buildings. It was a compliment about a performance of Schiller's "Wallenstein", but surely was also meant for the whole town, which in summer commits itself whole-heartedly to the festival. One wonders how many visitors who come here, and allow themselves to be carried back to a past age, take to heart the saying inscribed on one of the old buildings, the "Tuchmacherhaus" (Weaver House): "We weave the clothes – time weaves us!"

It is good to know that Johannes Brenz preached here during the Reformation, and yet, despite all his reformatory zeal, prevented the iconoclastic violence that ravaged the churches in so many other places. That, too, was Franconian in spirit – doing what is necessary, but not with Swabian extremism. Yet, oddly enough, the people of Schwäbisch Hall have still not really made up their minds whether they are Swabians or Franconians. In the Middle Ages, the town attached great

Cless in Tüngental. Die Haller, sagte er, hätten sowohl eine deutliche Abneigung gegen die Hohenloher im Norden wie gegen die Schwaben im Süden. Dabei seien vor allem die Stadtbewohner stets gutgelaunte Leute, die ein aufgewecktes, aber mehr oder weniger leichtfertiges Wesen hätten. Der Herr Pfarrer vermißte überhaupt die »Zähigkeit in der Ertragung von Widerwärtigkeiten« und die Moral sowieso. Der Umgang der Geschlechter sei überaus frei, und die Folgen davon würden mit großer Unbefangenheit als natürlich und unvermeidlich aufgenommen. Die Ehen seien friedlich, weil sich die Gatten die Verirrungen der Jugend gegenseitig zugute hielten. Dennoch fühlte sich der Geistliche wohl hier, denn »es lebt sich gut unter dem hällischen Völkchen«. Womit bewiesen ist, daß auch die Haller eben doch echte Hohenloher sind. Auch wenn sie das nicht mehr alle wahr haben wollen.

Den Karl übrigens, den lockte sein entschwundenes Mädchen mit einem Brieflein auf die Haller große Treppe, »damit ich auch sehe, ob Du mich wirklich suchst«. Beim Holzhüttchen des Beleuchters unter der Kirchentür sollte er warten, doch auch das war wieder nur eine Posse dieses übermütigen Mädchens. Als er das Hüttchen umrundete, fand er nur eine Botschaft von ihr. Zwischen die Kritzeleien von Touristen und Festspielbesuchern war da ein lachender Mädchenkopf mit den beiden lustigen Stirnlocken der Margarete auf das Holz gemalt, und darunter stand: »Ach du dummer Schwabenbub/ der Stieglitz wartet in der Stub!«

joyaux du devant d'autel de l'église de Comburg, ils enlevèrent également à la ville son qualificatif de «Schwäbisch» et la rebaptisèrent «Hall am Kocher». Ce n'est qu'au cours de ce siècle que Hall est redevenu «Schwäbisch Hall». Ainsi faisant les habitants se sont déclarés volontairement souabes, ce qui jusqu'à maintenant déplaît à certains plus enclins à se sentir franconiens.

Ce qu'il en est en vérité a été décrit, voici 140 ans, par un pasteur du nom de Cless à Tüngental. Les habitants de Hall, a-t-il dit, éprouvent une franche aversion aussi bien pour les gens de Hohenlohe au nord que pour les Souabes au sud. Encore qu'ils soient toujours de bonne humeur et gens à l'esprit ouvert quoique d'un naturel plus ou moins frivole. Le pasteur trouvait également qu'ils manquaient de «force morale dans l'adversité» et de toute façon de morale. Les relations entre les sexes étaient des plus libres et les conséquences de cette liberté acceptées avec la plus grande candeur comme naturelles et inévitables. Les mariages étaient paisibles car les époux se montraient libéraux pour ce qui était des égarements de leur jeunesse. Et pourtant l'écclésiastique se sentait bien dans la ville car «il fait bon vivre parmi les gens de Hall». Ce qui prouve que ce sont vraiment des gens de Hohenlohe même si tous ne l'admettent pas. Pour ce qui est de Karl, notre amoureux transi, il avait également été attiré à Hall par sa déconcertante amie qui, dans une petite lettre, lui disait de se trouver à un certain moment sur le grand escalier devant l'église «afin que je puisse voir si tu me cherches vrai-

importance to being called "Schwäbisch", but when the Württembergers came, removed the imperial city's fine coat of arms, and tore the jewels out of the magnificent antependium in the Comburg church, they also deprived the city of the "Schwäbisch" in its name, and called it "Hall am Kocher". It was only in this century that the city renamed itself again, reverting to "Schwäbisch Hall". In doing so, the inhabitants voluntarily declared themselves to be Swabians, and this still rankles with some of the more Franconian-inclined among the population.

The truth of the situation, however, was described 140 years ago by a clergyman called Cless at Tüngental. The people of Hall, he said, had a clear aversion for both the Hohenlohers in the north and the Swabians in the south. Yet, he continued, they were always good-natured and open-minded, though with a tendency towards frivolity. He found that they lacked "fortitude in adversity" and that their morals were not all they should be. Relations between the sexes were extremely free, and the results of this freedom were accepted with great candour as natural and unavoidable. Marriages were peaceful because the spouses took a liberal view of the aberrations of their youth. But Cless nevertheless felt at ease in the town, because: "it is pleasant living among these people of Hall". Which proves that the people of Hall are true Hohenlohers after all – even if not all of them are prepared to accept the fact.

Our young lover Karl, by the way, was also drawn to Hall by a note from his elusive girl-

Für Hall muß man viel Zeit haben und gemächlich hindurch-schlendern, um alles zu entdecken, was die heutigen Haller von den Schätzen bewahren, die auf sie überkommen sind.

Il faut avoir beaucoup de temps à Hall pour flâner tranquil-lement et découvrir tout ce que les habitants de cette ville ont su garder des trésors dont ils ont hérités.

You need plenty of time to discover all the delights of Schwäbisch Hall, but it is time well spent.

Karl, der eigens hergefahren war vom fernen Reutlingen, lief zwei Stunden lang auf der Treppe herum und war dann so wütend, daß er darunter schrieb: »Alte Jongfere zieret sich/ ond bereuets firchterlich/ Bleib no hocke en dr Stub,/ i han endlich währle gnug.« Und dann fuhr er heim und bereute sein Gekritzel von Kilometer zu Kilometer mehr. Denn Schwaben sind sehr empfänglich für aussichtslose Lieben. Sie stärken das bitterschöne Gefühl, von der Welt verkannt zu werden. Franken sind viel zu lebenslustig, um solchen Seelenwindungen auch nur folgen zu wollen.

ment». Mais ceci également n'était qu'une farce de la capricieuse personne. Arrivé à l'endroit indiqué, il ne trouva qu'un message parmi les graffiti griffonnés sur le côté d'une petite cabane en bois à côté du portail de l'église: la tête d'une jeune fille moqueuse avait été dessinée avec sur le front les deux boucles coquines de Margaret et en dessous il y avait écrit: «Oh, grand benêt de Souabe, le chardonneret t'attend dans la chambrette!» Karl, qui avait fait tout exprès le chemin de Reutlingen, attendit pendant deux heures sur l'escalier et devint si fâché qu'il écrivit en dessous: «Les vieilles filles font des manières/ mais un jour le regrettent,/ reste si tu veux dans ta chambrette/ car de patience n'en ai plus guère.»
Puis il s'en retourna chez lui mais, de kilomètre en kilomètre, il regrettait de plus en plus son geste. Les Souabes ont en effet une prédilection pour les amours malheureuses car cela renforce le sentiment doux-amer d'être incompris du monde. Les Franconiens eux aiment trop la vie pour pouvoir comprendre une telle attitude.

friend which said that he should turn up at a certain time on the great staircase in front of the church, "so that I can see if you are really looking for me". But this, too, was only another prank played by his capricious girl. When he arrived at the appointed place he found only a message: among the graffiti scribbled on the side of a little hut next to the church door, the face of a laughing girl had been drawn with two curls on her forehead just like Margaret, and underneath was written: "Oh, you foolish Swabian lad,/ The goldfinch is waiting in her pad!" Karl, who had specially come all the way from Reutlingen, hung around the staircase for two hours, and was finally so annoyed that he scribbled his own answer under the message: "Mean old spinster, stay at home –/ You are only troublesome./ Stay forever in your pad–/ I'll be anything but sad!" And then he set off home. But, as each mile passed by he regretted his action more and more, for Swabians have a sentimental attachment to hopeless love affairs, as they heighten the bittersweet feeling of being misunderstood by the world. Franconians are far too much in love with life to be able to understand such an attitude.

Frühsommer im Jagsttal. Mit den Äckern hat sich auch die Chemie zurückgezogen aus den Tälern, und so gedeihen hier noch die bienenumsummten Blütenwiesen vergangener Zeiten, die so schön sind, daß man sie nicht zu betreten wagt.

Le début de l'été dans la vallée de la Jagst. En même temps que les champs, la chimie a déserté les vallées et c'est ainsi que l'on trouve encore ici des prés fleuris où bourdonnent les abeilles et qui sont si beaux que l'on n'ose guère y marcher.

Early summer in the Jagst Valley. Arable farming has withdrawn from the valleys, taking most of the farmer's "chemical weapons" with it, and allowing the meadows, alive with bees, to bloom again.

## Seelchen und ein Mensch ohne Prinzipien

Von den großen Schlössern Hohenlohes ist nur eines, das Schloß Langenburg, in allen deutschsprachigen Ländern bekannt geworden, und daran war die Frau Dekan Günther schuld. »Frau Dekan«, das ist kein Titel und keine Amtsbezeichnung, das ist eine Rangstufe. Alte Weikersheimer erzählen noch, wie sie in ihrer Jugend, als noch die Durchlauchtigsten Prinzessinnen vor dem Schloß flanierten, angehalten worden waren, zur Frau des evangelischen Dekans »Frau Herr Dekan« zu sagen und zu deren Mann »Herr Herr Dekan«. Agnes Günther wurde 1891, als sie nach Langenburg kam, zwar einerseits die zweite Dame in der Residenz nach »Ihrer Hoheit, der Fürstin«, sie durfte aber dennoch als Bürgerliche nicht zum abendlichen Diner ins Schloß.

Die Frau Dekan hat sich aber nicht darüber gegrämt. Sie lebte in einer Welt aus lauter Traumfürsten, die wahre Christen waren mit dem »schönsten, reinsten, edelsten Familienleben« – und bedauerlicherweise mit einem Volk, das nur in die Kirche kam, »um danach zu tun, was es will«. Ihr Buch »Die Heilige und ihr Narr« war nächst ihrer Familie ihr Lebenswerk, das sie erst wenige Tage vor ihrem Tode beendete. Der Text, der die Nation in Tränen aufwühlen sollte, erschien (von einem sächsischen Autor bearbeitet und versüßlicht) erst zwei Jahre später. Im bald danach ausbrechenden Ersten Weltkrieg soll es das am meisten gelesene Buch in den Tornistern der Soldaten gewesen sein. Diesen Roman nach dem heutigen Zeitgeschmack zu beurteilen, wäre verfehlt, zumal da er sich

## Sensibilité et bon sens

De tous les grands châteaux de Hohenlohe, un seul, le château de Langenburg, est devenu célèbre dans tous les pays germanophones et ceci grâce à une femme nommée Agnès Günther, plus connue sous le nom de Frau Dekan Günther non pas parce qu'elle était elle-même «Dekan» (doyenne) mais parce que son époux occupait le rang de doyen dans l'église protestante. Un usage que l'on retrouve aujourd'hui encore en Allemagne où l'on donne du «Frau Doktor» à la femme d'un docteur sans qu'elle ait elle-même ce titre. A la fin du siècle dernier, les choses étaient poussées encore plus loin et les personnes âgées se rappellent comment dans leur jeunesse elles devaient dire à la femme du doyen protestant «Frau Herr Dekan» et au doyen lui-même «Herr Herr Dekan». Mais d'un autre côté, lorsque Frau Herr Dekan Agnès Günther arriva à Langenburg en 1891, ses origines bourgeoises l'empêchèrent d'être reçue à dîner au château, malgré son titre et le fait qu'elle était la deuxième dame de la place après «Son Altesse, la princesse». Mais cela ne la dérangea pas car elle vivait dans un monde de rêve où évoluaient des princes qui étaient de vrais chrétiens vivant «une vie familiale des plus belles, des plus pures et des plus nobles» – et malheureusement dans un monde où le peuple n'allait à l'église «que pour faire ensuite ce que bon lui semblait». Son livre «La sainte et son fou» fut après sa famille l'œuvre de sa vie qu'elle n'acheva d'ailleurs que peu de jours avant sa mort. Le texte, qui allait faire pleurer la nation, ne parut que deux ans plus tard (remanié et édul-

## Sensibility and sense

Of all the large castles in Hohenlohe, only one, Schloss Langenburg, has achieved nation-wide renown, and that is thanks to a woman called Agnes Günther, generally known as Frau Dekan Günther, though not because she herself was a dean, but because her husband held this rank in the Protestant Church . In Germany, even today, a woman will often be addressed according to the rank or professional title of her husband, so that "Frau Doktor" does not necessarily mean that the woman addressed has a doctorate of her own, only that her husband has. "Frau Pfarrer" and "Frau General" also, for example, refer to the fact that the husbands are parson and general respectively, and do not imply that the women concerned have succeeded in invading these intensely male preserves. At the end of the last century, however, such things were carried even further, and old people can recall how, in their youth, they were expected to address the wife of the Protestant deacon as "Frau Herr Dekan", and the great man himself as "Herr Herr Dekan". On the other hand, when Frau Dekan Agnes Günther arrived in Langenburg in 1891, her bourgeois origins precluded her from being invited to dinner at the castle, despite her popular title, and the fact that she was the second lady of the place after "Her Highness, the Princess".

This did not upset her, though, for she lived in a dream world of princes who were true Christians with the "finest, purest, most noble family lives" (and, unfortunately, in a real world, where ordinary people only went to

Das einsame Jagsttal unterhalb von Schloß Langenburg.

La vallée solitaire de la Jagst au-dessous du château de Langenburg.

A lonely section of the Jagst Valley below Langenburg Castle.

seine Leserschaft bis heute nahezu von allein aussucht: romantisch-religiöse Menschen, die den Roman »zugleich als eine wahre Geschichte und als Offenbarung einer höheren Welt« nehmen, wie Agnes Günthers Sohn Gerhard meint. Jedenfalls tauchen immer noch versonnene Menschen im Hohenloher Land auf, die, das Buch vom »Seelchen« in der Hand, die Burgen, Schlösser und Landschaftsbilder suchen, in denen dieses Romangeschöpf gelebt haben soll.

Vieldeutig ist nahezu alles, was mit dieser Frau zusammenhängt. So wiegen manche der sonst so realistisch denkenden Langenburger bedenklich die Köpfe, wenn die Besucher auch das Dekanat sehen wollen, in dem der Roman entstanden ist. Denn dieses Haus in der wuchtigen Häuserzeile von Alt-Langenburg steht nicht mehr, es ist umgebaut worden. Auf den alten Fundamenten steht ein neues Haus, und die wenigsten Langenburger meinen, daß das bautechnisch nötig gewesen wäre. Viel lieber wird das Geraune geglaubt, vor dem Umbau sei dort der Geist der Agnes Günther umgegangen. Gleich einen Katzensprung daneben steht das Geburtshaus des Karl Julius Weber, doch dort munkelt niemand etwas Ähnliches. Denn der war ein Spötter und Rationalist, ein gescheiter Satiriker und politischer Schriftsteller, der über das Geisterwesen nur lachte und überhaupt ein Mensch ohne Prinzipien war. Dieser Hofrat Weber schrieb so unheroische Sachen wie dies: Es gehöre zu den traurigsten Widersprüchen des menschlichen Verstan-

coré par un auteur saxon). Ce devait être l'un des livres les plus lus sur le front pendant la première guerre mondiale qui allait éclater peu après. Il serait faux de juger ce livre d'après les goûts de notre époque d'autant plus qu'il a encore aujourd'hui un public de lecteurs romantiques et pieux qui y voient «une histoire vraie et la révélation d'un monde supérieur» comme l'estime le fils d'Agnès Günther, Gerhard. Quoiqu'il en soit, on rencontre encore dans la région de Hohenlohe des touristes songeurs, le livre d'Agnès Günther à la main, qui s'en vont à la recherche des châteaux, palais et paysages décrits dans leur livre. Presque chaque chose en liaison avec cet écrivain a un côté ambigu. Et plus d'un habitant de Langenburg autrement fort réaliste hoche la tête pensivement lorsque les visiteurs demandent à voir le doyenné où le livre fut écrit. Car cette maison dans l'impressionnante rangée de bâtiments du vieux Langenburg n'existe plus. Un nouvel immeuble a été construit sur ses fondations et rares sont les habitants du coin qui estiment que cela était nécessaire pour des raisons techniques. Ils croient plus volontiers que l'esprit d'Agnès hantait ces lieux avant que la maison ne soit reconstruite. A deux pas de là se trouve la maison natale de Karl Julius Weber mais personne ne murmure chose semblable à son égard car c'était un persifleur et un rationaliste, un écrivain satirique et politique avisé qui ne pouvait que rire des histoires de fantômes et d'une façon générale un homme sans principes. Ce conseiller aulique avançait des idées aussi peu héroïques que

church' "in order to carry on as they wish afterwards"). After her family, her book, "The Saint and Her Jester" was her life's work, which she finished only a few days before her death. The text, which was to move the nation to tears, appeared two years later, edited and sentimentalized by a Saxon author. It was to be one of the most-read books at the front in the first world war, which broke out shortly afterwards.

It would be wrong to judge this book by today's taste, especially as it still has a following of romantically religious readers who look upon it as "a true story, and a revelation of a higher world", as Agnes Günther's son, Gerhard, puts it. In any case one still encounters pensive tourists in the Hohenlohe region, with Agnes Günther's book in hand, as they go in search of the castles, palaces, and landscapes featured in her book.

Nearly everything connected with this writer has ambiguous overtones. Thus even otherwise realistic-minded locals will shake their heads significantly when visitors ask to see the deanery in which the book was written. For this house in the impressive row of buildings in the old part of Langenburg no longer exists. A new house has been built on its foundations, but very few locals believe that it was necessary to knock the old one down for structural reasons – on the other hand, they do believe that Agnes Günther's ghost haunted the place before it was rebuilt.

Not a stone's throw away from here stands the birthplace of Karl Julius Weber, but no one suspects the same kind of goings-on

des, daß Kriegführen mit das geachtetste Handwerk sei, weshalb die Monarchen doch ihre Streitigkeiten bitte selber, und zwar im Duell, austragen möchten. Und ohne etwas von Darwin wissen zu können, der 1832, als Weber starb, gerade auf seine Weltreise ging, schrieb dieser gescheite Hohenloher schon ahnungsvoll: »Mit der Affenverwandtschaft hat es schon seine Bewandtnis. Überdies erzeugt Afrika die meisten, Frankreich die liebenswürdigsten und mein teures Vaterland die größten Affen.« Der Mann war überhaupt ein Seher, er sagte allen Ernstes zu einer Zeit, da die Kolonialreiche gerade erobert wurden, deren Ende voraus und prophezeite eine russische Grenze am Elbufer.

Wer dem Hohenloher Wesen immer näher kommen will, der gehe auf den Friedhof von Kupferzell, wo nicht nur der Gips-Mayer, sondern auch Karl Julius Weber begraben ist mit der schönen, frei aus dem Lateinischen übersetzten Grabinschrift: »Vergnügt, nicht gottlos habe ich gelebt. In Ungewißheit sterb ich, nicht in Angst. Menschlich ist des Wissens Mangel, menschlich der Irrtum. Urgrund der Welt – erbarm dich meiner.« Den zweiten Grabspruch, den sich Weber gewünscht hat, hat er allerdings nicht bekommen: »Hier ruhen meine Gebeine. Ich wollt, es wären Deine!« Dafür kann ihm ein jeder einen anderen letzten Wunsch erfüllen. Weber wollte, daß seine Friedhofsgäste keine Blumen auf sein Grab legen, sondern in Ruhe eine gute Zigarre rauchen und über die frechen Sachen nachdenken sollten, die in seinem wichtigsten Werk stehen, im »Demo-

celle-ci: c'est l'un des plus tristes paradoxes que le fait de mener des guerres soit considéré comme le plus noble des métiers, aussi les monarques devraient-ils régler leurs différends entre eux au cours de duels. Et sans rien savoir de Darwin qui, en 1832, l'année où mourut Weber, s'embarquait pour son voyage autour du monde, cet homme clairvoyant écrivait déjà: «Il doit y avoir quelque chose de vrai dans l'idée de notre parenté avec les singes. D'ailleurs l'Afrique en produit le plus, la France les plus aimables et ma chère patrie a les plus grands singes». Weber était en fait un prophète; à un moment où les empires coloniaux commençaient à se former, il en prévoyait la fin avec le plus grand sérieux et prédit même qu'un jour la frontière russe irait jusqu'à l'Elbe.

Celui qui veut comprendre la nature des gens de Hohenlohe ne doit pas manquer d'aller au cimetière de Kupferzell où non seulement est enterré «Mayer-Gypse» mais également Karl Julius Weber dont la tombe porte la belle épithaphe traduite librement du latin: «J'ai vécu avec plaisir mais pas sans foi. Je meurs dans l'incertitude mais pas la crainte. Esprit du monde – aie pitié de moi!» La seconde épitaphe que Weber s'était choisie ne fut pas autorisée: «Je gis ici, que ne fut-ce toi!» Si les visiteurs ne peuvent satisfaire Weber sur ce point, il est un autre souhait qu'ils peuvent combler. Il ne voulait pas que ses visiteurs mettent des fleurs sur sa tombe mais qu'ils fument un cigare tranquillement et réfléchissent à toutes les choses effrontées qu'il avait écrites dans son ouvrage le plus important:

there. For he was a cynical rationalist, a clever satirist and political writer, who only laughed at the idea of ghosts and was altogether a man without principles. Weber, a Privy Councillor, put forward such unheroic notions as: it is one of the saddest paradoxes that making war is considered the most honourable trade, but in view of this the monarchs should settle their differences between themselves by means of duels. And without being able to know anything of Darwin – who, in 1832, when Weber died, was just setting off on his voyage round the world – was able to write: "There is something in the idea of our being related to the apes. What is more, Africa produces the most, France the most charming, and my dear Fatherland the greatest, apes." Weber was a man of prophetic vision: at a time when the colonial empires were just being founded he predicted, in all seriousness, their end, and he even foresaw the day when the Russian border would extend to the River Elbe.

Anyone wishing to understand the Hohenlohe character should not miss going to the graveyard at Kupferzell, where not only "Gypsum Mayer" is buried, but also Karl Julius Weber. The latter's grave has the fine epitaph, freely translated from the Latin: "I lived with pleasure, not godless. I die in uncertainty, not fear. Ignorance is human, to err is human, too. Spirit of the world – have pity on me!" The second epitaph that Weber had chosen for himself was not permitted: "Here I lie, dead. Oh, if 'twere thou instead." Visitors can hardly be expected to satisfy Weber on this

◄ Ein klassischer Renaissancehof öffnet sich vor dem Besucher des Schlosses Langenburg. Früher waren diese Wände, Arkaden und Giebel sogar noch farbig bemalt gewesen, doch diese Farben sind wohl schon zur Barockzeit nicht mehr erneuert worden.
► Der Blumengarten zu Füßen der Schloßzufahrt.

◄ Une cour de style Renaissance classique s'ouvre devant les visiteurs du château de Langenburg. Autrefois, ces murs, arcades et frontons étaient également peints de différentes couleurs mais ces peintures n'ont sans doute plus été refaites dès l'époque du baroque.
► Le jardin de fleurs au pied de l'allée qui mène au château.

◄ Langenburg Castle's classical Renaissance courtyard. These walls, arcades, and gables were originally painted in bright colours, but this went out of fashion, probably as early as Baroque times.
► The gardens below the castle drive.

kritos oder hinterlassene Papiere eines lachenden Philosophen«.

Für die Enge seiner Heimat war Weber wohl zu bedeutend. Leider hat ihn sein Weg nie an einen hervorragenden Platz geführt, an dem sein Kopf hätte erkannt werden können. Vielleicht wäre ihm aber auch der Umzug dorthin zu beschwerlich gewesen: Er brauchte beim Wohnungswechsel immer sechs große Leiterwagen für seine Bücher und ein Handwägelchen für seine übrige Habe.

Die Langenburger Hauptstraße ist auch mit der Erinnerung an den Zuckerbäcker Wibel gepflastert, der bis heute Nachfahren hat, die sich rühmen, die Hoflieferanten fast aller europäischen Kaiser, Könige und Groß- herzöge zu sein oder gewesen zu sein – und selbstverständlich die Hofkonditoren der Langenburger Fürsten. Im Jahre 1763 erfand der Zuckerbäcker Wibel die winzigen Bis- kuits, die er gut hohenlohisch »Geduldzelt- lich« nannte, weil er so viel Geduld zu ihrer Fertigung brauchte. Sein Zuckerwerk wurde schnell berühmt, es wurden die bis heute beliebten »Wibele«. Daß man inzwischen auch Marzipan-»Seelchen« und Nougat- »Agnessen« als süße Erinnerung am Ort der holden Dichtung kaufen kann, stellt Langen- burg mindestens auf dem Markt der buchstäb- lich einmaligen Andenken in eine Reihe mit Salzburg und Wien.

Wer sich satt gesehen hat an der Silhouette des efeuumsponnenen, bienenumsummten Schlosses, wer die großartigen Galerien, Treppentürme und Volutengiebel des Schloß-

«Democritus ou les documents posthumes d'un philosophe rieur».

Weber était un personnage trop important pour l'horizon étroit de sa patrie et sa carrière malheureusement ne l'a jamais conduit dans un endroit où il aurait été reconnu pour ce qu'il était vraiment. Mais peut-être qu'un déménagement aurait été trop pénible: cha- que fois qu'il déménageait il lui fallait six grandes voitures pour ses livres et une brouette pour le reste des ses affaires.

La rue principale de Langenburg évoque éga- lement le confiseur Wibel qui a encore des descendants qui peuvent se vanter d'être ou d'avoir été les fournisseurs des cours de pres- que tous les empereurs, rois et grand-ducs d'Europe et bien entendu de la cour de Lan- genburg. En 1763, le confiseur Wibel inventa les petits biscuits qu'il a appelé des «biscuits de patience» parce qu'il fallait tant de patience pour les confectionner. Ses confise- ries devinrent vite célèbres et sont encore appréciées de nos jours sous le nom de «Wibele». On trouve également de la pâte d'amande appelée «Seelchen» et du nougat «Agnes», des souvenirs de l'écrivain Agnès Günther que l'on peut acheter dans la ville où elle a écrit son œuvre.

Une fois rassasié de la vue du château revêtu de lierre, de sa cour intérieure avec ses magni- fiques galeries, escaliers et pignons (qui, ouvrages de la Renaissance, devraient être imaginés en couleur) et après avoir contemplé le paysage féérique, il faudrait redescendre la montagne, passer à côté de la source d'eau minérale de Langenburg et longer la Jagst jus-

point, but there is another wish they can fulfil. He did not want visitors to put flowers on his grave – he wanted them to smoke a cigar in peace and to think of the outrageous things he says in his most important work: "Demo- critus, or the Posthumous Papers of a Laugh- ing Philosopher."

Weber was too big for the narrow horizons of his homeland, and his career unfortunately never took him to a place where he would have been recognized for what he was. But perhaps the move would have been too strenuous: whenever he changed house he needed six large carts for his books (plus a small handcart for the rest of his belong- ings).

The main street of Langenburg is also redo- lent of the confectioner Wibel, who still has descendants who can boast of being or having been purveyors to the courts of almost all the European emperors, kings, and grand-dukes, and, of course, to the court of Langenburg. In 1763, the confectioner Wibel invented the tiny biscuits which he called "patience bis- cuits", because so much patience was required to make them. His sweetmeats soon became famous, and are still available today under the name "Wibele". Variations on the theme are the marzipan "Seelchen" and the fudge "Agnese", both reminiscent of the wri- ter Agnes Günther, which can be bought in the town where she wrote her life's work.

Once you have seen your fill of the ivy-clad castle, and its courtyard, with its magnificent galleries, gables and stair turrets (as Renais- sance creations, the buildings should be

innenhofes erlebt hat (den man sich als Renaissancebauwerk farbig vorstellen muß) und wer ins märchenumsponnene Land hinaus geschaut hat, der sollte dann den Berg hinabgehen, an der Quelle vorbei, aus der das Langenburger Heilwasser sprudelt, und der Jagst entlang bis nach Unterregenbach. In diesem Ort ist alles verwunschen: die alte, überdachte Holzbrücke über die Jagst, das stille Wasser hinter dem Wehr, die seit dem Autobahnbau vergessene Ortschaft und die seit vielen Jahrhunderten vergessene Kirchenstadt, die hier einmal gewesen ist. Überschwemmungen, Brände und der freiwillige Rückzug der Mönche haben dieses geistliche Zentrum so schnell veröden lassen, daß es heute nur ein einziges Sätzlein gibt, das wenigstens deren Namen erwähnt: »Regenbach in pago Mulgowe …« heißt es in einer Urkunde aus dem Jahre 1033 – und dabei stand hier vor tausend Jahren eine mächtige dreischiffige Basilika mit einer Doppelturmfassade und eine unbekannte Zahl von anderen bedeutenden Gebäuden. Hier muß seit dem 8. Jahrhundert das Verwaltungszentrum dieser Landschaft gewesen sein, das an einer Furt lag, durch die schon keltische Heer- und Wanderzüge gewatet sind. Die Archäologen haben jedenfalls bei Ausgrabungen der geheimnisvoll unbekannten Kirchenstadt bis zu 2600 Jahre alte Siedlungsschichten gefunden.

In der Pfarrkirche läßt sich eine Falltüre hochheben, unter der eine Treppe zur steinernen Vergangenheit unter dem heutigen Kirchenboden hinabführt: Die Krypta dort

qu'à Unterregenbach où tout paraît enchanté: le vieux pont de pierre couvert sur la Jagst, les eaux tranquilles derrière le barrage, la localité oubliée depuis la construction de l'autoroute et la ville écclésiastique qui existait autrefois à cet endroit et tombée dans l'oubli depuis des siècles.

Des inondations, des incendies et le départ volontaire des moines ont rapidement dépeuplé ce centre spirituel dont une phrase seulement rappelle encore le nom: «Regenbach in pago Mulgowe …» peut-on lire dans un document daté de 1033. Et pourtant il y a mille ans une majestueuse basilique à trois nefs avec une façade à deux tours et un nombre inconnu d'autres bâtiments importants s'élevaient à cet endroit. A partir du 8e siècle, cela a dû être le centre administratif de la région; situé sur un gué, il a vu passer les armées et les colons celtiques. Des fouilles ont montré que l'histoire de ce mystérieux centre religieux date au moins de 2600 ans.

Dans l'église paroissiale, il y a une trappe sous laquelle un escalier vous conduit à un passé de pierre sous le sol de l'église actuelle: la crypte est ottonienne, nous explique-t-on au musée local, de sorte que Otton Ier, le premier empereur du Saint-Empire romain, a pu arpenter ces pierres d'autant plus que Regenbach était de toute évidence ville impériale. Mais ce n'est pourtant qu'une supposition qui ne peut être prouvée. Car ce qui fait le véritable mystère de Regenbach, c'est qu'il est fait mention de localités moins importantes datant d'une époque plus ancienne alors que rien ne nous a été transmis du merveilleux

thought of as painted), and you have gazed out across the fairytale scenery, you should walk down the hill past the source of the Langenburg spa waters and along the Jagst to Unterregenbach. In this little place everything has an enchanted quality: the old covered wooden bridge over the Jagst, the tranquil water behind the weir, the ancient town, forgotten since the building of the motorway, and the long-since forgotten renown of the monastic settlement that once was. Floods, fires, and the voluntary withdrawal of the monks, had the effect of expunging this spiritual centre from the annals of history. Only one sentence still recalls at least the name: "Regenbach in pago Mulgowe …" it says in a document dating back to 1033. And yet, a thousand years ago, a mighty three-aisled basilica stood here with a twin-towered west end – and an unknown number of other important buildings. From the 8th century onwards, this must have been the administrative centre of the area. It lay on a ford through which Celtic armies and settlers had waded. Excavations have shown that the history of this enigmatic religious centre dates back at least 2,600 years.

In the parish church there is a trap door beneath which stairs lead you down into the stony past under the present church floor: the crypt is Ottonian, we are told in the local museum, so that perhaps even Otto I, the first Emperor of the Holy Roman Empire, strode across these stones: a not unlikely event, as Regenbach was evidently an imperial city. This, however, is also only an assumption

Zu Füßen von Langenburg liegt die noch ältere Siedlung Bächlingen. Hier mußten früher die Pferde gewechselt werden, wenn die Postkutsche von den Höhen ins Jagsttal heruntergerumpelt kam. Heute ist Bächlingen Ausgangspunkt zu stillen Wanderungen ins reiherdurchflogene Tal. Unsere Bilder zeigen den Ort im Sommer und im Winter.

Au pied de Langenburg se trouve Bächlingen, une agglomération encore plus ancienne. Jadis les diligences devaient y changer de chevaux lorsqu'elles descendaient des hauteurs dans la vallée de la Jagst. Aujourd'hui, Bächlingen est le point de départ de paisibles randonnées dans la vallée traversée par les hérons. Nos photos montrent la localité en été et en hiver.

The village of Bächlingen below Langenburg is even older than the castle. This is where horses were changed when the mail coaches came rumbling down from the uplands into the Jagst Valley. Today, Bächlingen is a good base for quiet walks in the valley, where many herons are to be seen. Our two pictures show the village in summer and winter.

unten sei ottonisch, wird im Ortsmuseum erklärt, also könnte schon Otto I., der erste Kaiser des Heiligen Römischen Reiches Deutscher Nation, über diese Steine geschritten sein, zumal da Regenbach offenbar kaiserlicher Besitz war. Doch das ist schon eine zweite Vermutung. Eindeutig beweisen läßt sie sich nicht. Denn es ist das eigentliche Rätsel von Unterregenbach, daß sich so viele geringere Siedlungen aus noch viel früherer Zeit in den Urkunden nachweisen lassen. Doch von dieser mönchischen Prachtsiedlung ist nichts überkommen. Allein die Archäologen, die im Hangschutt nach Grundmauern dieses doch offenkundig bedeutenden Platzes wühlen, können etwas über ihn sagen. Eine abergläubigere Zeit würde da wohl von einem verfluchten und vergessenen Ort sprechen.

passé monastique de Regenbach. Seuls les archéologues qui fouillent à cet endroit à la recherche des fondations de ce qui fut apparemment un site important peuvent dire quelque chose à ce sujet. Une époque plus superstitieuse parlerait sans aucun doute d'un endroit maudit et oublié.

which cannot be proved. That is the really strange thing about Regenbach: many lesser places of much earlier periods are documented, but nothing in the way of evidence of Regenbach's splendid monastic past has survived. Only the archaelogists, who dig about in the rubble, searching for the foundations of what was clearly an important site, can say anything about it. A more superstitious age would no doubt speak of a cursed and forgotten place.

◄ Wo in der straßenlosen Zeit bei Unterregenbach noch eine Furt in der Jagst lag, wurde vom späten Mittelalter an eine Holzbrücke gebaut. Die heutige Brücke wurde allerdings 1975 nach den Originalplänen aus dem 19. Jahrhundert gezimmert. Sie wird wenig benützt, seit der Ort nur noch von Neugierigen besucht wird, die der verschwundenen romanischen Kirchenstadt nachspüren, die schon seit vielen Jahren ausgegraben wird, ohne daß ihr Geheimnis gelöst ist.

◄ Vers la fin du moyen âge, on a construit un pont de bois là où, à l'époque des routes inexistantes, seul un gué permettait de traverser la Jagst près de Unterregenbach. L'actuel pont a toutefois été édifié en 1975 d'après les plans originaux du 19e siècle. Il est peu emprunté depuis que l'endroit n'est plus visité que par des curieux en quête de la ville écclésiastique disparue qui, malgré les fouilles entreprises depuis plusieurs années, n'a pas livré son secret.

◄ In the late Middle Ages a wooden bridge was built across the Jagst at Unterregenbach where previously there had only been a ford. The present bridge, built in 1975 after original 19th century plans, is not used very much as the only visitors that normally come here are those interested in the mysterious Romanesque monastic town which once occupied this site. Excavations have been going on for years without throwing any real light on the once important place.

# Vom Gäwele und von den Schlössern

# Gäwele et les châteaux

# "Gäwele" and the castles

Wer das Wasserschloß Neuenstein besucht, wird nicht enttäuscht. Seine Säle sind im Wortsinne herrlich von der gotischen Säulenhalle bis zum Rittersaal und zu den vielen staunenswert stilechten Räumen aus der Renaissance und dem Barock. Darin wird fürstliches Schloßgut aufbewahrt vom Krimskrams bis zur wunderschönen burgundischen Kette aus dem Jahre 1410 und einem byzantinischen Kreuz. Die taubeneigroßen Saphire dieser Schmuckstücke sollen noch nicht einmal alle Mitglieder des Hauses Hohenlohe gesehen haben. Dem Publikum werden Diapositive vorgeführt mit dem ehrfurchtsvoll vorgebeteten Satz der Kastellane »… die Kette wurde zuletzt getragen bei der Hochzeit Ihrer Majestät Königin Elisabeths II.«.
Die schon fast höfische Beflissenheit, mit der manche noch heute in hohenlohischen Diensten Stehende alles hochschätzen, was diese Familien betrifft, verwundert den Außenstehenden allerdings nicht nur hier. Wer im Dienste dieser alten Familien steht, wird immer noch durch ein selbstverständliches Übereinkommen bewogen, die hierarchischen Floskeln zu verwenden und von »Seiner Durchlaucht, dem Fürsten« zu reden. Daran hat sich auch in den zu Wirtschaftsbetrieben gewordenen Hofhaltungen nichts geändert. Andererseits haben alle Hohenloher, die nichts auf ihre Fürstenhäuser kommen lassen, durchaus recht, wenn sie daran erinnern, daß die Mißwirtschaft der württembergischen Höfe hier im Land nahezu unbekannt war.

Celui qui visitera le castel d'eau de Neuenstein ne sera pas déçu. Ses salles d'apparat, du hall à colonnes gothique jusqu'à la salle des chevaliers et aux nombreuses pièces d'un style parfait de la Renaissance et du baroque, sont véritablement magnifiques. Elles renferment une splendide collection de souvenirs princiers qui vont du bric-à-brac à un merveilleux collier burgonde orné de saphirs datant de 1410 et une croix byzantine. Les saphirs, aussi gros que des œufs de pigeon, sont si rarement exposés que tous les membres de la Maison des Hohenlohe ne les auraient même pas vus. On projette aux visiteurs des diapositives avec le commentaire respectueux du gardien du château: «… le collier a été porté pour la dernière fois au mariage de Sa Majesté la reine Elisabeth II.»
La dévotion presque servile avec laquelle certaines des personnes au service des Hohenlohe continuent de considérer tout ce qui touche à la maison princière étonne l'étranger. Pour ces personnes, il semble tout à fait naturel d'emprunter des formules hiérarchiques telles que «Son Altesse, le prince». Cela n'a pas changé même dans les parties de la famille qui ont fait de leur propriété des entreprises commerciales. D'un autre côté, les gens de Hohenlohe – qui tous sont fiers de leurs maisons princières – ont tout à fait raison lorsqu'ils disent que la mauvaise gestion des cours wurtembergeoises était pratiquement inconnue chez eux.
La vie à la cour des Hohenlohe était intime, presque familière et l'on s'en rend compte à Neuenstein à des détails tels que le calcul

It is well worth while to visit the moated castle of Neuenstein. Its state rooms, including a Gothic pillared hall, a great hall, and many stylistically perfect rooms from both Renaissance and Baroque times, are quite magnificent. They contain a splendid collection of princely mementoes ranging from bric-a-brac to a wonderful Burgundian gold-enamelled necklace, set with sapphires, of the year 1410, and a Byzantine cross. The sapphires, as big as pigeons' eggs, are so rarely on display that it is said that not even all the members of the house of Hohenlohe have seen them. Ordinary visitors are shown slides accompanied by the awed voice of the steward: "… the necklace was last worn at the wedding of Her Majesty Queen Elizabeth II."
The almost servile devotion with which some of the people in Hohenlohe service still regard everything connected with the princely house comes as a surprise to the outsider. To such people it seems quite natural to use hierarchic phrases such as "his Serene Highness, the Prince". This has not changed even in those sections of the family that have turned their property into business enterprises. On the other hand, the Hohenlohers – who are all still proud of their noble families – are quite right when they say that the bad management typical of the Württemberg aristocrats was practically unknown here.
Life at the Hohenlohe courts was of an intimate, family nature, and this is expressed in Neuenstein in such details as the bladder stone which one widowed countess found in the "dear bladder of her lamented Master", in

Neuenstein wurde ein Prunkschloß, als ein preußischer
Burgenbaumeister zu Beginn dieses Jahrhunderts endlich
vollenden konnte, was viele Baumeister der Renaissance
und des Barock für dieses Wasserschloß geplant hatten. In
den allerletzten Jahrzehnten wurde viel Mobiliar aus anderen hohenlohischen Schlössern hierhergebracht und wird
seither in einem Museum zur Schau gestellt. Besonders
eindrucksvoll ist die gut erhaltene riesige Schloßküche aus
dem 15. Jahrhundert. In diesem alten Raum der Hauswirt-
schaft lassen sich die Verhältnisse an einem solchen Hof-
staat besonders gut nachempfinden.

Neuenstein devint un palais lorsqu'un architecte prussien
put enfin achever au début de ce siècle ce que de nombreux architectes de la Renaissance et du baroque avaient
projeté pour ce castel d'eau. Au cours des dernières décennies, de nombreuses pièces de mobilier ont été transpor-
tées d'autres châteaux à cet endroit et exposées dans un
musée. L'immense cuisine du château, bien conservée, du
début du 15e siècle, est particulièrement impressionnante.
Dans cette vaste pièce, on peut aisément imaginer les
conditions qui régnaient dans une telle demeure.

Neuenstein's present form was only attained at the beginning of this century, when a Prussian architect completed
work planned, but never finished, by many master builders
of the Renaissance and Baroque periods. In recent
decades part of this moated castle has been converted into
a museum to take a great deal of furniture from other
Hohenlohe houses. The huge, well-preserved castle
kitchen from the beginning of the 15th century is particularly impressive. Such a room gives one a good idea of the
scale of entertaining customary in such small sovereign
states.

Das Hohenloher Hofleben blieb geradezu familiär überschaubar, das ist in Neuenstein spürbar bis zum Blasenstein, den eine gräfliche Witwe in ihres »gnädigen Herrn seeliger Blase« im Jahre 1673 gefunden hat, und bis zur Ausrüstung ganzer Jagdgesellschaften und kleinerer Heerhaufen für alle die Feldzüge gegen die Türken und andere Völkerscharen, an denen Familienmitglieder teilnahmen. In der riesigen gotischen Schloßküchenhalle wird der Umfang einer solchen Hofhaltung vorstellbar: Dort könnten bis heute zugleich ein Ochse geschlachtet und gebraten, das Korn gemahlen, das Brot gebacken und die Suppen und Beilagen für ein höfisches Fest gekocht werden.

Daß der Burgenbaumeister von Kaiser Wilhelm II. das heruntergekommene Schloß zu Beginn dieses Jahrhunderts gründlich nach seinen recht zeitgebundenen Vorstellungen erneuerte, ist wohl zu spüren. Doch ohne diesen Helfer und ohne das Geld, das aus den Gütern der Familie in Schlesien in das Stammschloß flossen, wäre das prachtvolle Gebäude nicht zu erhalten gewesen. Heute lagert hier auch das Familienarchiv des Hauses Hohenlohe, und das ist die in Urkunden gespeicherte Geschichte des ganzen Landes. Glücklicherweise sorgten und sorgen hervorragende Landeshistoriker wie der unvergessene Karl Schumm und heute Gerhard Taddey dafür, daß diese Vergangenheit lebendig bleibt.

Für die Farben zu dieser Historie sorgte aber kein Historiker, sondern der geborene »Naiestaaner« (Neuensteiner) Wilhelm

vésical qu'une comtesse veuve trouva en 1673 dans «la vessie de son cher défunt» et dans l'équipement de chasses entières et de petits groupes armés pour toutes les campagnes contre les Turcs et autres ennemis auxquelles les membres de la famille participaient. L'immense cuisine gothique donne une idée de l'importance de ces cours à l'époque. On peut y abattre et rôtir un bœuf, moudre le grain et cuire du pain et préparer les soupes et autres plats pour toute une assemblée de fête.

Il est évident que l'architecte de l'empereur Guillaume II a rénové à fond, d'après le goût de l'époque, le château alors délabré. Mais sans son aide et sans l'argent venu des propriétés de la famille en Silésie, ce magnifique château – le château ancestral de la famille – n'aurait pu être conservé. Aujourd'hui, il renferme également les archives familiales de la Maison des Hohenlohe qui constituent l'histoire documentée de toute la région. Fort heureusement d'éminents historiens régionaux comme le regretté Karl Schumm et l'actuel conservateur Gerhard Taddey veillent à ce que ce passé demeure vivant.

La couleur locale n'a toutefois pas été donnée à cette histoire par un historien mais par un fonctionnaire des contributions du Wurtemberg, Wilhelm Schrader (1847–1914) natif de Neuenstein. Souffrant du mal du pays, il écrivit toute une série d'histoires mettant en scène «Gäwele», un forestier au service des princes de Hohenlohe.

Il y a vraiment eu un Gäwele mais sa vie n'a pas été de loin aussi passionnante que celle du personnage du roman. Selon Schrader, son

1673, and in the outfits of whole hunting parties, and of small armed groups for all the campaigns against the Turks and other enemies in which members of the family participated. The huge Gothic kitchen gives an idea of the magnitude of such courts in their heyday. There is room in it to slaughter and roast an ox, to grind grain and bake bread, and to prepare and cook the soups and all the other dishes for a courtly festivity.

The fact that Emperor Wilhelm II's architect thoroughly renovated the then dilapidated castle in the taste of his period at the beginning of the century is evident throughout the building. But without his aid and without the money that flowed from the family's possessions in Silesia, this magnificent castle – the family's ancestral seat – would surely have totally decayed. Today it also contains the family archives of the House of Hohenlohe, amounting to a documented history of the whole region. Fortunately, this historical treasure has been in the capable hands of such outstanding local historians as the unforgotten Karl Schumm, and the present custodian, Gerhard Taddey. The accompanying local colour for this history, however, is provided not by a historian, but by a Württemberg inland revenue official called Wilhelm Schrader (1847–1914), who was a Neuensteiner by birth. Suffering from home-sickness, he wrote a whole series of stories featuring "Gäwele", a forester in the service of the Hohenlohe princes. There was, in fact, a real Gäwele, but his life was by no means as exciting as the fictional character's. According to

Schrader (1847–1914), der ein Leben lang Steuerbeamter im Württembergischen war. In der Fremde legte er voller Heimweh dem fürstlich-hohenlohischen Förster »Gäwele« eine Fülle von Geschichten in den Mund, die noch heute im Dialekt erzählt werden. Einen Förster Gaebele hat es zwar gegeben, doch der hat längst kein so aufregendes Leben gehabt wie der alte Gäwele Schraders. Gäwele soll den »Nazionalvorzuch« der Hohenloher, nämlich alleweil einen guten Magen und einen merkwürdig unbändigen Durst zu haben, im »Ochsen« in Michelbach gepflegt haben. Den Weißen vom Weiler Heuholz habe er dazu getrunken und einen Tabak geraucht, den er selber im Wald angepflanzt und mit Nußbaumblättern gestreckt habe. Schon allein diese Schilderung seiner äußeren Umstände schließt mit der Mitteilung, ein jeder, den der Gäwele jemals angequalmt habe, sei sein Leben lang von jeglichem Ungeziefer frei geblieben. Die Fliegen seien tot umgefallen in dem Rauch, und die Flöhe seien davongehupft. Ebenfalls für alle Zeiten. Und das kann man dann glauben oder nicht. Aber jetzt fangen die Geschichten erst an – etwa wie sein Gaul Tiras die Rebhühner apportiert, oder wie er in Konstantinopel einen Pfedelbacher trifft, der dort Obereunuch beim Sultan geworden ist und dennoch hat heimwollen ins unvergeßlich schöne Pfedelbach. Gäwele-Geschichten könnten sogar am Südpol spielen, sie führten dennoch alle nach Hohenlohe zurück. Fürstliche Förster oder andere Hofbeamte haben nun allerdings viele Hohenloher

créateur, «Gäwele» jouissait des avantages typiques des gens de Hohenlohe, à savoir d'une excellente digestion et d'une soif inextinguible dont il prenait grand soin à l'«Ochsen», une auberge à Michelbach. Là, il buvait un vin blanc de pays et fumait du tabac qu'il cultivait lui-même dans la forêt et allongeait avec des feuilles des noisetier. Et Schrader termine sa description des habitudes de Gäwele en disant que quinconque avait jamais été «enfumé» par Gäwele était débarrassé pour toujours de la vermine. Les mouches tombaient raides mortes dans la fumée et les puces prenaient le large pour ne plus jamais revenir. Mais c'est maintenant que commence l'histoire: comment Tiras, le cheval de Gäwele rapportait des perdrix ou comment Gäwele rencontra à Constantinople un homme venant de Pfedelbach qui était devenu le chef des eunuques du sultan et qui pourtout rêvait de rentrer dans son inoubliable ville natale. Les histoires de Gäwele peuvent vous emmener n'importe où dans le monde mais elles vous ramènent toujours en Hohenlohe. De nombreux natifs de Hohenlohe ont des forestiers ou autres officiers de la cour dans leurs familles et ils peuvent en général suivre très loin la trace de leurs ancêtres. Lorsque l'on remonte encore plus dans l'histoire, à la guerre des paysans par exemple, les membres de la Maison des Hohenlohe ont la tâche plus facile. Sous les voûtes du château de Waldenburg par exemple, dans la Salle des Sceaux, qui est remarquable, il y a de petits dioramas représentant les événements politiques auxquels ont pris part les membres de cette

his creator Schrader, "Gäwele" enjoyed the typical Hohenlohe advantages of a good digestion and an unquenchable thirst, and these he took good care of in the "Ochsen", a tavern in Michelbach. There, he drank a local white wine, and smoked tobacco which he grew himself in the woods and eked out with the help of walnut leaves. Schrader's description of these habits closes with the comment that anyone who had ever been near Gäwele when he was smoking was from then on free of all vermin for the rest of his life. Flies dropped dead in the smoke, and fleas scattered in panic – never to be seen again. But then the stories themselves begin: about how Gäwele's horse, Tiras, retrieves partridges, or how Gäwele meets a man from Pfedelbach in Constantinople who has become the sultan's chief eunuch – and yet still longs to go back to his unforgettably beautiful home town. Gäwele stories can take you anywhere on earth, but they always lead back to Hohenlohe. Many Hohenlohers have foresters or other servants of the princely house in their families, and they can usually trace their ancestors back quite a way. Only when you get far back into history, to the Peasants' War, for example, do the members of the House of Hohenlohe have an easier time of it. In the vaults of Waldenburg Castle, for example, in the Seal Museum, which is well worth seeing, there are small dioramas depicting political events in which members of this family took part. Even the "Grünbühl Incident" is shown there, although it represented a defeat for the House of Hohenlohe at the time. "Our former

153

Bürger in der Verwandtschaft. Und sie wissen auch, wer dieser Ahnen Vater oder Großvater gewesen war, denn die Familiengeschichte ist hier kein Vorzug der ehemals regierenden Familien. Nur wenn es weiter zurückgeht, etwa bis zum Bauernkrieg, hat es ein Angehöriger des Hauses Hohenlohe leichter. In den staufischen Gewölben des Schlosses zu Waldenburg werden zum Beispiel im sehenswerten Siegelmuseum in kleinen Dioramen Ereignisse dargestellt, bei denen Mitglieder dieser Familien in die Politik eingegriffen haben. Selbst der »Tag von Grünbühl« wird dort gezeigt, obwohl der eine Schlappe für das damalige Grafenhaus war. »Unser ehemaliger Kanzler Wendel Hipler hat damals im Namen der Bauern ein Bündnis mit uns geschlossen«, erklärte mir ein hohenlohisch-waldenburgischer Erbprinz, »wir sind dazu allerdings gezwungen worden!« Das »wir« klang so, als ob der Tag von Grünbühl erst kürzlich gewesen wäre. Der große Tag der Bauern, an dem ihnen zwei Grafen den Bauerneid schwören mußten, war aber am 11. April 1525. Auf freiem Feld saßen am Fuße von Waldenburg die Grafen Albert und Georg von Hohenlohe den Anführern

famille. Même «l'épisode de Grünbühl» y est représenté bien qu'il ait constitué une défaite pour la Maison des Hohenlohe à l'époque. «Notre ex-chancelier, Wendel Hipler, a conclu avec nous un accord au nom des paysans» m'a expliqué un prince de la ligue des Hohenlohe-Waldenburg «mais nous avions été contraints de l'accepter». Ce «nous» donnait l'impression que l'épisode de Grünbühl était récent. Mais ce grand jour pour les roturiers lorsque les comtes durent se soumettre aux conditions posées par les paysans date du 11 avril 1525! Dans un champ, au pied du château de Waldenburg, les comtes Albert et Georges de Hohenlohe rencontrèrent les chefs de l'armée des paysans et durent accepter la réformation. Leur adversaire était Wendel Hipler qui avait quitté le service des Hohenlohe pour devenir le chef des paysans et qui fit jurer à ses anciens maîtres de respecter les «Douze Articles» qui, entre autres, abolissaient le servage et octroyaient aux paysans le droit de pêche et de chasse. Les communautés furent également autorisées à choisir elles-mêmes leurs prêtres. Mais le peuple accepta également de continuer à payer la dîme et d'obéir aux autorités «dans toutes les

Chancellor, Wendel Hipler, entered into an agreement with us in the name of the peasants", explained a prince of the Hohenlohe-Waldenburg line to me, "but we were acting under duress." That "we" sounded as if the Grünbühl incident had happened only recently. But that great day for the commoners, when the counts had to submit to conditions laid down by the peasants, occured on 11th April 1525! In a field below Waldenburg Castle, Counts Albert and Georg of Hohenlohe faced the leaders of the peasant army, and had to agree to accept the Reformation. Their opposite number was Wendel Hipler, who had left Hohenlohe service to become the leader of the peasants, and insisted on his former lords swearing to uphold the "Twelve Articles" which, among other things, abolished serfdom and granted the peasants fishing and hunting rights. Communities were also to be allowed to choose their own priests. But the common people, too, agreed to conditions: to continue paying their tithes, and to obey the authorities in "all proper and Christian matters". Measured against the rights retained by the nobles, the demands of the common man were moderate enough.

▶ Die Weinberge bei Heuholz. Hier, am Westhang der Waldenburger Berge, wachsen gehaltvolle, duftige Weine, die auf den besten Weinkarten stehen könnten, wenn sie nicht vornehmlich von den Hohenlohern selbst getrunken würden. Selbst die wärmeliebenden Trollinger gedeihen hier vortrefflich.

▶ Le vignoble près de Heuholz. C'est ici, sur le versant ouest des montagnes de Waldenburg, que poussent des vignes dont les vins généreux et bouquetés pourraient figurer sur les meilleures cartes des vins s'ils n'étaient surtout bus par les gens de Hohenlohe. Même les Trollinger, qui aiment la chaleur, poussent ici à merveille.

▶ Vineyards near Heuholz. Here, on the western slopes of the Waldenburg Hills, grow fragrant wines with plenty of body which would certainly be included in the best wine lists if they were not largely drunk locally. Even the heat-loving Trollinger grape flourishes on these slopes.

des Bauernheeres »Heller Haufen des Odenwaldes und des Neckartals« gegenüber und mußten sich zur Reformation verpflichten. Ihr Widerpart war Wendel Hipler, der jetzt der Kanzler der Bauern geworden war und seine ehemaligen Herren auf die »Zwölf Artikel« schwören ließ, nach denen von nun an die Leibeigenschaft abgeschafft und Jagd und Fischfang frei werden sollten. Ebenso sollten die Gemeinden ihre Pfarrer selber wählen dürfen. Im übrigen aber versprach der gemeine Mann auch in Zukunft den großen Zehnten zu zahlen und der Obrigkeit in allen »ziemlichen und christlichen Sachen gern gehorsam« zu sein. Gemessen an diesen der Herrschaft weiterhin zugebilligten Rechten waren die Forderungen des gemeinen Mannes maßvoll. Wenn Wendel Hipler nicht als Diplomat und bürgerlicher Grundherr ebenso wenig von der Stimmung beim gemeinen Mann gewußt hätte wie die Standesherren, denen er zuvor gedient hatte, wäre er wohl der bedeutendste Hohenloher seiner Zeit geworden. Ohne Zweifel wäre er fähig gewesen, eine neue Ordnung aufzurichten, er wollte ja auch den kleinen Adel in seine Reformen einfügen. Doch die Bauern überstimmten ihn »im Ring«. Fast alle seine politischen Vorschläge wurden abgelehnt von den Vollversammlungen, wie wir heute sagen würden. Wenn abgestimmt wurde, wog jede Stimme im Wehrhaufen gleich, doch diese schöne fränkische Graswurzeldemokratie mußte versagen beim unermeßlichen Bildungsunterschied zwischen den Machthabern und den Bauern. Vor allem war das politische Spiel

Das alte Hohenlohe bestand aus einer Fülle kleinster gemäßigt absolutistischer Staaten, in denen mancher Landesherr alle seine Untertanen namentlich kannte. Eine Fülle von steinernen Denkmälern erinnert an diese Landesherren. Links ein Ritter von Aschhausen (um 1400), rechts Graf Kraft VI. von Hohenlohe in Öhringen (um 1500).

L'ancienne Hohenlohe était composée d'un grand nombre de tout petits Etats d'un absolutisme modéré dans lesquels plus d'un souverain connaissait tous ses sujets par leurs noms. Un grand nombre de monuments en pierre rappellent l'existence de ces souverains. A gauche, un chevalier de Aschhausen (vers 1400), à droite le comte Kraft VI de Hohenlohe à Öhringen (vers 1500).

Old Hohenlohe consisted of many moderately absolutist mini-states quite a number of which were so small that the ruling lord knew all his subjects by name. There are still many monuments to recall these local rulers. On the left we have a Knight of Aschhausen (about 1400), on the right Count Kraft VI of Hohenlohe, in Öhringen (about 1500).

affaires particulières et chrétiennes». Comparées aux droits que gardaient les nobles, les demandes de l'homme du peuple étaient mesurées.

Si comme diplomate et petit propriétaire, Wendel Hipler n'avait pas été aussi ignorant de l'humeur de l'homme de la rue que l'étaient les nobles qu'il avait servis auparavant, il serait certainement devenu le personnage le plus important de sa région. Il aurait certainement été capable d'établir un nouvel ordre dans lequel il envisageait d'ailleurs d'inclure la petite noblesse. Mais les paysans le désavouèrent. Presque toutes ses propositions politiques furent rejetées par les assemblées générales comme on les appelerait aujourd'hui. Lorsqu'il y avait vote, toutes les voix étaient égales mais cet exemple précoce de démocratie à la base était voué à l'échec en raison de l'immense différence de niveau de formation entre les dirigeants et les paysans. Surtout le jeu politique était déjà si subtil à l'époque que même le conseil des paysans, le groupe des chefs paysans, avait du mal à suivre les arguments de quelques personnes politiquement expérimentées qui étaient de son côté. Hipler était condamné à l'échec parce que dans leur foi naïve en la bénédiction de Dieu sur leur juste cause, les paysans rejetaient tous les subterfuges et les considérations stratégiques. Et c'est ainsi que le soulèvement qui avait commencé dans l'espérance se termina par un bain de sang près de Königshofen et devant Wurtzbourg et par la victoire politique des grands seigneurs qui dès lors devinrent encore plus puissants. Le rêve

If Wendel Hipler, as diplomat and middle-class landowner, had not been just as ignorant of the mood of the common people as were the nobles whom he had previously served, he would probably have become the most important man of the region in his day. He would certainly have been capable of setting up a new order in which he intended to include the lesser nobility. But the peasants outvoted him. Nearly all of his proposals were rejected by the plenary assembly, as we would call it today. When a ballot was held, each fighting man's vote was equal, but this early example of grass-roots democracy was condemned to failure by the immense difference in educational standards between the nobility and the common people. Above all, the political considerations were already then so complicated that even the Peasants' Council, the group of leaders, could hardly understand the arguments put forward by the few politically experienced people who were on their side. Hipler was bound to fail because, in their naive belief in god's blessing on their just cause, the peasants rejected all subterfuge and all strategic considerations. And thus the rebellion, which had begun so hopefully, ended in a bloodbath near Königshofen and outside Würzburg – and with political victory for the great nobles, who from then on grew more and more powerful. The dream of social justice and equality before the law was over for centuries.

Anyone looking for evidence of the events of 1525 must search the archives. In the countryside only a few wayside shrines still recall the

Das Residenzstädtchen Waldenburg war ein mittelalterliches Kleinod bis zum 17. April 1945, als ein unsinniger Kampf das Bergstädtchen zu vier Fünfteln in Schutt und Asche legte. Die alten Türme und Wehrmauern überstanden den Angriff besser als die Bürgerhäuser, und so ist die alte Silhouette der Stadt fast wie ehedem erhalten geblieben.

Waldenburg fut un joyau du moyen âge jusqu'au 17 avril 1945, date à laquelle un combat insensé réduisit en cendres les quatre cinquièmes de cette petite ville de montagne. Les vieilles tours et les remparts ont mieux résisté à l'attaque que les maisons bourgeoises de sorte que la silhouette de la ville est pratiquement restée la même qu'autrefois.

Waldenburg, also the seat of a mini-court, was a medieval gem until 17th April 1945, when a pointless battle reduced four fifths of the little hill-top town to dust and ashes. The old towers and fortifications withstood the onslaught better than the houses, and so the silhouette of the town has survived almost unchanged.

schon damals so kompliziert, daß kaum der Bauernrat, die Runde der bäuerlichen Anführer, den wenigen politisch erfahrenen Leuten folgen konnte, die es mit den Bauern hielten. Hipler mußte scheitern, weil die Bauern im naiven Glauben an den gottgewollten Sieg ihrer gerechten Sache alle Winkelzüge und alle strategischen Überlegungen ablehnten. Und so schloß der Aufstand, der im Fränkischen in der Rothenburger Landwehr begonnen und bei Königshofen und vor Würzburg blutig endete, mit dem politischen Sieg der großen Landesherren, die von da an immer mächtiger wurden. Der Traum vom sozialen Ausgleich und von der Gleichheit vor dem Gesetz war für Jahrhunderte ausgeträumt. Wer heute nach greifbaren Zeugnissen aus dem Jahre 1525 sucht, der muß in die Archive gehen. Im Land erinnern gerade noch ein paar Bildstöcke an die in einem einzigen Sommer in Blut erstickte Revolution. Eines dieser Mahnmale steht zum Beispiel bei Gerlachsheim, wo im Mai 1525 das Kloster verwüstet worden war. Greifbar werden der Bauernkrieg und seine politischen Folgen aber auch im zitierten Siegelmuseum. Außer den Fürsten, Kirchen und Städten hatten auch Politiker wie Wendel Hipler ihr eigenes Siegel, weil sie vielerlei rechtsverbindlich zu beurkunden hatten. Die wächsernen Siegel, die ehedem an allen Urkunden hingen, waren ja der Schlußpunkt eines jeden Rechtsaktes, der damit buchstäblich besiegelt wurde. Schon allein die Größe eines Siegels verriet das Selbstbewußtsein und die politische Bedeutung dessen, der es führte.

de justice sociale et d'égalité devant la loi était fini pour des siècles.

Celui qui cherche des témoignages tangibles des événements de l'année 1525 doit consulter les archives. Dans le pays, seules quelques colonnes votives rappellent encore la révolution étouffée dans le sang en un seul été. Un des monuments se trouve par exemple à Gerlachsheim où le monastère fut saccagé en mai 1525. Mais la guerre des paysans et ses conséquences politiques peuvent également être étudiées dans le musée des Sceaux déjà mentionné. Outre les nobles, les dignitaires de l'Eglise et les villes, des hommes politiques comme Hipler avaient également leur sceau qui leur servait à certifier des documents. Le cachet de cire qui était attaché à chaque document servait à l'authentifier. Les dimensions du sceau donnaient déjà une indication des prétentions et de l'importance politique de la personne qui l'apposait.

En 1945, on se battit pendant trois jours pour les hauteurs de Waldenburg au-dessus de la plaine de Hohenlohe et la bataille une fois terminée, il ne resta plus de la petite ville que dix maisons et quelques murs médiévaux. Aussi la reconstruction de ce merveilleux point de vue au-dessus de la région de Hohenlohe n'en est que plus admirable. Le premier vrai bâtiment construit sur cet éperon fut un château impérial des Hohenstaufen qui était peut-être aussi majestueux et imposant que le château de Leofels dans la vallée de la Jagst. Mais le château et la petite ville furent l'objet de transformations constantes. Ce coin venteux, dissimulé derrière des portails revêtus de

revolution that was drowned in blood in a single summer. One of these memorials is at Gerlachsheim, where the monastery was ravaged in May 1525. But the Peasants' War and its political results can also be studied in the Seal Museum already mentioned. In addition to the nobles, church dignitaries, and municipal officers, politicians like Wendel Hipler also had seals, which they needed for the certification of legal documents. The wax seals, which were attached to all documents, gave them final authenticity. The size of a seal alone was indication of the self-assurance and political importance of the person wielding it.

In 1945, a battle raged for three days for possession of the Waldenburg heights above the Hohenlohe Plain, and, after it was over, all that remained of the little town were ten houses and a few medieval walls. The rebuilding of this finest vantage point above the Hohenlohe region has been admirably done. The first proper building on this narrow spur was a Hohenstaufen imperial castle, which was then, perhaps, just as powerful and imposing as Leofels Castle in the Jagst Valley. But the castle and the little town of Waldenburg were constantly changed and rebuilt. This windy eyrie, ensconced behind its iron-plated gates, always suffered from a lack of water. Until a piped supply was laid on in 1901, water had to be hoisted out of a more than 60-metre-deep cistern, or fresh water hauled up the hill from a spring at the eastern foot of the spur – 248 steps down and up every day. For centuries there must have been

Drei Tage lang ist im Jahre 1945 um den Waldenburger Höhenrücken über der Hohenloher Ebene gekämpft worden, und danach blieben gerade zehn Häuser und das mittelalterliche Steingerüst des Städtchens übrig. Um so bewundernswerter ist der Wiederaufbau dieses schönsten Ausgucks über das Hohenloher Land. Eine staufische Reichsburg war das erste feste Gemäuer auf diesem schmalen Bergsporn gewesen, vielleicht ebenso wuchtig-großartig wie die Burg Leofels im Jagsttal droben. Burg und Städtchen wurden jedoch immer wieder umgebaut.

Auf diesem windigen Platz herrschte hinter den mit Eisenplatten beschlagenen Torflügeln eine ständige Wassernot. Bis zum Bau einer Wasserleitung im Jahre 1901 mußte schales Wasser aus den über 60 Meter tiefen Zisternen heraufgezogen oder aber frisches Wasser von der Quelle am östlichen Fuß des Berges heraufgeschleppt werden – jeden Tag 248 Stufen hinunter und 248 Stufen hinauf. Jahrhundertelang muß das ein Ameisenweg der Wasserholer gewesen sein, und weil das damals vor allem Frauen tun mußten, hießen die Männer den schweren Arbeitsweg dann prompt die »Lästerallee«.

Auf dem Rundweg am Fuße der Mauern ist mir einmal ein Herr mit gleich zwei Büchern fortifikatorischen Inhalts begegnet: Er versuchte, die Entwicklung der vielen Wehrbauten während der sieben Jahrhunderte zu verstehen, in denen sich die Verteidigungsanlagen des Ortes den Angriffswaffen anpaßten und in denen sich die Nachtwächter

plaques de fer, a toujours manqué d'eau. Jusqu'à la pose d'une conduite d'eau en 1901, l'eau a dû être tirée d'une citerne de plus de 60 mètres de profondeur ou bien il a fallu monter l'eau d'une source au pied de la montagne à l'est – chaque jour 248 marches pour descendre et pour monter. Pendant des siècles il a dû y avoir des files ininterrompues de porteurs d'eau et comme l'époque c'était surtout aux femmes qu'était dévolue cette tâche pénible, les hommes baptisèrent bientôt ce chemin l'«allée des médisances».

Un jour que je faisais le tour des murs, j'ai rencontré un homme qui étudiait deux ouvrages sur les fortifications: il essayait de comprendre le développement des remparts pendant sept siècles au cours desquels les installations de défense avaient dû s'adapter constamment aux nouvelles armes offensives et les gardiens de nuit s'appelaient de tour en tour chaque heure pour être sûr qu'aucun d'entre eux ne dormait. Je dois avouer qu'au lieu de me plonger dans de telles études, j'ai préféré cueillir les cerises sauvages qui poussent sur les versants embroussaillés de la montagne et qui sont aussi bonnes que les cerises cultivées.

De toute façon, il faut être animé de l'ardeur d'un archiviste pour visiter tous les châteaux de Hohenlohe. Et je prie donc le lecteur de m'excuser pour tous ceux que je n'ai pas cités ici. Pour en mentionner encore quelques-uns: Pfedelbach, par exemple, qui a été construit au 16e siècle par un comte de Hohenlohe parce qu'il trouvait Waldenburg trop venteux. Aujourd'hui, ce castel d'eau merveilleusement

steady lines of water-carriers passing up and down, and because that was work mainly done by women, the men promptly gave it the name "Slander Alley".

Once, when I was walking round the foot of the walls, I met a man perusing two books on fortifications: he was trying to trace the development of the ramparts over the course of seven centuries, during which time the defensive structures had been constantly adapted to cope with new offensive weapons, and the night watchmen called from tower to tower every hour to make sure that none slept on duty. I must admit that instead of engaging in such studies, I preferred to pick the wild cherries ripening on the wonderfully overgrown slopes below the walls. They tasted as good as cultivated ones. You would certainly have to be an archaeographical fanatic to visit all of Hohenlohe's castles and palaces. I therefore apologize for all those not included here. Only a few more shall be mentioned: Pfedelbach, for example, which was built in the 16th century by a Hohenlohe count because he found Waldenburg too windy. Now, this extremely well-renovated moated castle belongs to the local authority. Its fine hall is available to all the citizens of this winegrowing community for family festivities, and the residential quarters have been converted into flats.

Then there is Bartenstein: it is part of a little hill-top town centred on the palace, and thus typical of this region. Such palaces are always built on the foundations of castles which once dominated the valleys. Tenant farmers and

Vom Hohenloher Wein sagt Rudolf Schlauch, einer der besten Kenner des Landes, er sei wie seine Landsleute: Die schwäbischen Wengerter seien kurz angebunden, eben »räß«, der Hohenloher Häcker aber ein heiterer, fröhlicher Genießer. Die Bilder zeigen links das große Pfedelbacher Faß und rechts das Pfedelbacher Schloß, das zu einem Bürgerschloß mit Mietwohnungen umgebaut worden ist.

Du vin de Hohenlohe, Rudolf Schlauch, un des plus grands connaisseurs du pays, dit qu'il est comme ses compatriotes: les vignerons souabes sont brusques, «rêches», le paysan de Hohenlohe, lui, est un bon vivant. Les photos représentent à gauche le grand tonneau de Pfedelbach et à droite le château de Pfedelbach qui a été transformé en immeuble d'habitation.

Hohenlohe wine, said Rudolf Schlauch, one of the greatest experts on the area, can be compared to its people: the Hohenlohe wine-grower is a cheerful bon viveur, while his Swabian equivalent is brusque and pithy. Our pictures show the great Pfedelbach barrel, and Pfedelbach Castle, which has been converted into flats.

stündlich von Turm zu Turm anzurufen hatten, damit keiner einschlafe. Ich gestehe, daß ich statt solcher Studien lieber die wilden Kirschen am herrlich verwilderten Burghang abzupfte. Sie schmeckten so gut wie Gartenkirschen.

Überhaupt kann nur archivarischer Fleiß einen Menschen bewegen, alle Schlösser Hohenlohes zu besuchen. Ich entschuldige mich also für ein jedes, das ich nicht würdige. Nur ein paar noch seien genannt: Pfedelbach zum Beispiel, das heutige Bürgerschloß, das sich ein Hohenloher Graf im 16. Jahrhundert erbaut hat, weil ihm auf der ererbten Waldenburg zu viel Wind um die Ohren blies. Heute gehört dieses vortrefflich renovierte Wasserschloß der Wein- und Gartenge- meinde Pfedelbach, die einem jeden Bürger den schönen Festsaal für seine Familienfeiern zur Verfügung stellt. Glücklich ist sicher, wer hier eine Wohnung gefunden hat, denn das von außen so repräsentative Schloß ist innen ein zweckvolles bürgerliches Wohngebäude. Oder Bartenstein: Das gehört zu den typischen Bergstädtchen des Landes, die alle auf das Schloß zulaufen. Solche Schlösser stehen immer auf den Grundmauern von

rénové appartient aux autorités locales. Sa belle salle des fêtes est à la disposition de tous les citoyens membres de cette communauté viticole pour les fêtes de famille et le château a été transformé en immeuble d'habitation. Ou bien Bartenstein: il est au centre d'une petite ville de montagne à la configuration typique pour la région. Ce genre de château est toujours construit sur les fondations de châteaux qui dominaient autrefois les vallées. Les fermiers comme le personnel de la cour construisaient leurs maisons près des murs du château. Puis venaient s'y ajouter les bâti- ments administratifs et les chancelleries de ce petit village-Etat et c'est ainsi qu'avec le temps de petites villes se créèrent le long de la voie d'accès qui jusqu'à ce jour ont un seul cen- tre: le château. Bartenstein s'enorgueillit aujourd'hui d'un musée militaire, ce qui n'est pas étonnant lorsque l'on sait que la riche famille des Hohenlohe-Bartenstein pouvait non seulement se permettre d'avoir un orchestre (capable même de jouer «La Flûte enchantée») mais aussi deux régiments de sol- dats qui devaient se battre aux côtés des roya- listes pendant la révolution française. Puis il y a le château de Schillingsfürst

smallholders built their houses near the pro- tective walls of the castle, as did courtiers and servants of the noble household. The many tiny village states in the area maintained offices and chancelleries, here, too, and so, in the course of time, small towns grew up along the approach roads, and these places still have a single focal point: the castle, or, if it has been converted in the meantime to a more comfortable residence, the palace. Today Bar- tenstein boasts a military museum, which is not so surprising if one knows that the rich Hohenlohe-Bartenstein family could not only afford to have its own court band (capable of performing the "Magic Flute"), but also kept two regiments of soldiers – who had to fight on the side of the Royalists during the French Revolution.

There is also Schillingsfürst Palace, destroyed time and again, and always rebuilt in the spirit of the new age. It now stands on Bavarian soil, but it is still considered to be Hohenlohe in spirit, as it represents a glorious period in the House of Hohenlohe: the age of Prince Chlodwig zu Hohenlohe-Schillingsfürst, Chancellor of the Empire, who had one brother who was a cardinal, and another who

◄ Schloß Bartenstein ist erst im 18. Jahrhundert auf den Trümmern einer geplünderten und halb verfallenen Burg aufgebaut worden. Das Barockschloß der Bartensteiner Linie der Hohenloher ist bis heute wohl erhalten geblieben samt der verglasten Fürstenloge in der Schloßkirche und den martialischen Ausstellungsstücken im Militärmuseum.

◄ Le château de Bartenstein n'a été bâti qu'au 12e siècle sur les ruines d'un ancien château saccagé et à moitié déla- bré. Le château baroque de la ligne des Bartenstein de la famille des Hohenlohe est bien conservé avec les loges princières vitrées dans son église et les objets martiaux exposés dans le musée militaire.

◄ Bartenstein Palace was built in the 18th century on the remains of a plundered and half ruined castle. The palace belongs to the Bartenstein line of the Hohenlohe family, is well-preserved, and contains many mementoes of its princely past, some of which are housed in a military museum.

Burgen, die einmal die Täler beherrscht hatten. Vor den Burgen siedelten sich die Hintersassen an, und zu den Residenzzeiten baute das Hofpersonal dort seine Häuser. Dazu kamen die Amtshäuser und Kanzleien der kleinen Dorf-Staaten, und so entstanden der großen Zufahrtsstraße entlang stadtähnliche Ortschaften, die bis in die Gegenwart einen einzigen Mittelpunkt haben: das Schloß. Bartenstein glänzt heute mit einem Militärmuseum, und das kommt nicht von ungefähr: Die reichen Hohenlohe-Bartensteiner konnten sich nicht nur eine eigene Hofkapelle leisten (und sogar die »Zauberflöte« aufführen lassen), sie hatten auch zwei Regimenter Soldaten, die auf seiten der Royalisten gegen die Truppen der Französischen Revolution kämpfen mußten.

Dann das vielfach zerstörte und immer wieder im Geiste einer neuen Zeit aufgebaute Schloß Schillingsfürst: Das liegt nun schon auf bayerischem Boden, doch es wird als urhohenlohisch angesehen, weil es einen glanzvollen Familienabschnitt repräsentiert: das Zeitalter des Reichskanzlers Fürst Chlodwig zu Hohenlohe-Schillingsfürst, der einen Bruder hatte, der Kardinal war, und einen anderen, der am Wiener Hofe als Obersthofmeister brillierte. Das mit Erinnerungen an diese Epoche vollgestopfte Barockschloß ist nach dem Vorbild eines spanischen Palais gebaut. Innen wird die alte Pracht mühsam aufrecht erhalten bis zum »goldenen Hochzeitskleid Ihrer Durchlaucht, der Frau Reichskanzler«. Nachdem es im ehemaligen Preußen keine solchen wilhelminischen

maintes fois détruit et toujours reconstruit dans l'esprit d'une nouvelle époque. Il se trouve maintenant sur le sol bavarois mais il est considéré comme un véritable Hohenlohe car il représente une glorieuse période de cette famille: l'époque du prince Chlodwig de Hohenlohe-Schillingsfürst, chancelier de l'empire dont un frère fut cardinal et un autre grand intendant de la cour impériale à Vienne. Le château baroque, rempli de souvenirs de cette période, est d'inspiration espagnole. A l'intérieur, la splendeur d'autrefois est entretenue avec soin jusqu'à des trésors tels que «La robe de mariée dorée de Son Altesse, l'épouse du chancelier impérial». Etant donné qu'il n'y a plus dans l'ancienne Prusse de musées wilhelmiens, Schillingsfürst fait à cet égard figure d'objet rare.

Un orchestre de la cour sculpté dans la pierre avec violons, lyres, flûtes et cymbales joue dans le jardin du château de Kirchberg pour tous ceux qui savent entendre. Les putti de l'orchestre ont un public de cavaliers et de dames de la cour en pierre également au pied de la «princesse Olga-Linden» – quiconque entre dans ce château pénètre dans un monde qu'annonce une inscription au-dessus du portail: «Le père de la patrie, le prince Christian Friedrich Carl, a restauré en 1774 cette entrée autrefois en ruine.» Devant les guérites en pierre bien conservées devant le château, on s'imagine voir briller les montures des deux soldats de la petite armée de six hommes du pays. Le petit musée quant à lui renferme une invention pratique, une pompe à vin avec laquelle, vers 1800, on pompait le vin des ton-

was successful as Controller of the Imperial Household in Vienna. The Baroque palace, full of mementoes of this period, was modelled on Spanish lines. Inside, the old splendour is maintained as far as possible, up to and including such treasures as the "golden wedding dress of Her Serence Highness the Wife of the Imperial Chancellor". Now that there are no Wilhelminian museums left in former Prussia, Schillingsfürst, with its Prussian connections, has achieved a certain rarity value.

A court band carved in stone, with violins, lyres, flutes, and cymbals, plays for all those with ears to hear in the palace gardens at Kirchberg. The orchestra of cherubs has an audience of equally stony cavaliers and court ladies at the feet of "Princess Olga-Linden". To pass under the inscription above the palace gateway: "The Father of the Fatherland, Prince Christian Friedrich Carl, restored this once ruinous entrance in 1774", is to enter another world. There are two well-preserved stone sentry-boxes in front of the palace, and it is easy to imagine what it looked like when one third of the tiny princedom's six-man army was on duty in them. The small museum, by the way, contains a good example of practical engineering of bygone days: a wine pump with which, in around 1800, wine used to be pumped from barrels in the cellar up to the great hall on the second floor. Any modern Hohenlohe cellar-master would certainly reject the idea of treating his carefully-tended treasures in such a rough manner. In reference to nearby Morstein, Wilhelm

Schillingsfürst, das Hohenloher Barockschloß im Bayerischen, träumt heute noch vom bekanntesten Sohn der Familie, dem Reichskanzler Fürst Chlodwig zu Hohenlohe-Schillingsfürst. In seinen Museumsräumen steht die Wilhelminische Zeit wieder auf.

Schillingsfürst, le château baroque de Hohenlohe dans la partie bavaroise, rêve encore du fils le plus célèbre de la famille, le prince Chlodwig de Hohenlohe-Schillingsfürst, chancelier de L'Empire. L'époque wilhelmienne revit dans les salles de son musée.

Schillingsfürst, the Hohenlohe Baroque palace now incorporated in Bavaria, still dreams of the family's most famous son, the Imperial Chancellor Prince Chlodwig zu Hohenlohe-Schillingsfürst. The museum dedicated to him preserves the spirit of the Wilhelminian age.

Museen mehr gibt, ist Schillingsfürst eine Rarität geworden.

Eine steinerne Hofkapelle mit Geigen, Leiern, Flöten und Becken spielt für alle, die zu hören verstehen, im Schloßpark von Kirchberg. Den Putten des Orchesters lauschen ebenso starre Kavaliere und Hofdamen zu Füßen von »Prinzessin Olga-Linden« – wer dieses Schloß und die enge Residenz davor betritt, taucht völlig ein in die Welt, von der die Inschrift auf dem Torbogen verkündet: »Der Vater des Vaterlandes, Fürst Christian Friedrich Carl gab diesem ehemals baufälligen Eingang die gegenwärtige Gestalt im Jahr 1774.« Aus den auch hier noch wohlerhaltenen steinernen Schilderhäuschen vor dem Schloß scheinen die Monturen von zwei der sechs Soldaten des Ländchens zu schimmern, und im Kleinstmuseum dieser vom Ansehen her so unversehrten Idylle ist die überaus praktische Erfindung einer Weinpumpe zu bewundern, mit der um 1800 der Wein aus den Fässern im Keller in den Festsaal im zweiten Stock gepumpt wurde. Ein heutiger hohenlohischer Kellermeister würde sich solch eine rüde Behandlung seiner sorgfältig gelagerten Kreszenzen allerdings verbitten.

Über das nahe Morstein schrieb Wilhelm Gradmann, der mit viel Einfühlungsvermögen alle Burgen und Schlösser des Hohenloher Landes erforscht hat, einen Satz, der für viele dieser oft so entlegenen Bauten gilt: »Die kleine Burg ist zu einer eigentümlichen Einheit zusammengewachsen, deren Reiz in der Ausstrahlung von Harmonie, Idylle und stiller Verträumtheit besteht.« Diese Harmo-

neaux dans la cave jusqu'à la salle des fêtes au deuxième étage. Aujourd'hui tout sommelier de Hohenlohe qui se respecte se récrierait à l'idée d'un traitement aussi barbare infligé à ses trésors soigneusement entreposés.

Au sujet de Morstein, Wilhelm Gradmann, un expert des châteaux de Hohenlohe, a écrit une phrase qui s'applique à un grand nombre de ces constructions souvent fort isolées: «Le petit château est devenu une unité toute particulière dont le charme réside dans l'harmonie, le calme idyllique qui en émanent». Cette harmonie et ce calme sont toutefois liés en grande partie au paysage paisible. Morstein a pu être construit comme un pavillon de chasse car pendant plus de mille ans, il y a eu au pied de la montagne une immense colonie de hérons que la curiosité et l'indiscrétion des hommes ont fait finalement fuir dans la deuxième moitié de ce siècle. Les vieux habitants de Morstein se souviennent fort bien comment, jusque dans les années soixante, les hérons pourvoyaient à un fond sonore pendant tout l'été. On les entendait constamment croasser, chuchoter, criailler, glottorer et craqueter et lorsqu'ils survolaient la rivière ils cacardaient comme des oies égarées. Les habitants de Morstein étaient attentifs à leurs cris et remarquaient lorsque les oiseaux étaient particulièrement bruyants ou s'ils faisaient entendre des sons inhabituels et il est arrivé ainsi plusieurs fois que les hérons annoncent un incendie avant même qu'il n'ait été détecté.

La héronnière de Morstein est aujourd'hui silencieuse. Les oiseaux nichent maintenant

Gradmann, a sensitive expert on all the castles and palaces of Hohenlohe, wrote a sentence that could be applied to many of these often remote places: "The little castle has attained a strange unity whose charm is a compound of harmony, and idyllic, dreamy tranquillity." This tranquillity and harmony, however, are partly due to the peacefulness of the countryside as a whole. It is possible that Morstein was built as a hunting lodge, because for over a thousand years there was a huge colony of herons here at the foot of the castle hill. They have only been driven away by the curiosity and obtrusiveness of modern man in the second half of our century. Old inhabitants of Morstein recall how, right up into the 1960's, the herons provided a continuous background noise throughout the summer. They were always to be heard, with their croaking, whispering, squeaking, clucking, retching, and snapping noises; and, when flying along the river, they gave forth sounds like straying geese. In any case, the herons were ever-present for the Morsteiners, who also noticed if the birds were particularly noisy or if they called at unusual times, so that it happened on a number of occasions that the herons announced a fire, for example, before it had been otherwise detected.

The heronry at Morstein is now silent. The birds gather a quieter places along the Jagst, so the Morsteiners only see them as they fly past or when they are standing stiff and upright in the shallow waters on the lookout for fish. If you want to watch the herons nowadays, you must have plenty of time to sit still,

nie der Stille hängt allerdings überall eng zusammen mit der Stille der menschenleeren Landschaft. Es ist denkbar, aber nicht zu beweisen, daß Morstein als Jagdstützpunkt errichtet wurde, weil am Fuße des Burgberges seit wohl über tausend Jahren eine mächtige Reiherkolonie lag. Erst die tumbe Neugier und Zudringlichkeit der Menschen in der zweiten Hälfte dieses Jahrhunderts haben diese Reiher vertrieben. Alte Morsteiner erinnern sich jedoch gut, wie die Reiher bis in die sechziger Jahre hinein im Sommer ein ständiges Hintergrundgeräusch in den Ort brachten. Stets waren sie zu hören, das krächzte, wisperte, quiekte, keckerte, gokste, rülpste und schrie, dazu riefen die fliegenden Reiher am Fluß wie verirrte Gänse – die Reiher waren allgegenwärtig für die Morsteiner, die auch aufmerkten, wenn die Reiher zu ungewöhnlichen Zeiten oder mit ungewöhnlichen Lauten Krach machten. So kam es jedenfalls dazu, daß die Vögel ihren Morsteinern mehrere Brände meldeten, die die Menschen vor dem Reihergeschrei noch gar nicht bemerkt hatten.

Die Reiherhalde von Morstein ist heute stumm. Die Vögel horsten jetzt an ruhigeren Plätzen im Jagsttal, und so sehen sie auch die Morsteiner nur noch im Vorbeifliegen oder wenn die Reiher starr im Flachwasser auf dem Fischanstand stehen und auf die Weißfische lauern. Wer den Reihern begegnen will, muß heute sitzen und schauen, sinnieren und die Zeit dahintropfen lassen. Plötzlich schweben sie dann mit elegant gebogenem Hals und schweren Flügelschlägen fast lautlos über das

dans des endroits plus paisibles le long de la Jagst de sorte que les habitants de Morstein les voient seulement passer ou venir chercher de la nourriture dans la rivière. Celui qui veut rencontrer des hérons aujourd'hui doit les attendre patiemment. Ils arrivent soudain d'un battement d'ailes puissant et élégant, le cou ployé, presque silencieux au-dessus de l'eau et avant que l'on s'en soit vraiment rendu compte leur silhouette gris blanc disparaît derrière les arbres au premier coude de la rivière.

Chaque petite localité dans la vallée de la Jagst a son barrage pour établir un bief. Et chaque localité a un pont en bois, en pierre, en béton qui offre un beau point de vue sur la rivière. Celui qui ne sait s'arrêter ici, regarder dans l'eau et écouter le murmure du ruisseau n'est pas à sa place dans la Hohenlohe. Mais celui qui en se promenant s'arrêtera peut-être au moulin de Bächling où les chats sont légion et regardera en direction du sud-est pour voir se dresser dans le ciel les ruines imposantes du château de Leofels, celui-là éprouvera la même impression qu'un randonneur d'il y a 800 ans: il entendra les cris des oiseaux, le bruit de l'eau et du vent et de ses pas. Quelle importance a pu avoir cette région reculée à l'époque des Hohenstaufen pour que l'on ait estimé nécessaire de construire une forteresse impériale aussi imposante à cet endroit? Nul ne sait si un empereur de la Maison des Hohenstaufen a jamais vu Leofels. Mais les meneaux de ses fenêtres, percées dans les murs épais fortifiés de ses ruines terriblement saccagées, montrent que tout avait

and wait. Then one suddenly appears, sailing along with heavy, but almost silent wing-beats and with elegantly bent neck – and before the bird-watcher can take in the greyish-white shadow completely, it has disappeared behind the trees by the next bend in the river.

Every little place in the Jagst Valley has its own broad weir to provide a mill-race. And every place has a bridge of wood, masonry, or concrete which provides a vantage point above the stream. Anyone who cannot stop at such a point in order to look down at the water and to listen to it flowing past is in a poor way, and is unsuited for the Hohenlohe countryside. But then, walking on, and stopping, perhaps, at the Bächlinger Mill, overrun with cats, and looking ahead towards the south-west, where suddenly the great ruin of Leofels Castle rises against the sky, – if you then listen to the sounds of the countryside you will surely hear the same sounds as a traveller 800 years ago: the birdsong and the river, the wind, and your own footsteps. What was so important about this remote region in the time of the Hohenstaufens that it was considered necessary to build such mighty imperial fortresses here? No one knows if a Hohenstaufen emperor ever saw Leofels. But the delicate mullions of the windows let into the thick defensive walls of the shamefully ravaged ruin already suggest that everything here was built and planned for the emperor, who was in constant progress from castle to castle, fortress to fortress. Students of architecture might well feel they are in Sicily when they look at this castle, and that, too, is

◄ Wer dem Geist eines alten Residenzstädtchens nachspüren will, muß nach Kirchberg gehen. Leopoldo Retti, ein
italienischer Baumeister, hat mit einheimischen Handwer-
kern aus einem Renaissancebau ein barockes Schloß
gemacht und sogar einen Hofgarten angelegt. Das Beson-
dere ist hier aber die Einheit von Schloß und Städtchen –
die Hofhaltung ging bis zum Stadttor.

◄ Quiconque veut retrouver l'esprit d'une petite ville
ancienne doit aller à Kirchberg. Avec l'aide d'artisans
locaux, Leopoldo Retti, un architecte italien, a fait d'une
construction Renaissance un château baroque et même
aménagé un jardin sur le versant abrupt. Mais la particula-
rité de cet endroit est l'unité entre le château et la petite
ville – la cour s'étendait jusqu'aux portes de la ville.

◄ To get a feeling for the spirit of the capital of one of the
old mini-states go to Kirchberg. Here, with the help of local
craftsmen, Leopoldo Retti, an Italian architect, converted
what had been a Renaissance building into a Baroque
palace, even creating a palace garden on the steep slope
below. But the special charm of this little place is the way
palace and town blend to form a single artistic entity.

▼ Schloß Morstein, die alte Höhenburg über dem Jagsttal.
Ihr Bergfried wurde in der Renaissance mit den damals
stilgerechten Gebäuden umbaut – aus der Burg wurde ein
Schloß. Die berühmten Reiher von Morstein sind leider von
der Unvernunft ihrer Bewunderer vertrieben worden.

▼ Le château de Morstein, l'ancienne forteresse au-dessus
de la vallée de la Jagst. A l'époque de la Renaissance, son
donjon a été entouré de bâtiments et le château fort est
devenu un château dans le style de l'époque. Les célèbres
hérons de Morstein ont malheureusement été chassés par
l'inconséquence de leurs admirateurs.

▼ Morstein Castle, high above the Jagst Valley. Its keep was
converted and extended in the Renaissance period – and
the castle became a palace. The famous herons of Morstein
have unfortunately been forced to disperse by the impor-
tunity of their admirers.

Wasser, und eh der Blick die grauweiße Gestalt so recht erfaßt hat, verschwindet der Vogel hinter den Bäumen der nächsten Flußbiegung.

Jedes Ortschäftlein hier im Jagsttal hat sein breites Wehr, das einen alten Mühlbach staut. Und jeder Ort hat eine Brücke, aus Holz, aus Stein, aus Beton. Wer hier nicht stehenbleiben, ins Wasser schauen und dem rauschenden Wasser zuhören kann, der ist ein armer und für Hohenlohe ungeeigneter Mensch. Doch wer dann beim Weiterwandern, etwa von der katzendurchwuselten Bächlinger Mühle, gen Südosten auf einmal solche Mauerklötze wie die Burg Leofels vor sich am Horizont sieht und dazu in die Landschaft hineinhorcht, der erlebt wohl dasselbe wie ein Wanderer vor 800 Jahren: die Vogelrufe und den Fluß, den Wind und den eigenen Schritt. Welche Bedeutung aber muß dieses abgelegene Land zu Zeiten der Staufer gehabt haben, da sie es durch so herrscherlich-gewaltige Reichsburgen für sich beansprucht haben? Niemand weiß, ob jemals ein Stauferkaiser Leofels gesehen hat. Doch allein schon die zierlichen Fenstersäulchen in den dicken Wehrmauern der schändlich geplünderten Ruine zeigen, daß hier alles gebaut und gerüstet war für die von Burg zu Burg, von Pfalz zu Pfalz ziehenden Herrscher. Baukundige mögen sich beim Anblick der Burg wie in Sizilien fühlen, und auch das gehört zum Stil des staufischen Imperiums: Friedrich II. ließ seine elegant-imposanten Baupläne gleichermaßen in Sizilien, in den Abruzzen und in Hohenlohe verwirklichen.

été conçu et construit pour le souverain qui allait de château en château, de forteresse en forteresse. A la vue de ce château, certains pourront se croire en Sicile et cela aussi est caractéristique de l'empire des Hohenstaufen: Frédéric II a fait réaliser les mêmes plans élégants et imposants en Sicile, dans les Abruzzes et en Hohenlohe.

a characteristic of the Hohenstaufen empire: Friedrich II had the same elegant and imposing style translated into stone in Sicily, the Abruzzi Mountains, and in Hohenlohe.

Ein architektonischer Fremdling in Hohenlohe ist die spät-
romanische Reichsburg Leofels. Sie wurde als Stauferburg
nach den Plänen der Zentralgewalt in Italien und nur zum
Nutzen der Kaiser gebaut. Die Burg hatte den Kaiser und
sonst niemand zu beherbergen. Die Burgbesatzung aber
hatte des Kaisers Macht im Reich zu festigen.

La forteresse impériale de Leofels, qui date de la fin du
roman, est une étrangère architectonique en Hohenlohe.
Elle a été construite pour les Hohenstaufen d'après les
plans de l'administration centrale en Italie et uniquement
pour l'empereur. Le château devait accueillir l'empereur et
lui seul. Mais la garnison du château devait consolider la
puissance de l'empereur dans l'empire.

The late-Romanesque imperial castle of Leofels is an
architectural alien in Hohenlohe. It was built as a Hohenstaufen castle for the sole use of the emperor to plans
drawn up by the central government in Italy. The garrison's
task was to establish the emperor's presence and extend
his power in the region.

Im stillen Ohrntal, das, wie Rudolf Schlauch sagt, eines der »seelischen Naturschutzgebiete« Hohenlohes ist.

Dans la paisible vallée de l'Ohrn qui, comme le dit Rudolf Schlauch, est «une des réserves spirituelles de Hohenlohe».

The serene Ohrn Valley, which, to quote Rudolf Schlauch, is one of Hohenlohe's "spiritual conservation areas".

## Geisternacht in Öhringen

Dem gemütlichen Öhringen sollte man sich aus dem einsamen Ohrntal nähern, dem schönsten Wiesengrund ringsum. Von dort her gesehen, liegen die Weinhänge und das Gartenland von Verrenberg, Pfedelbach und Heuholz samt den dunkelgrünen Löwensteiner und Waldenburger Bergen im Süden, und davor heben sich die Türme der Öhringer Stiftskirche ab, die noch über das Schloß hinausragt. Hier haben sich auch einmal die Bürger ein Denkmal errichtet. In der Krypta dieser wuchtigen Stiftskirche liegen die Gebeine einer von der Geschichte vergessenen Frau Adelheid, der Öhringen viel zu verdanken hat. Als Mutter des Regensburger Bischofs Gebhard sorgte sie dafür, daß hier 1037 ein reich beschenktes Chorherrenstift entstand, dem sie dann auch noch die Reliquien spendete, die den Ort zu einem reichen Wallfahrtsort machten. Zu diesen Stücken war sie gekommen, weil einer ihrer anderen Söhne der erste Salierkaiser Konrad II. war. Die Staufer, die schließlich nicht nur die politischen Erben der Salier waren, ehrten die gemeinsame Ahnin genau 200 Jahre nach ihrem Tode mit einem schönen Sarkophag. Darin sind ihre Gebeine bis heute erhalten geblieben, wie unsere neugierige Zeit festgestellt hat. Weitaus prunkvoller als diese Grabstätte einer großen Dame aber sind die Grabmale der Hohenloher Grafen aus dem Anfang des 17. Jahrhunderts im Chor. Auf wandhohen Steindenkmälern voller Figuren protzen diese Grafen im Stil ihrer Zeit mit all ihren Frauen, Kindern und allen bösen Feinden, die sie jemals besiegt haben.

## La nuit des fantômes à Öhringen

On se rendra de préférence dans la charmante ville d'Öhringen par la vallée solitaire de l'Ohrn. De là, on voit les vignobles et les jardins de Verrenberg, Pfedelbach et Heuholz avec les montagnes d'un vert sombre du Löwenstein et du Waldenburg devant lesquelles se dressent les tours de l'église collégiale d'Öhringen qui s'élèvent au-dessus du château. Ici également on a érigé autrefois un imposant monument de pierre. La crypte renferme les ossements de Frau Adelheid, oubliée par l'histoire mais à laquelle Öhringen doit beaucoup. Mère de l'évêque Gebhard de Ratisbonne, elle veilla à l'érection, en 1307, d'une église collégiale bien dotée et à laquelle elle fit également don des reliques qui firent de l'endroit un riche lieu de pélerinage. Elle obtint les reliques du fait qu'un autre de ses fils était le premier empereur salien, Conrad II. Les Hohenstaufen, qui finalement n'étaient pas seulement les héritiers politiques des Saliens, honorèrent leur ancêtre commun exactement 200 ans après sa mort avec un beau sarcophage. Ses ossements s'y sont conservés jusqu'à nos jours comme l'a constaté notre époque curieuse. Les tombeaux des comtes de Hohenlohe du début du 17e siècle dans le chœur sont beaucoup plus prétentieux que ce monument élevé à la mémoire d'une grande dame. Ces comtes, que le sculpteur a figés dans la pierre dans le style de leur époque, ont fière allure avec toutes leurs femmes, leurs enfants et tous les ennemis qu'ils ont vaincus.
Il est toujours difficile d'expliquer pourquoi on tombe amoureux même si l'objet en ques-

## Ghosts abroad in Öhringen

The pleasant town of Öhringen is best approached from the lonely Ohrn Valley, the finest grassy dell for miles around. Seen from there, the countryside around Verrenberg, Pfedelbach and Heuholz, with its vineyards and gardens, with the dark-green Löwenstein and Waldenburg hills, lies in the south, and in front rise the towers of Öhringen's one-time collegiate church, overtopping the castle. Here, for once, commoners also created an imposing monument of stone. The crypt contains the bones of a Frau Adelheid, forgotten by history, to whom Öhringen owes a great deal. As the mother of Bishop Gebhard of Regensburg, she was responsible for a well-endowed collegiate church being built here in 1037 – and she contributed the sacred relics which made the town into a rich place of pilgrimage. She obtained the relics by virtue of the fact that her other son was the first Salian Emperor, Conrad II. The Hohenstaufens, who were, after all, not only the political heirs of the Salians, honoured the joint ancestor with a fine sarcophagus exactly 200 years after her death. It still contains her bones (as the brash curiosity of our modern age has discovered). The tombs of the Hohenlohe counts of the beginning of the 17th century in the chancel, are far more pretentious than the memorial to a great lady. Heavily populated with figures, they display the proud nobles in the style of their age, with all their wives, children, and all the naughty enemies they ever conquered. Falling in love is always difficult to explain in rational terms, even if the object of devotion is only a little town like Öhringen. But, in this

Liebeserklärungen sind immer schwer zu begründen – selbst wenn nur ein Städtchen wie Öhringen gemeint ist. Denn dort kommt eben alles zusammen: die Residenzstimmung auf dem großen Platz vor dem obligaten Stadtschloß und vor allem die Spannung zwischen den betriebsamen Straßen mit den großen Scheuern-Torbogen der alten Bürgerhäuser zum menschenleeren, still-beschaulichen Hofgarten. Nur bei dem kleinen Tiergarten dort (in dem man sich anständig benehmen soll, »um die Tiere nicht zu verbittern«) ist regsames Leben, das von der Stadt herübergeschwappt zu sein scheint. Und wie anheimelnd-verführerisch ist der abendliche Sog zu den kleinen Weinwirtschaften, die schon der alte Gäwele besungen hat.

Ich gestehe, daß schwache Menschen wie ich solchen allgemeinen Wünschen weder widerstehen wollen noch widerstehen können. Auch die Gaststube zum »...« war nieder, warm und freundlich. Lieblich, frisch und fruchtig war der weiße Pfedelbacher, ich muß den Öhringer Bürgern an meinem Tisch jedoch einen Schoppen voraus gewesen sein, als diese Braven aufbrachen und heimwankten. Denn ich war so seltsam klarsichtig und wach, daß ich genau gesehen habe, wie der letzte Gast zur Stube hinausstolperte und wie gleich darauf der schwarzbronzene Herkules von Jagsthausen aus dem Keller heraufgerumpelt kam. Lebensgroß und nackt wie er war, ließ er sich auf die Bank neben mir plumpsen, winkte der Marie und hob zwei Finger wie ein Stammgast. Und die Marie kam tatsächlich

tion n'est qu'une petite ville comme Öhringen. Pourtant, dans ce cas, certaines des raisons sont évidentes: l'atmosphère aristocratique de la grande place devant le château et – surtout – le contraste entre les rues animées des maisons bourgeoises avec leurs grandes voûtes menant aux granges et le calme du jardin du château désert sauf dans le coin réservé à un petit zoo (où il est demandé aux visiteurs de se conduire de manière «à ne pas irriter les animaux»). Et combien sont tentatrices le soir les petites tavernes que le vieux Gäwele a déjà célébrées en son temps.

Je dois reconnaître que les gens faibles comme moi peuvent difficilement résister à l'ambiance générale. Et je me suis donc retrouvé dans une de ces petites auberges typiques et plaisantes et le vin blanc de Pfedelbach y était frais et fruité. Mais je devais être en avance d'une chopine sur mes compagnons de table, tous gens d'Öhringen, lorsque ceux-ci se levèrent et partirent en chancelant. Car j'avais l'esprit si clair que je vis parfaitement le dernier consommateur quitter la taverne et immédiatement après l'Hercule de bronze noir de Jagsthausen monter de la cave. Grandeur nature et nu, il vint s'affaler à côté de moi sur le banc et appela la Marie en levant deux doigts comme un habitué. Et la Marie vint effectivement avec deux grands verres pour les poings puissants de ce monument de l'époque romaine qui, à minuit, aurait dû être dans sa vitrine du musée de Jagsthausen sous la forme d'une petite sculpture en métal. Comment ce héros en était-il venu à boire ici du vin rouge de Verrenberg? Et ne voilà-t-il

case, some of the reasons are obvious: the aristocratic atmosphere of the large square in front of the castle, and – above all – the contrast between the lively streets of burghers' houses (with their large archways leading to barns) and the tranquillity of the castle garden – deserted except in one corner by the little zoo, where a notice asks visitors to behave in an appropriate manner so as not to "embitter the animals". And how cosy and irresistible is the evening 'migration' to the little wine taverns – which, in days gone by, also earned the praise of old Gäwele.

I must admit that weak people like myself find it hard to resist such mass movements. I found myself in one of the typical, low-ceilinged, warm, and friendly little pubs, and the white wine from Pfedelbach was pleasantly fresh and flowery. But I must have been one glass ahead of the Öhringen people who shared my table when they broke up the party and tottered home. In any case, I was still strangely bright and awake when I quite clearly saw the last guest stumble out of the inn. Then, immediately afterwards, the black-bronze Hercules from Jagsthausen came stamping up the cellar stairs. Life-sized and naked, he sat down next to me on the bench, waved to Marie, and held up two fingers like a regular customer. And Marie then actually came over with two large glasses for the powerful fists of this protected monument from Roman times which, even at midnight, should not really go drinking, but, tiny metal figure that it actually is, should stay put in its little glass show-case in the Jagsthausen Museum. What was this

Vom stillen Hofgarten her türmt sich in Öhringen zuerst das schlichte Schloß aus dem 17. Jahrhundert. Dahinter erhebt sich die schon im 11. Jahrhundert begonnene Stiftskirche. Das Schloß wurde zuerst als einfacher Witwensitz geplant und später etwas prunkvoller ausgebaut. Heute dient es als Rathaus und als Weinkeller. Die Miete für die Weingewölbe wird vertraglich mit Wein abgegolten.

Le sobre château du 17e siècle et à l'arrière-plan la collégiale commencée dès le 11e siècle s'élèvent au-dessus du jardin paisible. Le château fut d'abord conçu comme la simple résidence d'une veuve et aménagé par la suite de façon plus somptueuse. Aujourd'hui, il sert d'hôtel de ville et de cave à vin. Le loyer du cellier est payé en vin, comme le veut le contrat de bail.

Behind the tranquil Palace Gardens in Öhringen rises the unpretentious 17th century palace itself and, behind it, the Collegiate Church, begun in the 11th century. The palace was originally planned as a dowager's house, but was later made somewhat more sumptuous. Today it serves as town hall and wine-cellar. The rent for the wine-cellar is paid in wine.

mit zwei dicken Römern für die klobigen Fäuste dieses staatlich baden-württembergisch-hohenlohischen Bodenkulturdenkmals aus der Römerzeit, das doch eigentlich selbst um Mitternacht als ein winziges Metallfigürchen in seiner Jagsthausener Museumsvitrine zu hocken hatte. Wie kam der Göttersohn dazu, hier den roten Verrenberger in sich hineinzuleeren? Und da hockte auch schon sein Kumpan neben ihm: der Silen aus dem Öhringer Weygang-Museum, auch er zu voller Menschengröße gewachsen mit feucht schimmernder bronzener Haut.

Die Herren schienen recht oft herzukommen. Die Marie wußte jedenfalls schon, daß ein ausgewachsener Herkules und ein Silen zusammen selbst dem größten Weinkeller zusetzen können. Sie brachte, sie schleppte immer neue Krüge herbei, und sie setzte sich nicht einmal zu uns, als der Silen erzählte, wie er den Römern damals entkommen war. Sie kannte die Geschichte wohl schon auswendig wie alle Geschichten ihrer Stammgäste.

Von einem Hausaltar hatte er sich in ein Bodenloch hinunterfallen lassen, als mal wieder der Lehmboden gerichtet wurde im Haus des kaiserlichen Finanzbeamten Fausti-

pas qu'il avait maintenant un compagnon: le Silène du musée Weygang d'Öhringen, grandeur nature également et avec une peau de bronze aux reflets brillants. Ces messieurs semblaient venir souvent ici car la Marie savait fort bien qu'un Hercule et un Silène peuvent ensemble vider même la plus grande cave. Elle amenait sans cesse de nouvelles cruches et ne prenait même pas la peine de s'asseoir à côté de nous pour écouter le Silène raconter comment il avait échappé à l'époque aux Romains. Elle devait connaître l'histoire par cœur comme toutes celles des habitués. Il avait sauté d'un autel domestique dans la maison d'un officier du trésor impérial du nom de Faustinus Faventius et s'était caché dans un trou dans le sol en terre battue qui venait d'être rénové une fois de plus. Il ne voulait pas retourner à Rome avec Faventius car il était grec et était habitué à une vie plus gaie que celle que l'on menait dans cette maison de fonctionnaire remplie de rustres du camp militaire. Hercule, toujours prêt à l'aventure, avait une histoire semblable à raconter. Tous deux s'étaient tellement plu à Vicus Aurelii qu'ils avaient décidé d'y rester surtout lorsqu'ils avaient vu qu'il y avait également des

hero doing, pouring red Verrenberg wine down his brazen throat? And then, suddenly, he had a companion: the Silenus from the Weygang Museum in Öhringen; he, too, was life-size, with a gleaming bronze complexion.

The two gentlemen seemed to come there a lot, because Marie clearly realized that a full-sized Hercules and Silenus himself were capable of drawing heavily on the cellar's resources. She was kept busy fetching and carrying one wine jug after the other, and did not even sit down with us when Silenus told the story of how he escaped from the Romans that time. She probably knew the story by heart, the way she knew the stories of all her regulars. He had jumped down from a private altar in the house of an imperial treasury official called Faustinus Faventius, and had hidden in a hole in the clay floor which was being renovated once again. He did not want to go back to Rome with Faventius, because he himself was a Greek, and was used to a more amusingly civilized life than was to be had in that dull official's house full of roughnecks from the Roman fort. Hercules, always ready for an adventure, had a similar story to tell.

▶ Die in ihrer heutigen, spätgotischen Form großartige Öhringer Stiftskirche (hier mit ihrem Kreuzgang) ist zwar ein Werk der Bürgerschaft, doch ihr Inneres birgt prunkvolle Herrschergräber, so den Sarkophag der salischen Kaisermutter Adelheid und die Grabmale mehrerer Hohenloher. Auch diese Denkmäler sind das Werk einheimischer Handwerker, so von Bildhauern aus der berühmten Familie Kern in Forchtenberg.

▶ La merveilleuse collégiale d'Öhringen de style gothique tardif (ici avec son cloître) est certes l'œuvre des habitants mais l'intérieur renferme de somptueux tombeaux de souverains tels que le sarcophage d'Adelheid, la mère du premier empereur salien et les monuments funéraires de plusieurs Hohenlohe. Ces monuments sont également l'œuvre d'artisans locaux comme les sculpteurs de la célèbre famille Kern à Forchtenberg.

▶ The magnificent late-Gothic Öhringen Collegiate Church (here the cloisters) was built by the citizenry, but it contains some splendid tombs to local rulers, including the sarcophagus of Adelheid, the mother of a Salian emperor, and monuments to a number of Hohenlohe princes. The monuments are the work of local craftsmen, including sculptors from the famous Kern family of Forchtenberg.

nus Faventius. Mit dem wollte er nicht nach Rom zurück, denn Silen war ein Grieche und an ein lustigeres Leben gewöhnt, als er es in diesem Beamtenhaushalt voller dummer Grobiane aus dem Militärlager erlebte. Auch der immer abenteuerlustige Herkules hatte es so ähnlich gemacht, ihnen beiden hatte es hier im Vicus Aurelii so gut gefallen, daß sie dazubleiben beschlossen, als sie entdeckt hatten, daß sogar die Reben gediehen. Ja, der Herkules hatte damals den später so weit verbreiteten Spruch getan, daß man um dieses schöne Land einen Limes so hoch wie drei Bäume bauen könne, ohne daß dann die Leut' in dieser Mauer die Welt draußen vermissen würden. Denn alles, wirklich alles, was der Mensch nur brauche, sei hier in Fülle da.

Verwunderlich war nur, daß immer Wein im Krug war, so viel wir auch tranken. Denn eigentlich lief die Marie ja doch nicht umher, sondern war auf der Ofenbank eingeschlummert mit ihrem Strickzeug und dem Wirtshauskater auf dem Schloß. Sogar der Kater schlief so tief, daß er nicht einmal hörte, wie die Weikersheimer hereinpurzelten. Alle zusammen waren sie gekommen, die ganze Gnomenschar vom Hoffräulein bis zum Hofjuden, von der Gänskätterli bis zum Narren. Und sie redeten gleich alle zusammen auf mich ein: welch eine Schande es sei mit der Marcharet und dem braven Buben, den dieses Weib an der Nase herumführe. Jetzt geh' die Kugelfuhr schon in die sechste Woche und sie wollten diesem Weibsbild die Meinung sagen. »Wir werden«, drohten der

vignobles dans la région. Et c'était Hercule qui avait dit la fois-là – une remarque qui allait devenir célèbre – que l'on pouvait construire un limes haut comme trois arbres autour de ce magnifique pays sans que les gens à l'intérieur de ce rempart regrettent le monde extérieur car il y avait vraiment, vraiment tout ce qu'il fallait et en abondance dans ce coin.

Il était cependant curieux que la cruche soit toujours pleine de vin bien que nous en buvions en quantité. Car Marie avait cessé de nous servir et s'était endormie sur le banc près du fourneau, son tricot à côté d'elle et le chat de la maison sur ses genoux. Même le chat dormait si profondément qu'il n'entendit pas entrer les nains de Weikersheim. Ils étaient tous là de la dame d'honneur jusqu'au juif de la cour. Et ils me parlaient tous à la fois: comme c'était méchant de la part de cette Margaret de taquiner aussi cruellement ce brave garçon. Ils étaient bien décidés, me dirent-ils, à lui donner une leçon. «Nous lui apparaîtrons en rêve» dirent le tambour et l'adjudant «et nous tambourinerons et tirerons et ferons tant de bruit qu'elle n'osera plus se rendormir!» Ils étaient tous deux soldats et ne pouvaient imaginer autre chose que faire du bruit.

«Je dirai à la jeune fille» déclara la demoiselle d'honneur «que son Souabe en a trouvé une autre depuis longtemps! D'abord, ils sont tous pareils et il est temps qu'elle sache ce que c'est que la jalousie!» Le trésorier voulait même faire saisir Margaret et le conseiller privé était pour l'enfermer, ce qu'il avait toujours préféré

The two of them had so much enjoyed living here in Vicus Aurelii that they decided to stay, especially when they realized that the vine also flourished in the region. Yes, in fact it was Hercules who was the author of the famous remark that you could build a *limes* as high as three trees round this beautiful country without the people inside the wall missing the outside world, for everything, yes, really everything that a man needed, was to be found here in plenty.

It was strange, however, that there was always wine in the jug, no matter how much we drank – for Marie was no longer dashing back and forth, but had nodded off to sleep on the bench next to the stove with her knitting beside her and the cat on her lap. Even the cat was so fast asleep that he did not hear the Weikersheim dwarfs come tumbling in. They had all come, the whole army of dwarfs, from the Lady-in-Waiting to the Court Jew, from the Gooseherd to the Court Jester. And they all started talking to me at once: how naughty the girl Margaret was to tease that nice young lad so cruelly. They were determined, they said, to give the girl a piece of their mind. "We'll appear to the girl in her dreams", said the Drummer and the Sergeant-major, "and bang our drum, and fire our guns, and make so much noise that she'll not dare to go to sleep again!" Being soldiers, they could think of nothing but making a noise.

"I shall tell the young lady", said the Lady-in-Waiting, "that her Swabian boyfriend has long since got another mistress! Firstly, they're all like that, and secondly, it's high time she her-

Trommler und der Wachtmeister, »dem leichtsinnigen Madla im Traum erscheinen und trommeln und schießen und Krach machen, daß es sich nicht mehr einzuschlafen traut!« Die zwei waren eben Militärs, und da fiel ihnen nichts anderes ein, als Lärm zu machen.

»Ich werde der jungen Dame mitteilen, daß ihr Schwabe längst mit einer anderen durchs Land zieht!« sagte das Hoffräulein spitz, »erstens tun das alle, und zweitens soll die auch mal spüren, was Eifersucht ist!« Der Kammerkassier wollte die Marcharet sogar pfänden lassen, und der Hofrat war fürs Einsperren, wie er das immer getan hatte in verzwickten Fällen. Der Hofjäger war auch nicht zimperlich und empfahl eine Ladung Schrot ins Hinterteil, die Hofköchin war für eine Hungerkur, der Kellermeister aber gedachte, die Marcharet mit seiner besten Flasche so zu verführen, daß sie in ihrem Schnärwele, ihrem Räuschlein, den adligen Faulpelz als ihren Liebhaber ansehen sollte. Nur der Hofnarr hatte einen brauchbaren Einfall. Der tupfte mit dem Finger in das Glas des Silen und legte einen dicken roten Weinstrich über das Wort »Niedernhaller Distelfink« auf der Weinkarte auf dem Tisch. Natürlich, das war die Lösung!

»Stieglitz sitzt dort auf der Traube/unter eines Rathaus' Haube!«, hieß das Verslein – der Stieglitz war der Distelfink, der berühmte Vogel, der dem Niedernhaller Vogt entflogen war, worauf der schnell die Stadttore hatte zumachen lassen. Heute schnalzen die Nachbarn der Niedernhaller allerdings nicht

dans des cas compliqués. Le chasseur n'y allait également pas de main morte puisqu'il suggérait une charge de chevrotines; le cuisinier préconisait de la faire jeûner et le sommelier proposait de la séduire avec une bouteille de son meilleur vin afin qu'elle tombe amoureuse du paresseux courtisan. Seul le fou eut une bonne idée. Il trempa le doigt dans le verre du Silène et traça un gros trait au vin rouge sur les mots: «Niedernhaller Distelfink» sur la carte des vins. Evidemment, c'était la solution!

«Des raisins ornent les murs de la mairie/et un chardonneret y chante aussi!» avait écrit Margaret et un «Distelfink» est un chardonneret. Et il y avait un chardonneret légendaire associé à Niedernhall et qui avait donné son nom au vin souligné par le fou. Selon cette légende, un bailli de Niedernhall dont le chardonneret apprivoisé s'était sauvé avait aussitôt fait fermer les portes de la ville pour que l'oiseau ne puisse pas quitter la place. Aujourd'hui la légende est tombée dans l'oubli et lorsque les gens entendent parler de «Distelfink» ils pensent au vin blanc fruité du même nom ou au chardonneret peint sur la façade de la mairie et qui picore des grains de raisin doré. J'aurais dû y penser plus tôt.

Je voulus prendre la carte des vins mais elle s'envola, emportée par deux étranges nuages, un noir et un blanc qui avaient forme humaine et s'embrassaient. Le Silène se leva d'un bond: «Le fou l'a trouvé! Vive le fou! Fantômes d'Orlach, ramenez la carte! Les deux Romains à côté de moi, les nains de pierre et toute une armée de nymphes et de

self found out what jealousy is!" The Treasury Clerk suggested having Margaret seized, and the Privy Councillor was all for locking her up, which was what he had always favoured in complicated cases. The Gamekeeper suggested the crude method of a load of shot in her derrière, the Cook was in favour of a stavation diet, and the Cellarer suggested seducing her with a bottle of his best vintage so that in her cups she might fancy herself to be in love with the slothful, unpleasant Courtier. Only the Court Jester had a useful idea. He dipped his finger in Silenus's glass, and drew a thick line of red wine across the words "Niedernhaller Distelfink" on the wine list. Of course – that was the solution!

"Grapes adorn the Town Hall walls,/ And there a goldfinch pecks and calls." – that was one of the riddles Margaret had set her lover. And a "Distelfink" is a goldfinch. And there was a legendary goldfinch associated with Niedernhall, after which the wine marked by the Jester is now named. The legend tells how a Bailiff of Niedernhall, whose tame goldfinch had escaped, immediately had the town gates shut so that the bird could not get out of the place. The legend is now largely forgotten, and, when they hear the word "Distelfink", people think of the fruity white wine of that name, or of the goldfinch depicted on the front of the Niedernhall town hall, which is shown pecking at a bunch of white grapes. I should have thought of that long ago!

I reached out for the wine list, but it suddenly flew out of reach. It was borne away by two strange clouds, one white, the other black,

Nicht nur Kocher, Jagst und Tauber haben ihre Talbetten in die Hochebenen eingefräst, auch viele kleine Bäche haben oft schwer begehbare, feuchte Schluchten in den Muschelkalk genagt. Kein Wunder, daß hier im undurchdringlich-wilden Gestrüpp die Geister der Nacht angesiedelt wurden, so der ungetreue schwarze Mönch, der auf der Steige neben dem Orlachbach die Wanderer in die Irre führte oder die »Wasserfraala«, die den Wanderer kichernd in den Bach rutschen lassen.

Le Kocher, la Jagst et la Tauber ne sont pas les seuls à avoir creusé leur lit dans les hauts plateaux; de nombreux petits ruisseaux ont également troué des gorges d'un accès souvent difficile et humides dans le calcaire coquillier. Il n'est donc pas étonnant que l'on ait établi ici, dans les broussailles sauvages et impénétrables, les esprits de la nuit comme le moine noir infidèle qui, sur la pente à côté du ruisseau d'Orlach, fait s'égarer le promeneur ou les «filles de l'eau» qui en ricanant font glisser le promeneur dans le ruisseau.

Not only the rivers Kocher, Jagst and Tauber have cut their way into the uplands – many smaller streams have also created their own damp, often impenetrable, gorges. It is not surprising that such inaccessible places were often thought to be haunted – as was the path next to the little river Orlach by the Black Monk, who was believed to lead travellers to their doom, or by the "Water Girls", who tricked people into falling into the stream.

mehr wegen dieser Eulenspiegelgeschichte mit der Zunge, wenn sie das Wort »Distelfink« hören. Heute denken sie an den fruchtigen Weißwein, der so heißt, und wohl auch an die Rathausfront dort, an der ganz oben ein bunter Distelfink von einer gelben Traube nascht. Da hätte ich aber schon lang daraufkommen müssen!

Ich wollte greifen nach der Weinkarte, doch da flog sie fort. Zwei seltsame Wolken, eine helle und eine dunkle, die beide menschliche Gestalt hatten und sich umschlungen hielten, trugen das Papier wie in einem Windstoß fort. Der Silen sprang auf: »Der Narr hat's gefunden! Ein Hoch auf den Narren! Orlacher, bringt den Wisch zurück!« Die zwei griechischen Römer neben mir, die steinernen Gnomen und eine plötzlich aufgetauchte Schar heimlich-unheimlicher Hohenloher Wasser-, Haus- und Schloßgeister prosteten sich begeistert zu, und dann hob ein Bacchanal an, daß mir schien, die Keller von ganz Öhringen würden in dieser Nacht ausgesoffen.

Nur der Hofjude, ein verständiger Mann, saß ruhig dabei. Er hatte es mit der Leber, und so war wenigstens einer da, der mir das Rätsel der Orlacher, der beiden Wolkengestalten, lösen konnte. Hohenloher Kinder wissen, wer der »Schwards vun Oorlich« ist, denn sie werden mit diesem bösen Geist in der schwarzen Mönchskutte geängstigt – vor allem, wenn ihr Elternhaus in der Nähe von Braunsbach im Kochertal steht. Denn die Steige von dort nach Orlach hinauf ist nicht geheuer, das hat vor allem die Magdalena

fantômes de toute la Hohenlohe qui venaient soudain de faire leur apparition se mirent à trinquer joyeusement; ce fut le coup d'envoi d'une telle bacchanale que cette nuit-là, me semblait-il, toutes les caves d'Öhringen seraient vidées:

Seul le juif de la cour, un homme sage, restait tranquillement assis. Il souffrait un peu du foie de sorte qu'il y en avait au moins un capable de m'expliquer le mystère des fantômes d'Orlach. Les enfants de Hohenlohe savent fort bien qui est le moine noir d'Orlach» car leurs parents leur font peur avec ce mauvais esprit, surtout s'ils habitent près de Braunsbach dans la vallée du Kocher. Car le chemin jusqu'à Orlach est hanté, c'est du moins l'histoire qu'a raconté Magdalena Gronbach en 1832. Il y a plusieurs siècles ce moine noir aurait commis des crimes atroces à Orlach. Il aurait, par exemple, tué ses propres enfants qu'il aurait procréés avec des nonnes. Et à cause de tous les péchés qu'elle avait commis, une de ses compagnes de luxure serait apparue en 1832 sous la forme d'un fantôme blanc en quête de salut … C'est du moins ainsi que l'a raconté le poète et médecin Justinus Kerner dans le livre qu'il a écrit sur Magdalena Gronbach appelée «La fille d'Orlach.»

Les écrivains amateurs d'occultisme sont encore fascinés par le cas et continuent d'étudier le rapport de ses transes et ses propos. Le maison où elle a vécu porte toujours l'étrange inscription suivante: «Des événements importants ont entraîné la construction de cette maison qui a été construite par la grâce de Dieu en l'an 1833 par Joh. Mich. Gronbach.»

which took on the form of two human beings embracing one another. Silenus leaped to his feet: "The Fool's hit on it! Here's to the Fool! Come on, you Orlach ghosts, bring that wine list back!" The two Greek Romans next to me, the stone dwarfs, and an army of water nymphs, and house and castle ghosts from all over Hohenlohe, suddenly materialized, and began clinking glasses; and then a riotous bacchanalian drinking session began.

Only the Court Jew, a prudent fellow, sat quietly there among the bacchic junketings. He had a spot of liver trouble, and so there was at least one member of the group who was in a condition to explain to me the mystery of the Orlach ghosts. Hohenlohe children know who the "Black Monk of Orlach" is, for this figure is used as a boo-man by their parents, especially if they live anywhere near Braunsbach in the Kocher Valley. For the way up from there to Orlach is haunted, or at least that is the story that Magdalena Gronbach told in 1832. This Black Monk is supposed to have committed terrible crimes in Orlach many centuries ago. He is supposed, for example, to have murdered his own children, begot by nuns in his charge. And because of all the sins she had committed, one of his cloistered mistresses is supposed to have appeared in 1832 as a White Ghost in search of salvation. … This, at least, is the way the writer and physician Justinus Kerner described it in a book he wrote on Magdalena Gronbach, called the "Girl of Orlach".

Writers on the occult are still fascinated by the case, still study the records of her seizures and

Braunsbach im Kochertal gehört zu den Landstädtchen, die um ihr Schloß herum gewachsen sind, aber von dieser Abhängigkeit auch jahrhundertelang nicht losgekommen sind. Erst die Nachfahren werden nun mit einem romantischen, den Fremdenverkehr fördernden Ortsbild belohnt. Der runde Turm gehört zum Schlößchen, der eckige zur Pfarrkirche.

Braunsbach, dans la vallée du Kocher, fait partie de ces petites villes qui ont grandi autour de leur château et qui, des siècles durant, n'ont également pu s'en rendre indépendantes. Mais aujourd'hui la localité offre un aspect romantique qui attire les touristes. La tour ronde est celle du petit château, la tour carrée celle de l'église paroissiale.

Braunsbach in the Kocher Valley: a typical example of a small country town which grew up round a castle for protection and, for centuries paid the price of dependence. Now, thanks to tourism, later generations profit from the picturesque appearance of their town. The round tower belongs to the castle, the square one to the church.

185

Gronbach im Jahre 1832 erzählt. Vor vielen Jahrhunderten soll dieser schwarze Mönch in Orlach bös gehaust haben. Schauerlich soll er sogar seine mit Nonnen gezeugten Kinder abgemurkst haben, und all dieser vielen Sünden wegen soll dann eine von seinen geweihten Bettgenossinnen als weißer Geist im Jahre 1832 die Erlösung gesucht haben. So wenigstens hat es der Dichter und Arzt Justinus Kerner geschildert, der das berühmte »Mädchen von Orlach« bei sich in Weinsberg aufgenommen hatte.

Bis heute befassen sich okkulte Schriftsteller mit den Anfällen und Aussagen der besessenen Orlacherin. An ihrem Wohnhaus steht bis heute der rätselhafte Spruch: »Wichtige Begebenheiten gaben Veranlassung zur Erbauung diesem Hause. Welches durch Gottes Güte A. 1833 von Joh. Mich. Gronbach erbaut wurde.« Wer fragt im Dorf nach diesen »wichtigen Begebenheiten«, der sollte nicht allzu neugierig sein. Denn »da war was«, sagen die Bauern. Die Magdalena habe ja auch die alten Klostermauern im voraus gesehen, auf denen das Haus vor diesem Hause gestanden habe. Ja, und als dieser Vorgängerbau auf die Bitte des weißen Geistes eingerissen und das heutige Haus errichtet worden sei, da habe der Spuk der Prophezeiung gemäß sofort aufgehört.

Wer dann immer noch zweifelt, dem wird das feine blaukarierte Leinentüchlein mit den Brandlöchern in der rechten unteren Ecke gezeigt. Das hat den Wert einer Reliquie, denn die Brandflecken sollen von der Hand des erlösten weißen Geistes stammen. Die

Celui qui dans le village s'enquiert de la nature de ces «événements importants» ne doit pas se montrer trop curieux car il ne tirera pas grand-chose des habitants. L'histoire veut que Magdalena Gronbach ait eu une vision et qu'elle ait vu les vieux murs du monastère sur lesquels la maison qui s'y trouvait alors avait été construite; et lorsque la maison avait été détruite à la prière du fantôme blanc et que l'actuelle maison avait été construite, l'esprit avait été conjuré comme il avait été prédit. Et à celui qui doute de l'authenticité de cette histoire, on montre un petit fichu de lin à carreaux bleus avec des brûlures dans un coin et qui fait figure de relique. Car les brûlures proviendraient de la main du fantôme blanc. Pour lui dire adieu, Magdalena aurait touché la main de l'esprit non sans avoir couvert auparavant sa propre main du fichu. Car l'on sait encore aujourd'hui à Orlach qu'«il ne faut jamais donner sa main nue à un esprit.» L'un des côtés touchants de cette histoire est qu'elle est racontée à Orlach comme si elle s'était passée hier. Et en fait la chaîne de transmission orale n'est pas très longue – trois générations seulement – car dans le clan de Gronbach doté de nombreux enfants, il y a toujours eu un vieux membre de la famille qui avait entendu raconter l'histoire dans sa jeunesse par une autre personne âgée. Combien d'histoires de ce genre n'existe-t-il pas dans la région – histoires de vieilles familles que nous ne prenons pas très au sérieux aujourd'hui mais qui constituent un trésor d'expériences accumulées au cours de générations. L'avertissement de Faust qui est

utterances. The house where she lived still bears the following strange inscription: "Important events occasioned the building of this house, erected, by the grace of God, in 1833, by Joh. Mich. Gronbach". Anyone asking in the village about these "important events" should not show too much curiosity, or they will get little out of the locals. The story goes that Magdalena Gronbach had a vision in which she saw the old monastery walls, upon which the house then standing there had been built; and when that house was pulled down on the request of the White Ghost, and the present house was built, the ghost was laid, as had been prophesied. Anyone who doubts the truth of this story is shown a fine blue check linen kerchief with burn marks in one corner. This has the aura of a sacred relic, for the burns are supposed to have been caused by the hand of the redeemed White Ghost. In parting, Magdalena had touched the Ghost's hand, but had first prudently spread the cloth over her own, for as is still said in Orlach today, "You must never give a ghost your uncovered hand". One of the more touching aspects of this ghost story is that it is told in Orlach as if it had all taken place only yesterday. And, indeed, the oral chain is not very long – only three generations – because the Gronbach clan was always blessed with many children and there was always one old member of the family alive who had been told the story in his youth by another very old person. How many such stories must there be in the region – stories which we may not take very seriously

Magdalena hatte dem Geist zum Abschied die Hand gegeben, aber vorsichtshalber ihr Tüchlein über die Hand gebreitet. Denn das weiß man in Orlach bis heute: »Einem Geist darf man nie ungeschützt die Hand geben.« Besonders rührend an dieser Geistergeschichte ist, daß sie in Orlach erzählt wird, als ob das gestern geschehen sei. Und tatsächlich ist die Kette der unmittelbaren Erzähler kurz, es sind Menschen aus nur drei Generationen, weil in der kinderreichen Gronbachsippe immer ein altes Familienmitglied da war, das die Schilderung in seiner Jugend vom damals ältesten Familienmitglied gehört hatte. Wie viele Geschichten, über die wir heute leichthin hinweggehen, mögen in dieser Landschaft der alten Familien auf den Höfen, in den Städten und den Herrschaftssitzen viel mehr über die Welt derer erzählen, die sie erlebt haben, als wir uns das vorstellen können? Auf solche gesprochenen Familienchroniken paßt Faustens Mahnung im heutigen Orlacher Wohnzimmer der Gronbachfamilie vorzüglich: »Was du ererbt von deinen Vätern hast, erwirb es, um es zu besitzen.«

»Und war doch alles nur eine große Verwirrnis!« sagte der alte Hofjude und rückte zu mir her. »Da waren ein Mönch und eine Nonne, und die waren ein Liebespaar. Die haben leben wollen wie alle anderen Menschen auch, und da sind sie verteufelt worden. Genauso wie wir Juden. Uns haben sie auch alle Greuel angehängt. Erschlagen haben sie uns in Hall, in Crailsheim und Rothenburg als Gottesmörder und Pest-

exposé dans la salle de séjour de la famille Gronbach aujourd'hui à Orlach convient fort bien à ces traditions orales: «Acquiers pour le posséder ce que tu as hérité de tes pères.» «C'était beaucoup de bruit pour rien» me dit le vieux juif de la cour en se rapprochant de moi, «il y avait un moine et une nonne et ils étaient amants. Ils voulaient tout simplement vivre comme tous les autres et ils ont été damnés pour cela. Comme nous autres juifs. On nous a également accusés de tous les maux. On nous a assassinés à Hall, à Crailsheim et à Rothenburg parce qu'on nous disait coupables de déicide et d'amener la peste. Et de ce pauvre moine ils ont fait le moine noir d'Orlach. L'homme cherche toujours un bouc émissaire pour le mal qui est en lui!» Le juif de la cour prit une prise mais elle avait dû être trop forte car il éternua si fort que la Marie se réveilla. Son tricot glissa à terre, le chat sauta sur la table et me frôla lorsque je relevais ma tête lourde de sommeil. La salle était vide et la Marie fut aussi gênée que moi lorsque nos regards se croisèrent en plein milieu de la nuit.

«Ciel, nous avons déjà passé l'heure de la fermeture» dit-elle en riant «et je rêvais que nous avions du monde, des visiteurs, rien que des fantômes!» Elle éteignit les lumières et je partis. Dehors, je trouvais par terre une carte des vins avec un gros trait rouge dessus. Je me décidais à aller voir dès le lendemain le chardonneret à Niedernhall dans la vallée du Kocher.

Lorsque Marie avait dit qu'elle avait rêvé que «nous avions des visiteurs» elle avait utilisé le

nowadays, but which amount to a treasury of experience accumulated over generations. Faust's saying, which is displayed in the sitting room of the Gronbach family in Orlach today, applies extremely well to such oral traditions: "Earn what you have inherited from your fathers, that it might truly be thine."

"It was much ado about nothing", said the old Court Jew, and slid along the bench towards me, "there was a monk and a nun, and they were lovers. They just wanted to live like any other people, and they were damned for it. It has been the same with us – the Jews – throughout history: time and again we've been accused of all kinds of cruelties. Our people were murdered in Hall, in Crailsheim, and Rothenburg because they accused us of deicide and of causing the plague. And out of that poor monk they made the Black Monk of Orlach, who is supposed to kill people by throwing them into ravines: man's always looking for a scapegoat for the evil in himself!" The Court Jester took a pinch of snuff, but he must have overdone it, for he sneezed so loudly that he woke up Marie. Her knitting fell to the floor, and the cat jumped onto the table and hissed at me when I raised my head, heavy with sleep. The room was empty except for Marie and myself, and she was just as embarrassed as I was when we stared at one another in the middle of the night.

"Lordy, we've slept right through the closing hour", she laughed, "and I was just dreaming we had visitors – a real horrible lot, nothing but ghosts!" She switched off the lights, and I

herbei-Wünscher! Und aus dem armen Mönch haben sie den Schwards vun Oorlich gemacht, der die Menschen in die Schlucht hinunterstürzt. Die Menschen suchen immer einen Schuldigen für das Böse in sich!«

Der Hofjude nahm eine Prise, doch er muß zuviel davon geschnupft haben, denn er nieste so laut, daß die Marie aus dem Schlaf auffuhr. Ihr Strickzeug rutschte auf den Boden, die Katze sprang auf den Tisch und fauchte mich an, als ich den schlaftrunkenen Kopf hob. Die Stube war leer, und die Marie war so verlegen wie ich, als wir uns da mitten in der Nacht anguckten.

»Jez hewa mer alli zwaa d'Polizeischtund iwertreeda!« lachte sie, »und i haw grood troamt, doa isch a Vorsezz gwescha. Sou a richtichi greiselichi mit a Haufa Gaschter!« Sie löschte die Lichter, und ich ging hinaus. Am Boden lag eine Weinkarte mit einem dicken roten Weinstrich. Schon morgen mußte ich zum Distelfink ins Kochertal. Wenn das keine Geschichte für die Vorsetz war!

Die Vorsetz kommt nämlich wieder zu Ehren, seit die Menschen einsehen, wieviel sie verlieren beim schnellen Aneinandervorbeileben. Die Vorsetz, das ist der abendliche Besuch der Nachbarn untereinander im Hochwinter. In der Wohnstube wird warmer Most und Backwerk auf den Tisch gestellt, und wenn dann alle Tagesereignisse erzählt sind und auch niemand mehr singen will, kommt die Rede unweigerlich auf die Ereignisse, bei denen es anscheinend »net sauber« zugegangen ist und bei denen die

mot allemand de «Vorsetz», l'équivalent de la veillée d'autrefois et qui revient à l'honneur depuis que les gens commencent à comprendre tout ce qu'ils perdent à notre époque moderne. Dand ces «Vorsetz» on met du vin chaud et des gâteaux sur la table et lorsqu'on a raconté tout ce s'est passé dans la journée et que personne ne veut plus chanter on en vient inévitablement à parler d'histoires «étranges» (et mon aventure à l'auberge serait fort bien venue ici) en disant bien aux jeunes qu' «il n'y a pas à en rire!» Même à l'époque de l'automobile où plus aucun honnête homme ne s'aventurerait à pied la nuit dans la campagne, de telles histoires existent toujours – comment pourrait-il en être autrement dans un monde que l'homme ne comprendra jamais tout à fait?

left. On the ground outside I found a wine list with a thick red line on it. I made up my mind to visit the goldfinch at Niedernhall in the Koch Valley the very next day.

When Marie said she dreamed that "we had visitors" she used the German word "Vorsetz", which is used to describe a visit paid to neighbours in the depths of winter – a sociable custom that is reviving somewhat, now that people are beginning to realize how much they miss in our anonymous modern age. A "Vorsetz" is a warm, friendly occasion, with mulled cider and freshly-baked tit-bits on the table. My adventure at Marie's would be an ideal story to tell at a "Vorsetz", because, when all the local news has been discussed, and no one wants to sing anymore, then the talk inevitably shifts to events that were "not quite straight", and about which the younger people have to be told: "It's nothing to laugh at!" Even in the age of the motor car, when no honest person walks along a country road at night, such stories still persist – how could it be otherwise in a world which man will in any case never fully understand?

Jungen ermahnt werden müssen: »Do driwer
lacht mer net!« Auch im Autozeitalter, in dem
kein ehrlicher Mensch mehr bei Nacht zu Fuß
übers Land geht, gedeihen solche Geschichten noch – wie sollte es auch anders sein in
einer Welt, die der Mensch niemals ganz
verstehen wird.

Uhrturm in Rüblingen bei Döttingen.

La tour de l'horloge à Rüblingen près de Döttingen.

The clocktower in Rüblingen near Döttingen.

# Die Aue des Weins

Wer die alten Chroniken oder auch nur die Oberamtsbeschreibungen liest, der wundert sich über einen jeden Stein, der überhaupt übriggeblieben ist nach all den Brandschatzungen und Plünderungen in den vergangenen Jahrhunderten. Im Dreißigjährigen Krieg hatten die Soldaten sogar ihre Familien dabei, die besonders geübt waren im Stehlen der allerletzten Habseligkeiten. In Künzelsau hatten die Pfarrer deshalb ein eigenes Briefgewölbe in den Kirchturm einbauen lassen, in dem die Urkunden der Kirche und der Stadt samt dem Kirchenschatz und wohl auch das Geld der Gemeinde verborgen wurden, sobald wieder einmal die Dörfer ringsum brannten. Andererseits haben wir in der zweiten Hälfte dieses Jahrhunderts erfahren, wie schnell blühende Gemeinden selbst aus Ruinenfeldern emporwachsen können. Crailsheim und Waldenburg zeugen im Hohenlohischen davon. Im Herzen des Landes ist 1945 weniger passiert, hier sind die Ortschaften von den völlig neuartigen Lebensumständen unserer Zeit verändert worden.

Noch die Beschreibung des Oberamts Künzelsau aus dem Jahre 1883 nennt als

▶ In Künzelsau haben sich die Industriebetriebe rings um den alten Stadtkern angesiedelt, der ebenfalls ein bißchen städtischer geworden ist. Dennoch gibt's auch über das Kocherflüßchen hinweg noch genügend Ausblicke auf jene alten Teile der Stadt, die einmal bis zu vier Herren zugleich und damit auch vier Amtsschultheißen hatte. Manche der vier sogenannten Ganerben lebten im Winter selber in Künzelsau, weil sie dort billiger wohnten als in ihren schwer zu beheizenden Schlössern.

# Le pays du vin

A lire les anciennes chroniques ou même les descriptions officielles de la vie d'autrefois, on peut se demander comment il a pu rester quelque chose après tous les incendies et les pillages dont le pays a souffert au cours des siècles passés. Pendant la guerre de trente ans, les soldats emmenaient même leurs familles avec eux et celles-ci étaient particulièrement expertes pour voler ce qui avait survécu aux combats et aux pillages antérieurs. A Künzelsau, par exemple, une voûte spéciale avait été aménagée dans la tour de l'église où étaient cachés les documents de l'église et de la ville, avec les trésors de l'église, dès que les villages alentour commençaient à brûler. D'un autre côté, nous avons vu dans le seconde moitié de ce siècle avec quelle rapidité des communautés florissantes peuvent être reconstruites sur les ruines d'une guerre récente. Crailsheim et Waldenburg en sont des exemples en Hohenlohe. Le cœur de la région a été moins touché par les événements en 1945: les villes et les villages ont surtout changé à cause du mode de vie tout à fait différent de notre époque.

En 1883, les autorités locales à Künzelsau énuméraient les «artistes mécaniques et artisans»

▶ A Künzelsau, les exploitations industrielles se sont installées autour de l'ancien centre de la ville devenu également un peu plus urbain. Cependant il y a encore suffisamment de jolies vues au-delà du Kocher sur ces anciennes parties de la ville qui eut une fois jusqu'à quatre souverains à la fois et autant de maires. Certains de ces quatre «cohéritiers» vivaient même en hiver à Künzelsau car ils y logeaient à meilleur compte que dans leurs châteaux difficiles à chauffer.

# The land of wine

To read the chronicles or even official descriptions of life in former ages is to be amazed that anything at all has survived all the burnings and plunderings the country has suffered in the past ages. During the Thirty Years' War, soldiers even took their families along with them, and these camp-followers were particularly skilled at stealing the last few belongings that had survived previous fighting and pillaging. In Künzelsau, for example, a special vault was built into the church tower where the church treasures, the church and municipal documents, and, probably, also church monies could be hidden as soon as the surrounding villages began to burn. On the other hand, we have also seen in the second half of this century how quickly flourishing communities can be rebuilt on the ruins of a recent war. Crailsheim and Waldenburg are examples of this in Hohenlohe. The heart of the region was less affected by events in 1945: the towns and villages here have been changed mainly by the totally new living conditions of our age.

In 1833, the local authority in Künzelsau listed the following "mechanics and tradesmen": "braider, gunsmith, vinegarist, potter,

▶ In Künzelsau a ring of industrial works has encircled the old town centre, which itself has become more 'urban'. But there are still plenty of views across the little River Kocher of the old part of the town which once served as many as four different lords at the same time and thus had four mayors concurrently. Some of the joint-proprietors often spent the winters in Künzelsau as it was cheaper for them there than in their castles or palaces, where heating bills could be astronomical.

Künzelsau ist immer noch reich an alten Winkeln, Gassen und urgemütlichen Wirtschaften. Links der sogenannte Honigzipfel, unten das Mosbacher Tor.

Künzelsau est encore riche en vieux coins, ruelles et auberges agréables. A gauche, le «Honigzipfel», en bas la porte de Mosbach.

Künzelsau is still full of picturesque corners, lanes, and cosy inns. On the left: 16th century half-timbering. Bottom: Mosbach Gate.

▶ Im Künzelsauer Schloß gehen schon seit über hundert Jahren Lehrer und Schüler aus und ein. Als Residenz hat es nur im 18. und in einem Teil des 19. Jahrhunderts gedient.

▶ Depuis plus de cent ans, maîtres et élèves sont des familiers du château de Künzelsau qui n'a servi de résidence qu'aux 18ᵉ et 19ᵉ siècles.

▶ Künzelsau Palace has been a school for over a century. It served as a residence only in the 18th century and part of the 19th.

»mechanische Künstler und Handwerker«: Bortenwirker, Büchsenmacher, Essigsieder, Hafner, Kammacher, Kübler, Messerschmiede, Nagelschmiede, Schirmmacher, Rotgerber, Seckler, Siebmacher, Zinngießer und vier Auswanderungsagenten. 1983, hundert Jahre später, kam wieder eine solche Ortsbeschreibung heraus, nun gab es keinen dieser Berufe mehr. Als Kuriosa zeigt die jetzige Beschreibung ein Kuhgespann, hölzerne Leiterwagen, ein handbetriebenes Bahnhofsstellwerk und einen ländlichen Hausierer aus den fünfziger Jahren – das sind nicht einmal mehr die Jugenderinnerungen von heute Dreißigjährigen. Wie schön, daß da wenigstens noch gilt, was schon 1883 ganz allgemein über die Bevölkerung des Oberamtes gesagt wurde: »Sie zeichnet sich durch Lebensfähigkeit und Tüchtigkeit aus.« Wobei die Künzelsauer von altersher noch die zusätzliche Fähigkeit der ganz besonderen Pfiffigkeit brauchten. Denn ihr Ort gehörte seit dem 14. Jahrhundert stets mehreren Herren zugleich. Diese Besitzer, nämlich die Bischöfe von Mainz und Würzburg, die Hohenloher und die von Stetten, schlossen schon 1483 einen »Ganerbenvertrag«, nach dem sie gemeinsam die Künzelsauer Schultheißen bestimmen wollten. Diese Bedauernswerten mußten sich dann mehr als drei Jahrhunderte lang samt ihren Bürgern durchschlängeln zwischen den »hochedelstrengen und hochgeehrtesten Beamten« ihrer verschiedenen »hochwürdigsten, hochwürdigen, gnädigsten und gnädigen auch großgünstigen« Herrschaften. Das Beste an

suivants: soutacheur, armurier, vinaigrier, potier, peignier, tonnelier, coutelier, cloutier, fabricant d'ombrelles et de parapluies, tanneur, fabricant de sacs, tamisier, étainier et quatre agents d'émigration. En 1983, cent ans plus tard, une description analogue de la ville a été publiée mais plus aucun de ces métiers n'y est indiqué. L'actuelle description inclut comme curiosités un attelage de vaches, des chariots à ridelles en bois, un poste d'aiguillage ferroviaire manuel et un colporteur rural des années cinquante – toutes choses qui ne font même plus partie des souvenirs d'enfance de ceux qui ont aujourd'hui une trentaine d'années. Comme il est heureux de voir que ce que l'on disait en général de la population en 1883 s'applique encore aujourd'hui: «Elle se caractérise par sa volonté de survivre et son labeur.»
De surcroît, la population de Künzelsau a toujours dû être particulièrement ingénieuse. Car depuis le 14e siècle la ville a eu plusieurs souverains à la fois. Ces propriétaires, à savoir les évêques de Mayence et de Wurtzbourg, et les Maisons de Hohenlohe et de Stetten, ont conclu en 1483 un accord de copropriétaires qui les autorisait à choisir ensemble le maire de Künzelsau. Pendant plus de trois siècles, ce malheureux personnage et ses concitoyens ont dû manœuvrer habilement entre les humeurs et les souhaits de leurs différents «très nobles et très gracieux» seigneurs et leurs représentants. Le seul avantage de cette situation pour la population était que les copropriétaires étaient très rarement du même avis du fait déjà de leurs confessions

Die Wappen der im Laufe der Jahrhunderte wechselnden Ganerben von Künzelsau. Im Dreißigjährigen Krieg war die vierfache Herrschaft von Nutzen: Da bewahrten die protestantischen Ganerben die Stadt vor den protestantischen Siegern, und die katholischen Ganerben taten dasselbe, wenn katholische Truppen die mindestens zum Teil »feindliche« Stadt rupfen wollten.

Les blasons des copropriétaires de Künzelsau qui se sont succédés au cours des siècles. Pendant la guerre de trente ans, le quadruple pouvoir fut d'utilité: les cohéritiers protestants protégèrent la ville des vainqueurs protestants et les cohéritiers catholiques firent de même lorsque les troupes catholiques voulurent piller la ville «ennemie» du moins en partie.

The arms of the various rulers of Künzelsau in the course of the centuries. The joint ownership proved of advantage during the Thirty Years' War, when the Protestant lords among the rulers protected the town from the Protestant victors and the Catholic lords did the same when Catholic troops wanted to plunder the at least partly "enemy" town.

diesem Zustand war, daß sich die Ganerben schon ihrer verschiedenen Bekenntnisse und Bundesgenossen wegen nur selten einig waren. So kamen zwar gemeinsame Beschlüsse zustande wie etwa im 16. Jahrhundert der Befehl zur Vertreibung aller Juden aus Künzelsau. Doch die Künzelsauer kümmerten sich längst nicht um alle Anordnungen, und so versurrte auch dieser Ukas wie manches andere. Nur ihre verschiedenen Zehnten mußten die Künzelsauer stets brav und pünktlich zahlen, sonst hätten sie ihre Herrschaften doch gemeinsam und wirksam gegen sich aufgebracht.

Bei diesem Lavieren wuchs ihnen sogar manches Privileg zu, und so gedieh die an sich so rechtlose Gemeinde zu einem beachtlichen Gewerbezentrum, das in der württembergischen Zeit sogar etwas von der Industriealisierung abbekam. Zuvor konnten in den Hohenloher Tälern voller Tagelöhner nur die Händler und Handwerker ein bißchen Wohlstand sammeln. Den Müllern ging es am besten; nach ihnen kamen die Gerber, Metzger und Wirte. Eines der schönsten Wohnhäuser in Künzelsau richtete sich zum Beispiel ein Rotgerber ein: Das Haus aus dem Jahre 1773 beherbergt heute die Johannes-Apotheke. Deren Rokokoschnitzwerk stammt aus der Werkstatt der Familie Sommer, jener Schreiner, Tischler, Schnitzer und Bildhauer aus Künzelsau, die zusammen mit den Baumeistern und Bildhauern Kern aus Forchtenberg im 17. und 18. Jahrhundert eine bodenständige Kunst entwickelt haben – nichts Himmelstürmendes, aber solide hand-

différentes et de leurs diverses alliances. Aussi, bien que certaines décisions communes aient été prises, telles qu'au 16e siècle le décret d'expulsion des juifs de Künzelsau, les habitants de Künzelsau en firent rarement grand cas et ils réservèrent le même sort à cet ukase. Mais ce qu'ils devaient faire scrupuleusement, c'est acquitter ponctuellement et en totalité les différentes dîmes auxquelles ils étaient astreints sans quoi ils auraient dressé contre eux tous leurs maîtres.

Les louvoiements auxquels ils étaient contraints leurs conférèrent cependant certains privilèges et cette communauté en fait sans droit réussit à devenir un important centre d'affaires. Et lorsque la région de Hohenlohe fur intégrée dans le Wurtemberg, Künzelsau profita même quelque peu de l'industrialisation. Auparavant, dans une région pleine de tâcherons, seuls quelques marchands et artisans avaient pu amasser un peu de bien. Les meuniers avaient la meilleure part; venaient ensuite les tanneurs, les bouchers et les aubergistes. Une des plus belles maisons de Künzelsau, par exemple, fut édifiée par un tanneur en 1773: elle abrite aujourd'hui une pharmacie. Ses sculptures rococo proviennent de l'atelier des Sommer, une famille de menuisiers, d'ébénistes et de sculpteurs qui, aux 17e et 18e siècles, avec les Kern, des architectes et sculpteurs de Forchtenberg, développèrent un art local dont les produits se retrouvent dans chaque église et château d'importance en Hohenlohe. Un meuble en marqueterie de l'ébéniste Hans Daniel Sommer est aujourd'hui une pièce de collection.

comb-maker, bucket-maker, cutler, nail-maker, umbrella-maker, red tanner, bag-maker, siever, pewterer, and four emigration agents. In 1983, a hundred years later, a similar description of the town was published, but not a single one of these trades is included. The present description does include, as a curiosity, illustrations depicting a yoke of cows, wooden handcarts, a manually-operated railway signal box, and a rural hawker of the 1950's – such things no longer being part of the childhood memories even of thirty-year-olds today. At any rate, it is good to see that at least one general comment on the population made in 1833 still applies today: "They are characterized by their will to survive and their industry."

In fact, the people of Künzelsau have always needed to be particularly resourceful and diplomatic, as, from the 14th century onwards, their town always had a number of different rulers at the same time. These owners of great estates – the bishops of Mainz and Würzburg, and the Houses of Hohenlohe and Stetten, drew up a co-proprietors' agreement in 1483 which empowered them jointly to choose the Künzelsau mayor. For more than three centuries, this pitiable character and his co-citizens had to pick their way carefully between the moods and wishes of their various very reverend, gracious, and most excellent overlords and their representatives, who also commanded a wide range of titles all of which had to be meticulously observed and differentiated. The one advantage of this state of affairs to the townspeople was that the

◄ Auch das kleine Ingelfingen war einmal eine Residenzstadt, doch sein Aufschwung dauerte nur hundert Jahre lang. Dann, zu Beginn des 19. Jahrhunderts, war die Blüte schon wieder vorbei. Heute ist aus dem Schloßgarten ein Kurgarten geworden, und die Weinkellerei im Schloßkeller ist der neue wirtschaftliche Mittelpunkt. Wer zuviel getrunken hat von den herrlichen Ingelfinger Weißweinen, dem werden die Wässer des eisenhaltigen Heilbrunnens empfohlen zum Wiederaufleben.

▼ Ein Ingelfinger Hauswappen, daneben der Schwarze Hof.

◄ Ingelfingen a été autrefois également une résidence mais son essor n'a duré qu'un siècle. Car au début du 19e siècle sa prospérité était passée. Aujourd'hui, le jardin du château est devenu le parc de la station thermale et les caves du château le nouveau centre économique. A celui qui a trop goûté aux merveilleux vins blancs d'Ingelfingen, on recommande les eaux des sources ferrugineuses pour se remettre.

▼ Les armoiries d'une maison d'Ingelfingen, à côté la Cour Noire.

◄ Even little Ingelfingen was once the official residence of a local ruler, but this period of prosperity lasted only a hundred years till the beginning of the 19th century. Now, the former palace gardens have been transformed into spa gardens, and the wine-cellar in the palace cellars is the heart of the little town's economy. Anyone who has drunk too much of the wonderful Ingelfingen white wines is recommended to try the healing waters of the spa.

▼ Coat of arms on an Ingelfingen house. Right: the "Schwarzer Hof".

werkliche Arbeit, die in jeder bedeutenden Hohenloher Kirche und in jedem Schloß auftaucht. Ein Intarsienmöbel von Hans Daniel Sommer, dem Kunsttischler, ist heute eine gesuchte Rarität.

Ortschaften wie Künzelsau, Ingelfingen oder Niedernhall mußten schon immer von den geschickten Händen und den klugen Köpfen ihrer Bewohner leben. Und immer, wenn wieder einmal ein »Wiederaufbau« nötig wurde im Laufe der Geschichte, ging es ihnen besonders gut. So ist Künzelsau im letzten Krieg durch die vielen ins abgelegene Hohenlohe verlagerten Industriebetriebe geradezu ein Kriegsgewinnler geworden. Seine Nachbarn sind deshalb auch kaum geneigt, den Künzelsauern etwas zu schenken. Da gibt es zum Beispiel die Geschichte vom Weinkauf eines Künzelsauers in Niedernhall, wo der Vorstand des Gesangvereins gleichzeitig der Vorstand der Weingärtnergenossenschaft ist. Die Niedernhaller wissen ebenso wie ihre Ingelfinger und Criesbacher Nachbarn im sonnig-weiten Kochertal, daß in ihren Felsenkellern vorzügliche Tropfen liegen, die ihr Geld wert sind. Hier gehen die Weizenfelder der gewellten Hochebene unmittelbar über in breite, sanfte Rebhänge. Den Wäldern bleiben hier nur schmale Streifen auf den Kuppen und Baumschöpfe im Feld. Hier einen Wengert zu haben, ist schon die halbe Seligkeit.

Also sagen die Niedernhaller zu dem Künzelsauer, der in ihrem Keller steht: »Unser Silvaner kostet soundsoviel das Faß, nimm ihn oder nimm ihn nicht, wir

Des endroits comme Künzelsau, Ingelfingen ou Niedernhall ont toujours dû vivre des mains habiles et des têtes astucieuses de leurs habitants. Et chaque fois que le cours des événements a imposé une reconstruction, ils ont toujours su saisir l'occasion. C'est ainsi que Künzelsau est finalement sortie gagnante de la dernière guerre par le transfert de nombreuses branches industrielles dans les régions rurales, une situation qui ne donne guère envie à ses voisins d'ajouter encore à sa prospérité. Il y a une histoire à ce propos, celle d'un habitant de Künzelsau qui voulait acheter du vin à Niedernhall où le président de la coopérative viticole est également le chef de la chorale locale. Comme leurs voisins à Ingelfingen et Criesbach, les gens de Niedernhall savent fort bien que leur excellent vin, qui vieillit dans des caves creusées dans la roche, vaut son pesant d'or. Dans cette région, les champs de blé du plateau ondulé débouchent directement sur des versants à la configuration idéale pour des vignobles. Les forêts sont confinées ici dans d'étroites bandes de terre sur les sommets ou se réduisent à des taillis dans les champs. Etre propriétaire d'un vignoble ici, c'est être à mi-chemin de la béatitude. Quoiqu'il en soit, les gens de Niedernhall dirent à l'acheteur de Künzelsau: «Notre Sylvaner coûte tant et tant le tonneau, c'est à prendre ou à laisser, nous n'avons pas de mal à l'écouler!» L'acheteur le goûte, n'essaye même pas d'en critiquer la qualité mais avance que le prix paraît un peu trop élevé. «Qu'à cela ne tienne, chantons d'abord une chanson» répondent les gens de Niedernhall

co-proprietors were very rarely of one mind about things – if only because of their different faiths and different systems of alliances. Thus, although some joint decisions were made, such as the 16th century decree banning all Jews from Künzelsau, the Künzelsau people rarely took much notice of them, as was also the case with the anti-Jewish regulation. What the people had to be careful to do was to pay their various tithes punctually and in full; negligence on this point was the one thing bound to bring down the united wrath of their masters upon their heads.

The tacking course they were forced to pursue even brought them a few privileges, and so this community, lacking rights though it did, developed into a notable business centre. And, when the Hohenlohe region was incorporated in Württemberg, Künzelsau even profited somewhat from industrialization which, as already pointed out, otherwise by-passed the region. Previously, in an area full of day labourers, only the few merchants and tradesmen had been able to achieve a degree of prosperity. The millers were best off, followed by the tanners, butchers, and innkeepers. One of the finest houses in Künzelsau, for example, was built by a tanner in 1773: today it accomodates a chemist's shop. Its Rococo carvings were done by the Sommer workshop. The Sommers were a family of carpenters, cabinet-makers, carvers, and sculptors, who, in the 17th and 18th centuries, together with the builders and sculptors called Kern from Forchtenberg, established a local art tradition – nothing grand, but based on good, solid

bekommen ihn immer los!« Der Künzelsauer nippt am Probierglas, versucht gleich gar nicht, etwas gegen den Tropfen zu sagen, sondern hält nur den Preis für ein klein bißchen hoch. »Auf, dann singen wir eins!« sagen die von Niedernhall und schmettern los, was sie für das nächste Sängerfest ohnehin zu proben haben. Tenöre, Baritöne, Bässe, alles ist da, und am Schluß lassen die Sänger aus purer Liebe zum Sangesbruder aus Künzelsau, der natürlich hat mithalten müssen, einen Viertelspfennig ab am Literpreis. Das muß natürlich begossen werden. Aber weil ein Viertelpfennig halt doch arg wenig ist, wird wahrscheinlich doch nichts aus dem Kauf. Doch das ist kein Grund zum Ärgern, singen wir eben nochmals eins! Nachher, und weil das Lied in dem Keller hier unten so schön geklungen hat dank dem Bariton aus Künzelsau, könnte man ja über einen zweiten Viertelspfennig reden, aber zuerst wird nochmal probiert! So gehen der Nachmittag und der Abend herum, und endlich sind alle Festlieder dreimal durchgesungen und kann sich der Künzelsauer nur noch entlang den jeweiligen Faßkanten vorwärtsbewegen. Seinen Wein aber hat er bestenfalls um zwei Pfennig billiger bekommen. Und ist dennoch zufrieden. Denn inzwischen singt er schon arg heiser und hätte keine einzige neue Runde mehr durchhandeln können.

Als ich an einem warmen Tag vom Malefizturm der alten Niedernhaller Stadtbefestigung her immer der Nase nach den Weg zur weinduftenden Kelter erschnupperte, da war

et ils entament le répertoire qu'ils doivent de toute façon répéter pour la prochaine fête de la chorale. Ténors, baritons et basses, tous sont là et finalement les gens de Niedernhall baissent le prix du litre d'un quart de pfennig pour leur voisin qui, après tout, est un membre de la chorale de Künzelsau et a si bien chanté avec eux. Et cela s'arrose évidemment. Mais comme un quart de pfennig n'est vraiment pas beaucoup, l'affaire ne se fera sans doute pas. Mais peu importe, «chantons une autre chanson!». Après quoi et parce que la chanson a si bien résonné dans la cave, grâce aussi au baryton de Künzelsau, on peut parler d'un deuxième quart de pfennig – mais il faut de nouveau arroser cela. De sorte que l'aprèsmidi et la soirée se passent fort agréablement. Toutes les pièces du répertoire sont passées trois fois en revue et l'acheteur de Künzelsau n'est plus aussi assuré sur ses jambes qu'au début. Mais il est content: il a eu finalement son vin deux pfennigs moins cher et de toute façon il n'est plus en mesure ni de chanter ni de marchander plus avant.

Lorsque, par une chaude journée, je me trouvais dans l'une des tours des remparts de Niedernhall, humant l'air empreint de la délicieuse odeur du vin en train de fermenter, Margaret, l'humeur repentante, se trouvait depuis longtemps à Reutlingen. Tout de suite après la folle nuit d'Öhringen, j'avais trouvé le nom de la famille et transmis non sans malice un message à la jeune fille. Le chardonneret avait été trouvé, lui avais-je dit, mais je n'étais pas sûr qu'il intéressât encore beaucoup son ancien ami et je m'étais attendu à une réponse

craftsmanship – whose products are to be seen in every important Hohenlohe church and palace. A piece of marquetry furniture by Hans Daniel Sommer, the cabinet maker, is a precious rarity today.

Places like Künzelsau, Ingelfingen, or Niedernhall always depended on the skilled hands and astuteness of their inhabitants. And whenever some catastrophe made it necessary to start from scratch again they were always capable of rising to the occasion. Thus the fact that many branches of industry were transferred to rural areas during the last world war proved of lasting profit to Künzelsau, a fact which has not made neighbouring places particularly keen on adding to its prosperity. There is a story about a Künzelsau man buying wine in Niedernhall, where the president of the local wine-growers' cooperative happens also to be the president of the local choir. Like their neighbours in Ingelfingen and Criesbach, the people of Niedernhall are well aware of the fact that the excellent wine maturing in their rocky cellars is good value for money. In this area, the wheatfields of the rolling plateau abruptly give way to broad, gentle slopes ideal for vineyards. The woodland is restricted to narrow strips along the tops of the hills and to scattered copses. To own a vineyard here is to be halfway to heaven.

Anyway, the Niedernhall people say to the man from Künzelsau who is in their cellar intending to buy wine: "Our Sylvaner costs so much a barrel. Take it or leave it, we can always sell all we grow!" The man from Kün-

In einer alten Wirtschaft in Spielbach steht der Bauern-spruch: »Uns stellt der Herrgott die Arbeitsuhr.« Das gilt in der Kornkammer Hohenlohe bis heute.

«Le Seigneur règle pour nous la pendule du travail» peut-on lire dans une ancienne ferme à Spielbach. Ce dicton paysan s'applique encore aujourd'hui dans le grenier de la Hohenlohe.

"The Almighty determines our working hours" can be read in an old inn at Spielbach – and this country saying still applies in the "granary" of Hohenlohe.

die Marcharet schon längst auf einem Liebesbittgang nach Reutlingen. Gleich nach der wilden Nacht von Öhringen hatte ich den Namen der Familie erkundet und dem Mädchen nicht ohne Hinterlist Bescheid gegeben. Der Distelfink sei entdeckt, er werde aber vielleicht schon gar nicht mehr gesucht, hatte ich zu ihr gesagt und eine schnippische Antwort erwartet. Aber die Spröde war ganz zahm. Sie hatte ebenfalls einen wilden Traum hinter sich. Ihr Karl, so hatte ihr geträumt, hatte seit der Muswiese gleich mehrere Liebschaften zugleich angefangen, alle mit seltsamen Damen in seltsamen Röcken, Miedern und Hauben auf dem Kopf. Hoppla, das Weikersheimer Hoffräulein! Die hatte mit der Eifersucht die richtige Qual für dieses unbedachte Ding gefunden. Und nun war die Marcharet schnell und reuevoll hingefahren zu dem Gefoppten. Ich habe die Geschichte damals bei Kocherstetten einem ackernden Bauern erzählt, bei dem ich nach seinem freundlichen Gruß stehengeblieben war. Aber der wunderte sich überhaupt nicht darüber. Zuerst hatten wir über das ebenso wichtige wie unvorschriftsmäßige Straßenschild von Heimatschützern bei Vogelsberg gesprochen,

dédaigneuse. Mais la capricieuse personne était matée. Elle aussi avait eu des rêves étranges. Son Karl flirtait avec plusieurs belles personnes à la fois – des dames vêtues de curieux costumes avec des bonnets sur la tête! Ah, ah, la dame d'honneur de Weikersheim! Elle avait eu une bonne idée avec la jalousie pour ramener cette jeune personne à la raison. Et Margaret, pleine de remords, s'était dépêchée d'aller voir le garçon dont elle s'était tant moquée. Peu après je racontais l'histoire à un paysan avec lequel j'avais lié conversation dans un champ près de Kocherstetten. Nous avions commencé par discuter d'un important mais inofficiel panneau de signalisation qui se trouve près de Vogelsberg et sur lequel on peut lire: «Attention – passage de salamandres (Espèce en voie de disparition)!» et nous étions arrivés à la conclusion que les responsables de la signalisation routière et les gendarmes fermeraient un œil devant un panneau aussi peu orthodoxe mais nécessaire. Et de fil en aiguille, nous en étions venus à parler de Margaret et de son ami. Le paysan m'avait dit alors une chose charmante à propos de mon histoire. «Ce gars de Reutlingen ne le regrettera pas s'il

zelsau tries a sample. He does not even try to criticize the wine, but suggests that the price is just that little bit high. "Well, let's have a song first", say the Niedernhall men, and launch into a piece that they have to practise anyway for the next choral festival. Tenors, baritones, and basses are all present, and finally the Niedernhall lads knock a quarter of a pfennig off the litre price for their neighbour who, after all, is also a member of a Künzelsau choir, and has lustily sung along with them. Several songs and tastings later, the prospective buyer from Künzelsau is no longer as steady on his feet as he was at first. But he is contented enough: in the end he has got his wine two whole pfennigs cheaper, and he is in any case in no condition to sing or bargain any further.
On the warm day when I was up on one of the towers in the ramparts of Niedernhall, sniffing the breeze laden with the delicious smell of fermenting wine, Margaret had long since visited Reutlingen in a contrite mood. Immediately after the wild night in Öhringen I had discovered the name of the family and had given the girl a rather wily message. The goldfinch had been found, I said, but I was

◄ Auch Niedernhall, das »Niedere Hall«, hat lange vom Salz gelebt, doch die alten Stollen sind längst zugeschüttet. Heute hat sein Wein einen guten Namen, doch ehe man in der Schöntaler Kelter hängenbleibt und dort noch vor dem Wein die großartige, freitragende Holzkonstruktion aus dem Jahre 1713 bewundert, sollte man ein Stück die Stadtmauer entlanggehen, die den Ort bis heute einschließt.

◄ Niederhall également a vécu longtemps du sel mais les anciennes galeries sont comblées depuis longtemps. Aujourd'hui son vin est réputé, pourtant avant de prendre racine dans le «Schöntaler Kelter» et d'admirer, encore avant le vin, la merveilleuse construction en bois cantilever datant de 1713, on fera bien de longer une partie du mur d'enceinte qui jusqu'à nos jours enserre la localité.

◄ Like Schwäbisch Hall, Niedernhall once flourished because of its saltworks, but the old mines have long since been closed. Today Niedernhall is known for its wine, but before getting too involved in the study of this local product in the Schöntaler Kelter (which also boasts a magnificent cantilever wooden construction dating from the year 1713) it is worthwhile taking a stroll along the still complete town wall.

◄▲ Forchtenberg wächst wie ein Weinberg Haus um Haus an einem Hügel über dem Kocher empor. Die Stadtmauer ringsum ist noch wohl erhalten, und wer das Städtchen besucht, sollte im Tal aussteigen und nacheinander durch alle Tore gehen. Hier war in vier Generationen die Baumeister- und Bildhauerfamilie Kern daheim. Der dritte Michael Kern hat in seinem Heimatort die Alabasterreliefs an der Kirchenkanzel hinterlassen.
► Eine der vielen alten Kochermühlen.

◄▲ Forchtenberg pousse comme une vigne, maison après maison, sur la colline au-dessus du Kocher. Le mur d'enceinte tout autour est encore bien conservé et le visiteur fera bien de descendre dans la vallée et de franchir toutes les portes l'une après l'autre. Quatre générations durant, cette ville a abrité la famille Kern, une famille d'architectes et de sculpteurs. Les sculptures en albâtre de la chaire de l'église sont du troisième Michael Kern.
► Un des nombreux vieux moulins du Kocher.

◄▲ Forchtenberg rises like a vineyard up the slope from the river Kocher. The town's fortifications are well-preserved, and visitors are recommended to park in the valley and walk round to all the town gates. This is where four generations of the master builders and sculptors of the Kern family lived. The third Michael Kern sculpted the alabaster reliefs for the pulpit in the town's church.
► One of the many old mills on the River Kocher.

auf dem steht: »Bitte Vorsicht – vom Aussterben bedrohte Feuersalamander kreuzen!« Solch ein Schild braucht ja die gescheite Duldsamkeit beamteter Uniformträger – und spricht für sie, wenn es bleiben darf. Ja, und dann sind wir auf die Hohenloherinnen und ihren begehrenswerten Dickkopf gekommen. Das hübscheste, was der Bauer zu meiner Geschichte von der Marcharet sagte, war: »Der Reutlinger wird's nicht bereuen, wenn sie ihn nimmt. Unsere Frauen sind schließlich die liebsten Luder auf der Welt! Aber Luder!«

Das war eine Liebeserklärung an alle Hohenloherinnen und hätte seine Frau daheim wohl gefreut. Denn es gibt einen alten Hohenloher Spruch, der heißt: »Der Mann ist der Kopf im Haus, aber die Frau ist der Hals, der den Kopf dreht!« Und so beherrscht eine Hohenloherin auch ihr Haus, und wehe dem, der sich ihren Geboten der Sauberkeit und der Sparsamkeit nicht fügt. Mindestens darin gibt's keinen Unterschied zu den Schwäbinnen. Deshalb sei auch der dicke und eitel-tyrannische König Friedrich gepriesen, der seine ererbten Schwaben mit seinen erbeuteten Franken zusammengepreßt hat. Das hat am Ende beiden gut getan.

Kocherstetten ist das bescheidene Burgdorf, das zur vielgepriesenen »besterhaltenen Stauferburg Deutschlands« gehört. Die Burgherren da droben sind die Stetten auf Stetten und rühmen sich heute, die älteste Familie Künzelsaus zu sein. Wahrscheinlich könnte auch manche Bürgerfamilie aus den Ortschaften ringsum sagen: »Durch diese Burgtore

la prend pour femme. Nos femmes sont les plus délicieuses coquines du monde! Mais quelles coquines!»

C'était là une déclaration d'amour à toutes les femmes de Hohenlohe et elle aurait aussi plu à sa femme. Car il est en Hohenlohe un vieux diction qui dit: «L'homme est la tête à la maison mais la femme est le cou qui fait tourner la tête.» Et c'est ainsi que les femmes de Hohenlohe dirigent leur maison et malheur à celui qui ne respecte pas les commandements de propreté et d'économie. Sur ce point, du moins, il n'y a pas de différence avec les femmes souabes et c'est pourquoi le gros et tyrannique roi Friedrich qui a réuni les Souabes dont il avait hérités aux Franconiens qu'il avait conquis a quelque mérite: en fin de compte cela a été profitable aux deux.

Kocherstetten est le modeste petit village blotti sur la montagne où se trouve «le château des Hohenstaufen le mieux conservé d'Allemagne». Le château appartient à la Maison des Stetten qui s'enorgueillissent aujourd'hui d'être la plus ancienne famille de Künzelsau. Il y a probablement aussi un certain nombre de familles bourgeoises qui peuvent prétendre que leurs ancêtres «ont franchi les portes du château depuis plus de 800 ans!», mais malgré les traditions que l'on retrouve partout en Hohenlohe, c'est là une chose que seuls les anciens seigneurs peuvent attester sans faille. Des fenêtres de son château, cette famille a une vue inchangée depuis des siècles. Le village au pied de la montagne n'a guère grandi plus rapidement que le château. Celui-ci s'est développé progressivement s'en-

not at all sure that it was any longer of interest to her former friend – and I expected a saucy answer for my pains. But the capricious young woman was quite tame. She, too, had had a wild dream that her Karl had started affairs with a whole series of strange ladies at the same time – ladies dressed in curious skirts and bodices, and wearing bonnets. Aha – the Weikersheim Lady-in-Waiting! She had had the right idea about jealousy being a way of bringing this wayward girl to her senses. And now Margaret had quite tamely set off full of remorse to visit the lad she had made such a fool of. Soon afterwards, I told the story to a farmer I happened to meet in a field near Kocherstetten. The best thing he said in response to my story was: "That fellow from Reutlingen won't regret it if he takes her. Our women are the most lovable hussies in the world. But they're hussies!"

That was a declaration of love embracing all the women of Hohenlohe and would no doubt have pleased his wife, too. For there is an old Hohenlohe saying that runs: "The man is the head of the household, but the woman is the neck that turns the head." And it is true: the Hohenlohe ladies rule their households, and it is too bad for him if someone ignores the rules of cleanliness and frugality. That, at least, is one characteristic they have in common with Swabian women, and that is why that fat, vain, and tyrannical King Friedrich, who joined up his inherited Swabians with his acquired Franconians, deserves some praise: in the end it was good for both of them.

sind unsere Vorfahren seit mehr als 800 Jahren gegangen!« doch trotz dem bodenständigen Zusammenhalt der Hohenloher Bevölkerung können das eben nur die Burgherren selber lückenlos belegen.

Diese Familie hat von ihren Burgfenstern aus einen seit Jahrhunderten gleich gebliebenen Ausblick. Das Dorf am Fuße des Schloßberges ist kaum mehr gewachsen als die Burg selber, die sich immer nur sehr allmählich und zwiebelschalenähnlich mit neuem Gemäuer umgeben hatte. Zwar lebten in den Dörfern des souveränen Staates der freien Reichsritter derer von Stetten immerhin bis zu 2500 Hintersassen, doch damit ließen sich keine großen Sprünge machen, und so blieb hier fast immer alles so, wie es gestern gewesen war. Aus einer mindestens tausend Jahre alten Vorgängerburg wuchs im 11. und 12. Jahrhundert eine etwas größere Stauferburg mit schönem Palas, der bis heute von einer drei Meter dicken Schildmauer und vom Bergfried geschützt wird. Tief hängen die Dächer hier in den engen Hof herab, wenige Burghöfe strahlen so viel verläßliche Geborgenheit aus. Als sich die Burgherren widerwillig der veränderten Befestigungskunst anpassen mußten, da bauten sie zwar noch Vorburgen mit dicken Ecktürmen, doch als die Artillerie vom Ende des 16. Jahrhunderts an so gut wurde, daß eine Familie wie die Ritter von Stetten nicht mehr mithalten konnte beim Rüstungswettlauf, da taten die Stetten das Gegenteil, sie hofften auf Frieden und bauten 1716 ein kaum geschütztes herrschaftliches Wohnhaus, damit wenigstens das Wohnen

tourant de nouveaux remparts comme autant de pelures d'oignon. Les villages du petit Etat souverain des chevaliers impériaux de Stetten comprenaient jusqu'a 2500 métayers et petits propriétaires mais leurs revenus étaient maigres et les choses sont presque toujours restées comme elles l'avaient été.

Le premier château vieux d'au moins mille ans est devenu aux 11e et 12e siècles un fort beau grand château des Hohenstaufen protégé jusqu'à nos jours par un mur fortifié de trois mètres d'épaisseur et un fossé. Les larmiers des toits descendent bien bas dans la cour étroite et bien peu de cours de châteaux donnent une telle impression de sécurité. Lorsque les maîtres du château durent s'adapter à contre-cœur à la nouvelle mode des fortifications, ils ajoutèrent certes des murs d'enceinte avec d'épaisses tours d'angle, mais lorsque vers la fin du 16e siècle l'artillerie se développa dans une telle mesure que des familles comme celle des von Stetten ne put plus suivre le mouvement, elles firent le contraire, espérèrent en la paix et construisirent en 1716 une maison à peine fortifiée à l'intérieur des remparts afin de pouvoir vivre plus confortablement.

Des maisons de ce genre sont encore nombreuses dans le pays mais le visiteur qui entre dans cette pittoresque cour intérieure se sent transporté en arrière jusqu'au moyen-âge et ressent presque physiquement combien était sans issue la situation de quiconque naissait à cette époque. Certes, un jeune et talentueux chevalier pouvait toujours entrer au service de l'Eglise, d'un prince ou même de l'empereur et

Kocherstetten is the modest little village clustered round the hill on which the "best-preserved Hohenstaufen castle in Germany" stands. The castle belongs to the House of Stetten, and they pride themselves on being Künzelsau's oldest family. There are, no doubt, also a number of middle-class families that could justifiably claim that "our ancestors have passed through these castle gates for more than 800 years", but this is something that only the former masters can fully document.

This family has had a virtually unchanged view from their castle windows for centuries. The villages of the tiny sovereign state of the Imperial Knights of Stetten housed something like 2,500 tenant farmers and small-holders, but the income from them was relatively meagre, and so things have nearly always remained the way they were yesterday. Out of the first castle, built at least a thousand years ago, grew a larger Hohenstaufen castle in the 11th and 12th centuries, with fine residential appartments still protected to this day by a 10-foot-thick wall and a tall keep. The eaves of the roofs hang down far into the narrow courtyard: few such castle yards convey such an aura of security. When the von Stettens reluctantly bowed to the changing requirements of warfare and fortifications, they added outer baileys with heavy corner towers, but when, by the end of the 16th century, artillery developed to such an extent that families like the von Stettens could no longer keep up with the "arms race", they did the opposite thing, hoped for peace, and built in 1716 a

◄ L'église de Kocherstetten. La localité appartenait autrefois au château de Stetten. Jusqu'à notre époque l'appariteur du village s'est appelé le maître de corvée car il devait autrefois percevoir la dîme en produits du sol.
▼ Vue du château de Stetten sur la vallée du Kocher.
► Les actuels habitants du château fort de Stetten peuvent prétendre que leurs ancêtres ont franchi les portes du château pendant au moins 800 ans. Le château de Stetten est parmi les châteaux les mieux conservés du début du 12e siècle. Là où des ponts franchissent aujourd'hui les deux fossés, il y avait encore des ponts-levis il y a 100 ans. La photo représente le pont au-dessus du fossé extérieur du château, la tour du guet et au fond la haute courtine.

◄ Kocherstetten church. The village once belonged to Stetten Castle. The village clerk retained his medieval title of Rent Master until our own times because his duties formerly included collecting the rents, which were paid in kind.
▼ A view into the Kocher Valley from Stetten Castle.
► The present occupants of Stetten Castle can claim that members of their family have been passing through the main gateway for at least 800 years. Stetten Castle is one of the best-preserved early 12th century castles in Germany. The bridges over the moat were still drawbridges until a hundred years ago. The picture shows the bridge over the outer moat, the gatehouse, and the high curtain wall in the background.

▲ Die Kirche von Kocherstetten. Der Ort war früher das Burgdorf, das zur Burg Stetten gehörte. Bis in unsere Zeit hinein hieß der Gemeindediener dort der Fronmeister, weil er früher den Zehnten in Naturalien einzusammeln hatte.
► Ein Blick von der Burg Stetten ins Kochertal hinunter.
►► Die heutigen Bewohner der Ritterburg Stetten können von sich sagen, daß ihre Vorfahren mindestens seit achthundert Jahren ebenso wie sie selbst durch das Tor in der Schildmauer ihrer Burg nach Hause gekommen sind. Die Burg Stetten gehört zu den am besten erhaltenen Burgen aus dem frühen 12. Jahrhundert. Wo heute feste Brücken über die beiden Burggräben führen, waren noch vor hundert Jahren Zugbrücken. Das Bild zeigt die Brücke über den äußeren Burggraben, das Torwarthaus und im Hintergrund die hohe Schildmauer.

innerhalb der Burgmauern ein bißchen komfortabler wurde.

Häuser dieser Art gibt es nun allerdings noch viele im Land, dagegen sieht sich der Besucher im verwinkelten inneren Stettener Burghof völlig in die Enge des Mittelalters versetzt und kann fast körperlich spüren, wie ausweglos es damals gewesen sein muß, in diesen oder in irgendeinen anderen zeitgleichen Raum hineingeboren worden zu sein. Dabei konnte ein junger und begabter Reichsritter immerhin in die Dienste der Kirche, eines Fürsten oder gar des Kaisers treten, um diesen Mauern zu entfliehen, seinen leibeigenen Bauern war das unmöglich, und auch ein gescheiter Sohn des Schuhmachers, dessen Häuslein aus dem Jahre 1270 heute in Rothenburg als »Alt-Rothenburger Handwerkerhaus« die schlichte Holzkultur des deutschen Mittelalters zeigt, hatte keine Chance, aus der Sozialordnung seiner Stadt auszubrechen. Er konnte nur Landsknecht, Laienbruder oder Vagabund werden, wenn er kein Schuster sein wollte.

sortir ainsi de ces murs mais cela était impossible à ses serfs et même à des artisans. A Rothenburg, par exemple, il existe une maison construite dans le style simple du moyen-âge allemand, datée de 1270, et qui est considérée comme un exemple d'une «ancienne maison d'artisan de Rothenburg». Elle a été édifiée par un cordonnier qui jouissait apparemment d'un certain degré de prospérité mais même le fils d'un tel homme n'avait aucune chance de devenir autre chose qu'un cordonnier – à moins qu'il choisisse d'être mercenaire, frère convers ou vagabond.

scarcely fortified house within the outer walls so that they could live in more comfort.

Houses of this kind are not particularly rare, but visitors entering the picturesque inner courtyard feel that they have been transported back to the confines of the Middle Ages, and can almost physically experience how limited was the scope of anyone born in those days. Of course, a young and gifted knight could enter into the service of the church, a prince, or even of the emperor, and thus escape the restraining walls, but for his serfs it was impossible, and also men pursuing other trades were just as limited.

In Rothenburg, for example, there is a house built in the simple half-timbered style of the German Middle Ages, dated 1270, and now described as an "old Rothenburg tradesman's house". It was put up by a shoemaker who obviously enjoyed a degree of prosperity, but even an intelligent son of such a man had no chance of becoming anything but a shoemaker – unless he chose to become a mercenary soldier, a lay brother, or a vagabond.

►► Rothenburg ob der Tauber war im 15. Jahrhundert, wie alle reichen freien Reichsstädte, ein einflußreicher, nahezu souveräner Staat. Den Dreißigjährigen Krieg überlebte es gerade noch als ein politisches Gemeinwesen, doch danach erlahmte die Energie seiner Bürger. Durch glückliche Zufälle gingen die folgenden Kriege an der Stadt fast spurlos vorüber, und so blieb die spätmittelalterliche Stadt als Ganzes erhalten.

►► Rothenburg ob der Tauber fut au 15e siècle, comme toutes les villes libres impériales, un Etat très influent, presque souverain. Elle a encore survécu à la guerre de trente ans comme entité politique mais l'énergie de ses habitants a diminué par la suite. Grâce à d'heureux hasards, les guerres suivantes n'ont laissé aucune trace dans la ville qui a ainsi gardé tout son cachet médiéval.

►► In the 15th century, Rothenburg ob der Tauber, like all rich imperial cities, was an influential, almost sovereign state. It succeeded in surviving the Thirty Years' War as a political entity, but then its townspeople seem to have lost their drive. Since then the town has fortunately been almost untouched by war, so that it has come down to us as a complete medieval city.

## Nach Mergentheim nunter

Ganz Rothenburg ist heute ein Museum. Doch es geht wohl zu weit, diesen »Inbegriff der mittelalterlichen deutschen Stadt« auch noch »das idyllische Traumbild aus dem Mittelalter« zu nennen. Die Besucher strafen diese Einschätzung ohnedies Lügen, wenn sie in die beliebteste Sammlung der Stadt strömen, in das grausame mittelalterliche Kriminalmuseum mit seinen Richtbeilen, mit dem Verhörtisch samt den Daumenschrauben. Neben den Mundbirnen aus Eisen, die den Gefolterten in den Mund gesteckt wurden, damit sie nicht allzu laut schreien konnten, steht dort auf einem Täfelchen: »Besonders zu beachten ist die überaus schmuckreiche Ausführung«. So idyllisch war die Folterzeit, in der es als sicher galt, daß ein jeder der Hexerei angeklagte Mensch »peinlich befragt« werden müsse, weil der Böse in ihm nur unter Qualen den Hexenrichtern zu antworten geneigt sei.

Seltsamerweise hat Rothenburg, dieses »fränkische Jerusalem« über dem Taubertal, seine mittelalterliche Unversehrtheit nur deswegen erhalten, weil es im Dreißigjährigen Krieg von den kaiserlichen Truppen unter dem Feldherrn Tilly im Sturm genommen worden ist. Die Meistertrunkgeschichte, nach der ein Bürgermeister durch seine Trunkfestigkeit bei Tilly erreicht habe, daß die Stadt nicht angezündet wurde, ist natürlich eine Legende, die durch alle schönen Festspiele nicht wahrer wird. Sichtbar ist nur, daß die Stadt auch das überlebte, doch danach erlahmte ihr wirtschaftlicher Schwung. Jegliches Bauen in und um die reichsfreie Stadt hörte auf, und es

## Vers Mergentheim

Toute la ville de Rothenburg est aujourd'hui un musée. Mais il est sans doute exagéré de la qualifier d'«incarnation de la ville médiévale allemande» ou encore d'«image idyllique du moyen-âge». De toute façon, les visiteurs se rendraient compte du côté mensonger de ces qualificatifs en visitant l'exposition la plus populaire de la ville – le musée de criminalogie médiévale avec ses haches de bourreau, sa table de la question avec tous ses accessoires y compris les poucettes. A côté de la «poire» en fer, que l'on enfonçait dans la bouche des prisonniers afin qu'ils ne crient pas trop fort, figure une pancarte sur laquelle on peut lire «veuillez noter l'exécution particulièrement soignée». Aussi idyllique était l'époque de la torture où il allait de soi que toute personne accusée de sorcellerie devait être torturée car le malin en elle ne répondait qu'avec l'aide de tels procédés. Curieusement, Rothenburg, cette «Jérusalem franconienne» au-dessus de la vallée de la Tauber, n'a conservé son caractère médiéval que parce qu'elle a été prise d'assaut pendant la guerre de trente ans par les troupes impériales commandées par le général Tilly. L'histoire du «Meistertrunk» – pour empêcher que la ville ne soit mise à feu et à sang, un ancien bourgmestre aurait vidé d'un trait un hanap plein de vin, la condition posée par Tilly pour sauver la ville – est évidemment une légende qui n'en est pas plus vraie malgré les représentations qu'on en fait chaque année. Mais il est certain en tout cas que la ville a survécu à la guerre de trente ans et qu'elle a connu ensuite un déclin économique. Toutes les constructions dans et

## Down to Mergentheim

Today, the town of Rothenburg is one large museum. But it is surely going too far to call this "epitome of the medieval German town" an "idyllic embodiment of the Middle Ages". Visitors are bound to realize how false this phrase is at the latest when they enter the town's most popular exhibition – the cruel medieval criminological museum, with its executioners' axes, and interrogation table complete with thumbscrews. Next to the iron "pears", which were thrust into prisoners' mouths so that they could not scream too loudly, hangs a sign saying, "Please note the extremely ornamental craftmanship". That's how idyllic an interrogation chamber was in an age when it was taken for granted that anyone accused of being a witch had to be tortured because the evil in them would respond only to such methods.

Strangely enough, Rothenburg, this "Franconian Jerusalem" above the Tauber Valley, retained its medieval character intact only because it was taken by storm in the Thirty Years' War by the imperial troops under General Tilly. The story that a mayor, by virtue of his capacity to take his drink, succeeded in persuading Tilly not to fire the town, is, of course, only a legend, and is not made more true by being the subject of historical pageants. It is clear, at any rate, that the town, unlike so many others, did survive the Thirty Years' War – only to go into an economic decline. All building in and around the imperial city stopped, and it is certainly curious that it should have been Romantic painters such as Carl Spitzweg and Ludwig Richter

ist schon hintersinnig, daß dann ausgerechnet romantische Maler wie Carl Spitzweg und Ludwig Richter die im Reich vergessene Stadt als das Sinnbild der schönen, guten und wahren alten Zeit entdeckten. An dieser Entdeckerfreude hat sich bis heute wenig geändert. Eine alte Rothenburgerin, der ich an einem Augusttag half, von ihrer Wohnung durch sechs Omnibusladungen von Japanern und Amerikanern zur gegenüberliegenden Apotheke zu kommen (wobei wir vielfach fotografiert wurden), jammerte mir vor, ihr geliebtes Städtchen sei überhaupt niemals entleert von Fremden. Seit ich dort an einem regnerischen Novembertag eine arabische Studentin getroffen habe, die weißwallende Saudis durch die Gassen führte, glaube ich das gern. Das junge Mädchen übersetzte eine der schönen Hausinschriften: »Wenn dieses Haus so lange hält, bis Not und Haß und Neid zerfällt, dann steht es bis an's End der Welt«, und einige ihrer Gäste schrieben das mit. Es ist unmöglich, Rothenburg samt all seinen herrlichen Kirchen, Klöstern, Plätzen, Prunkgebäuden, Wehrgängen, Basteien und Toren bei einem einzigen Besuch in sich aufzunehmen. Der Liebhaber kommt immer wieder

autour de la ville impériale cessèrent et il est certainement curieux que ce soient précisément des peintres romantiques comme Carl Spitzweg et Ludwig Richter qui aient découvert cette ville oubliée comme le symbole d'une belle et heureuse époque. Et, chaque année, elle est redécouverte par des milliers de visiteurs. Une vieille Rothenburgeoise que j'avais aidée à traverser la rue entre six autobus chargés de Japonais et d'Américains (ce qui nous avait valu d'être photographiés x fois) se plaignit à moi qu'il y ait toujours des étrangers dans sa chère ville. Et depuis qu'un jour pluvieux de novembre j'ai rencontré une étudiante arabe guidant un groupe de Saoudiens vêtus de leur costume traditionnel à travers les ruelles de la ville, je la crois volontiers. La jeune fille traduisait une des belles inscriptions sur les maisons: «Si cette maison dure jusqu'à ce que la misère, la haine et l'envie soient bannies, alors elle durera jusqu'à la fin du monde» et quelques personnes de son groupe en prirent note. Il est impossible d'assimiler en une seule visite toutes les merveilleuses églises, couvents et places, les beaux bâtiments, les fortifications, les bastions et les portes de Rothenburg. L'amoureux de la ville

who discovered the forgotten town as a symbol of the beautiful, happy, and good old days. It is rediscovered every year by thousands. An old Rothenburg lady whom I helped to cross the road between six busloads of Japanese and Americans (during which passage we were photographed countless times) complained to me that her beloved town was never free of strangers. I have been able to believe that since one rainy day in November, when I encountered an Arab student guiding a group of Saudis in their traditional dress through the crooked streets. The girl translated one of the old house inscriptions: "If this house should stand till hunger, hate and envy's banned, 'twill stand till the world's end's at hand." – And some of her flock wrote it down. It is impossible to take in Rothenburg, with all its wonderful churches, monasteries and convents, squares, splendid buildings, fortifications, baileys, and gates, in a single visit. The enthusiast comes here again and again, and refuses to be put off by a town which is determined to sell its charms afresh every day. The experienced visitor knows that only a few kilometres to the west, and still within the old area of jurisdiction of Rothen-

► Der Sieberturm in Rothenburg. So anheimelnd die mittelalterlichen Fachwerkhäuschen hier an der Gassengabel des sogenannten Plönleins aussehen – man muß das winzige »Handwerkerhäuschen« besuchen, um zu sehen, wie die Menschen im Mittelalter geradezu in einer Holzkultur gelebt haben und wie bescheiden dieses Leben war. Die romantische Verklärung, wie sie von solch einer Museumsstadt ausgeht, hat nichts mit der damaligen Wirklichkeit zu tun.

► Le Siebers-Turm à Rothenburg. Si confortables que paraissent les maisons à colombage de cette ruelle du Plönlein, il faut visiter la minuscule «Handwerkerhäuschen» (maison des artisans) pour voir comment les gens ont pratiquement vécu dans une civilisation du bois au moyen âge et combien cette vie était modeste. L'aura romantique qui émane d'une telle ville-musée n'a rien à voir avec la réalité d'autrefois.

► Siebers-Turm – one of Rothenburg's town gates. Although the medieval half-timbered houses look extremely picturesque and cosy, it is only necessary to visit one of the "craftsmen's houses" in order to see what simple lives people lived in the Middle Ages. The romantic impression which such a town makes on us has nothing to do with the reality of life in those days.

◄ Impressionen aus Rothenburg. In der Mitte die Kunstuhrfiguren, die mehrmals am Tag den »Meistertrunk« vorführen, den der Altbürgermeister Nusch vor dem kaiserlichen Feldherrn Tilly getan haben soll, um die Stadt vor der Plünderung zu bewahren.
► Hinter dem Röderbrunnen ist auf einen Torbogen der Markusturm aufgesetzt worden, der zur ältesten Rothenburger Befestigungsanlage gehört. Als die Stadt größer wurde, wurde das alte Tor zu einem Teil der inneren Befestigungslinie.

◄ Des impressions de Rothenburg: au milieu, les figures de l'horloge qui, plusieurs fois par jour, représentent le «Meistertrunk». Pour sauver la ville du pillage, l'ancien bourgmestre Nusch vida d'un trait un hanap de vin devant le général de l'empire Tilly.
► Derrière la Röderbrunnen, le Markus-Turm a été élevé au-dessus d'une porte qui fait partie des plus anciennes fortifications de Rothenburg. Lorsque la ville s'agrandit, la vieille porte devint une partie de la ligne de fortifications intérieure.

◄ Impressions of Rothenburg. In the centre: the clock figures which mechanically imitate the famous drinking bout at which Mayor Nusch is reputed to have saved the town from being pillaged by the imperial army under Tilly.
► Behind the fountain (Röderbrunnen) we see the Markus Tower and gateway, which belongs to the oldest part of Rothenburg's fortifications. When the town expanded, the old gate became part of the inner line of defence.

und läßt sich nicht abschrecken von einer Stadt, die fest entschlossen ist, ihr Aussehen Tag für Tag aufs neue zu verkaufen. Der kundige Besucher weiß ja auch, daß nur wenige Kilometer westwärts und schon innerhalb der Rothenburger Landhege all der Wirbel zu Ende ist und das stille Hohenloher Land beginnt. Und selbst wer das Pech hatte, in der St.-Jakobs-Kirche in Rothenburg den herrlichen Lindenholzaltar vom Heiligen Blut des Meisters Riemenschneider im Gedränge einer keineswegs andachtsvollen Menge nur streifen zu können mit den Augen, der wird reich entschädigt, wenn er ins nahe Creglingen fährt zur Herrgottskirche im Herrgottsbachtal. Dort steht Tilman Riemenschneiders ebenso unvergleichlicher Marienaltar, und mindestens an Werktagen herrscht dort jene wunderbare Ruhe, in der Gottlob Haag seine schönen Verse über Riemenschneider gefunden hat: »Er gab/ seinen Geschöpfen/ den Frieden,/ den er suchte./ Schweigend/ beten für ihn/ seine Apostel/ und Madonnen.« Diese spätgotischen Apostel und Madonnen sind Menschen aus dem Beginn des 16. Jahrhunderts und damit die Menschen, die unsere Phantasie noch immer in dieser Landschaft sieht. Riemenschneider muß seine Mitbürger unablässig darauf geprüft haben, ob ihre Gesichter edel genug oder verworfen genug waren für die Gestalten der Heiligen Schrift, die er in das Lindenholz prägte.

Wie schön, daß sein innig beseeltes Werk gerade in der Creglinger Herrgottskirche dem Schnitzwerk eines Mannes begegnet, der die Welt habhafter betrachtete: Veit Stoß. Die

revient toujours et ne se lasse pas d'en découvrir les charmes jour après jour. Le visiteur expérimenté sait qu'à quelques kilomètres à l'Ouest et encore dans l'ancienne zone de juridiction de Rothenburg commence la paisible campagne de Hohenlohe. Et même celui qui aura eu la malchance de ne pouvoir jeter qu'un coup d'œil à cause d'une foule nullement recueillie sur le merveilleux retable en bois de tilleul sculpté par Riemenschneider de l'autel du Saint-Sang dans l'église St.-Jacob à Rothenburg sera bien dédommagé s'il visite la chapelle de Notre-Seigneur dans la vallée de Herrgottsbach à Creglingen. Il y verra, également sculpté par Tilman Riemenschneider, le splendide autel dédié à la Vierge et, du moins en semaine, jouira de la merveilleuse tranquillité qui a inspiré Gottlob Haag dans ses vers sur Riemenschneider: «Il a donné/à ses créatures/Toute la paix/qu'il cherchait. En silence/elles prient pour lui:/ses apôtres/et madones.»

Ces apôtres et madones du gothique tardif sont des personnages du début du 16e siècle et ainsi des personnes que notre imagination voit encore dans ce paysage. Riemenschneider a dû constamment étudier les visages des ses concitoyens pour voir s'ils étaient suffisamment nobles ou dépravés pour servir de modèles aux figures bibliques qu'il a gravées dans le bois de tilleul.

Quel heureux hasard que dans l'église de Notre-Seigneur à Creglingen son œuvre spirituelle animée d'une sensibilité profonde soit précisément confrontée avec les sculptures d'un autre artiste qui avait une vue plus maté-

Der Hochaltar im Chor der Creglinger Herrgottskirche. Der Altar wird Veit Stoß zugeschrieben.

Le maître-autel dans le choeur de la Herrgottskirche de Creglingen. Le retable est attribué à Veit Stoss.

The High Altar in Creglingen's Church of Our Lord. The altarpiece is attributed to Veit Stoss.

Kunstgeschichte ist sich zwar nicht einig, ob der Hochaltar im Chor der Herrgottskirche nun vom Meister selbst oder nur aus seiner Werkstatt komme, doch was gilt das einem schauhungrigen Besucher. Wie eine erstarrte Theaterszene stehen die Häscher und das Volk lebhaft in den Passionsszenen des Stoß-Altars. Diese bunten Figuren wirken lebhaft und unmittelbar auf den Betrachter, und wer sie vergleicht mit den feinen Filigrangestalten Riemenschneiders, dem öffnet sich ein Zipfel vom Wesen der Kunst. Stoß und Riemenschneider sind in derselben Zeit in dieselbe süddeutsche Welt hineingeboren worden und sind beide mit den Mächten ihrer Zeit schmerzhaft zusammengeprallt. Doch ein jeder von ihnen hat diese Welt auf seine eigene, unverwechselbare Weise geschildert, und es hat nichts zu sagen, daß Riemenschneiders vergeistigte Schöpfung später weniger verstanden worden ist als die leidenschaftliche Darstellung des Veit Stoß. Riemenschneiders Marienaltar wurde jedenfalls schon während der Reformationszeit nicht nur aus Glaubensgründen mit Brettern vernagelt und erst im letzten Jahrhundert wieder entdeckt – wahrscheinlich war das braune Holzgebilde in der Renaissance nicht ansehnlich genug gewesen für die damaligen Betrachter.

Dieses Schicksal hatte in Mergentheim auch die »Stuppacher Madonna« des Matthias Grünewald, die zur selben Zeit entstanden ist. Nach Stuppach im Süden von Bad Mergentheim kommen die Menschenscharen heute nur, um dieses Bild zu sehen. Dabei hing

rielle du monde: Veit Stoss. Les historiens de l'art ne savent pas avec certitude si le retable du chœur de l'église a été sculpté par Veit Stoss lui-même ou s'il provient seulement de son atelier mais cela importe peu aux visiteurs. Les soldats et le peuple qui figurent dans les scènes de la Passion de Stoss donnent l'impression d'un tableau vivant. Les figures colorées font un puissant effet sur l'observateur qui, s'il se donne la peine de les comparer avec les figures en filigrane de Riemenschneider, aura une idée de l'essence même de l'art. Stoss et Riemenschneider sont nés à la même époque et dans le même monde de l'Allemagne du Sud et tous deux ont été durement confrontés avec les forces puissantes de leur temps. Mais chacun d'eux a dépeint le monde à sa manière inimitable et cela ne veut rien dire que la création spirituelle de Riemenschneider ait été par la suite moins bien comprise que l'œuvre plus passionnée de Veit Stoss. Le retable de la Vierge de Riemenschneider avait été dissimulé sous des planches à l'époque de la Réformation mais pas seulement pour des raisons de dogme – vraisemblement la sculpture en bois brun n'était pas assez colorée au goût de la Renaissance – et il n'a été redécouvert qu'au siècle dernier.

Le même sort fut réservé à la «Madone de Stuppach» qui a été peinte à la même époque par Matthias Grünewald. Aujourd'hui, les gens viennent en masse à Stuppach, un village au sud de Bad Mergentheim rien que pour ce tableau de la Vierge. Pendant des siècles, cette toile salie, repeinte, était restée accrochée,

burg, the quiet Hohenlohe countryside begins. And even someone who has been unlucky enough, because of the by no means reverent crowds, to be able to catch no more than a glimpse of the wonderful Riemenschneider altar in St. Jacob's Church in Rothenburg, is richly compensated if he takes the trouble to visit the Chapel of our Lord in the Herrgottsbach Valley at nearby Creglingen. There he will see Tilman Riemenschneider's equally splendid altar dedicated to Mary, and, at least on weekdays, will enjoy that wonderful tranquillity which inspired Gottlob Haag to his fine verses on Riemenschneider: "He gave/all his creations/the peace/which he sought. In/silence/they pray for him:/his apostles and madonnas."

The late-Gothic apostles and madonnas are people from the beginning of the 16th century, and thus the people who, in our imagination, we still see populating this countryside. Riemenschneider must have constantly searched the faces of his fellow-citizens to decide whether they were sufficiently noble or depraved to stand as models for the biblical figures that he carved in limewood.

What a happy stroke that in the Chapel of Our Lord in Creglingen his sensitive, spiritual works should be confronted with the carvings of another artist, one who took a more down-to-earth view of the world: Veit Stoss. It is not absolutely clear whether the High Altar in the Chapel of Our Lord is by the master himself or was only produced in his workshop, but this does not concern the normal visitor too much. The soldiers and the people depicted in

Aus Lindenholz geschnitzt ist der Marienaltar von Tilman
Riemenschneider. Seine Bewunderer halten diesen
Schrein für sein reifstes und schönstes Werk. Wahrscheinlich ist es zwischen 1505 und 1510 entstanden. Die Mittel-
gruppe zeigt die »Himmelfahrt Marias«.

Le retable de la Vierge en bois de tilleul a été sculpté par
Tilman Riemenschneider. Ses admirateurs le tiennent pour
l'œuvre la plus accomplie et la plus belle du sculpteur. Elle
a sans doute été créée entre 1505 et 1510. Le groupe du
milieu représente «L'assomption».

Tilman Riemenschneider's Altar to the Virgin Mary (also at
Creglingen) is carved in limewood. His admirers consider
this to be Riemenschneider's finest and most mature work.
It was probably carved between 1505 and 1510. The centre
group depicts the Assumption of the Virgin.

diese Leinwand jahrhundertelang verdreckt, übermalt und völlig unbeachtet im Mergentheimer Deutschordensschloß und galt als so unbedeutend, daß sie nicht einmal die württembergischen Kunsträuber haben wollten, die 1809 sogar den Thronsessel des Hochmeisters vom Deutschen Orden fortkarrten. Ein kunstverständiger Stuppacher Pfarrer, der meinte, das Bild sei von Rubens, erwarb das Gemälde später für seine Kirche. Er muß es billig bekommen haben, denn weder der Pfarrer noch seine Gemeinde hatten Geld für etwas so Überflüssiges wie ein Bild. Immerhin leisteten sich die Stuppacher aber die Reinigung des Bildes, und dabei malte der Restaurator dem Kind schöne rote Bäckchen und überpinselte früher schon Überpinseltes noch dicker.

Erstaunlicherweise wurde die immer mehr veränderte »Madonna im Garten« dennoch 1881 als ein Werk des Aschaffenburger Meisters Matthias Grünewald erkannt. Damit änderte sich aber nichts, denn dieser Grünewald war der Allgemeinheit völlig unbekannt. Als übermalter Rubens war das Bild wertvoller gewesen. Richtig eingeschätzt und von den vielen bunten Deckschichten befreit wurde diese »mystische Farbendichtung« erst in diesem Jahrhundert. Wer nach Stuppach pilgert, sollte viel Muße mitbringen, um sich in diese fremd gewordene Symbolwelt hineinzudenken. Die betörenden Farben und Formen werden noch viel eindringlicher, wenn auch der Verstand erfaßt, was etwa die Lilie am Ölbaum dem Maler und seinen Zeitgenossen bedeutet hatte.

tout à fait ignorée, au château de l'ordre Teutonique à Mergentheim et passait pour si insignifiante qu'elle avait été laissée par les voleurs qui s'étaient introduits dans le château en 1809 et avaient emporté jusqu'au trône du grand-maître de l'ordre Teutonique. Un curé de Stuppach, amateur d'art, qui pensait que le tableau était de Rubens, l'avait acheté par la suite pour son église. Il avait dû l'avoir très bon marché car ni lui ni sa paroisse n'avaient de l'argent pour quelque chose d'aussi superflu qu'un tableau. Néanmoins, les paroissiens firent nettoyer le tableau et le restaurateur en profita pour peindre de belles joues rouges à l'Enfant Jésus et ajouter une couche de peinture à ce qui avait déja été repeint auparavant.

Il est curieux cependant que ce tableau totalement transformé de «La Vierge dans le jardin» ait été reconnu en 1881 comme l'oeuvre du maître Matthias Grünewald d'Aschaffenburg. Cela n'avait guère d'importance toutefois car le peintre Grünewald était tout à fait inconnu du grand public. La toile aurait eu plus de valeur si elle avait été un Rubens repeint. Ce «poème mystique en peinture» ne fut en fait vraiment apprécié et débarrassé de ses nombreuses couches de peinture qui le recouvraient qu'au cours de ce siècle. Celui qui fait aujourd'hui le pélerinage de Stuppach doit prendre son temps pour pénétrer dans ce monde de symboles devenu étranger. Les couleurs et les formes séduisantes deviennent encore émouvantes lorsque l'on comprend ce que le lys sur l'olivier, par exemple, représentait pour le peintre et ses contemporains.

the Stoss passion scenes stand there full of life as in a tableau vivant. The colourful figures all have an immediate and forceful effect upon the observer, and if he takes the trouble to compare them with the delicate, filigree-style figures carved by Riemenschneider he will gain a small insight into the essence of art. Stoss and Riemenschneider were born into the same age and the same south-German world, and both of them collided painfully with the powerful forces of their time. But each depicted the world in his own, inimitable manner, and it is of no significance that Riemenschneider's spiritual creation was later to be less understood than the more passionate work of Veit Stoss. Riemenschneider's altar was boarded up already in the Reformation period, but not only for dogmatic reasons – it is quite likely that the brown wooden carving was not colourful enough for Renaissance taste – and was only rediscovered in the last century.

The "Stuppach Madonna" by Matthias Grünewald, which was painted in the same period, suffered the same fate. People travel en masse nowadays to Stuppach, south of Bad Mergentheim, simply to see this one painting, and yet it hung for centuries, overpainted, dirty, and completely neglected in the castle of the Teutonic Order in Mergentheim, and was considered so unimportant that it was not even taken along when robbers broke into the castle in 1809 and carried away every work of art of value, even including the throne of the Grand Master of the Teutonic Order. Later on, a parson from Stuppach,

Stuppach gehört heute zu Mergentheim, wo der Deutsche Orden im Jahre 1532, als ihm das Bild geschenkt wurde, seine dritte Blütezeit erlebte. Die erste war in den Jahrhunderten der Kreuzzüge, als die Brüder vom »Hospital St. Mariens vom Deutschen Haus in Jerusalem« in Akkon die kranken Glaubensgenossen pflegten. Aus der Hospitalbruderschaft wurde ein Ritterorden, dem sein Ordensstaat in Ostpreußen schon zugesprochen wurde, als dieses Land noch gar nicht erobert war. Als die Ritter nach dieser Glanzzeit auch von dort vertrieben wurden, kamen sie im Jahre 1525 nach Mergentheim und erhoben es zu ihrer Residenz, zumal da sie hier schon seit 1219 eine vom Haus Hohenlohe gestiftete Komturei besaßen. Nun begann die Stadt zu blühen, und bis heute trägt fast jedes zweite alte Haus der Stadt ein schwarz-weißes Deutschordenskreuz. Auch der letzte, von Napoleon erzwungene, fluchtartige Umzug des Ordens nach Wien im Jahre 1809 ist bis heute nicht vergessen in Mergentheim. Damals gab es Prügeleien mit den Truppen des erbschleichenden württembergischen Königs, und sogar beim befohlenen Gebet für den neuen Herrn zeigten sich die Mergentheimer renitent. Dafür mauerte ihnen dann der König sein großmächtiges Wappen über das Portal des ehemaligen Deutschordensschlosses. Für uns Heutige ist das prächtig anzusehen, damals wirkte dieses Prunkgebilde wie das Henkersbeil der neuen Macht.
In dem weitläufigen Schloß sind aus den Unterkünften für die ritterlichen Knechte, die

Stuppach fait aujourd'hui partie de Mergentheim où, en 1532, l'année où le tableau lui fut offert, l'ordre Teutonique vivait sa troisième période de gloire. La première avait été à l'époque des croisades lorsque les chevaliers de l'hôpital Ste.-Marie des Teutons d'Acre soignaient leur coreligionnaires. L'ordre hospitalier se transforma peu à peu en un ordre de chevalerie auquel avait été attribuée aux fins de colonisation la région de Prusse orientale avant même qu'elle ne soit conquise. Lorsque les chevaliers furent chassés de Prusse orientale, ils vinrent à Mergentheim en 1525 et en firent leur siège – il y avait là depuis 1219 une commanderie qui leur avait été donnée par la Maison des Hohenlohe. Ce fut le début de la prospérité pour la ville et aujourd'hui encore presque une maison sur deux porte les armes de l'ordre Teutonique – une croix noire sur fond blanc. En 1809, Napoléon contraignit les chevaliers à prendre la fuite pour Vienne et cet épisode n'a toujours pas été oublié à Mergentheim. Il y eut à l'époque des heurts entre la population et les troupes du roi de Wurtemberg (qui était décidé à profiter de son alliance avec Napoléon) et les habitants de Mergentheim se montrèrent même récalcitrants lorsqu'il fut question de la prière qu'ils devaient offrir à leur nouveau maître. Sur quoi le roi fit sculpter dans la pierre son imposant blason au-dessus du portail de l'ancien château de l'ordre Teutonique, ce qui aujourd'hui nous paraît magnifique mais qui, pour la population à l'époque, était le signe menaçant de son nouvel asservissement.

who had a taste for art, and thought the picture was by Rubens, bought it for his church. He must have got it cheap, because neither he nor his parish had much money left over for anything as unnecessary as a painting. But the parishioners nevertheless found the wherewithal to have the work cleaned, and in the process the restorer gave baby Jesus bright red cheeks, and overpainted again what had already been overpainted before.
Amazingly enough, the by then totally changed "Madonna in the Garden" was recognized in 1881 as a work by the Master Matthias Grünewald of Aschaffenburg. This was of no significance, however, for the painter Grünewald meant nothing to the public at large. The picture would have been regarded as more valuable if it really had been an overpainted Rubens. In fact, this "mystical poem in paint" was not really properly appreciated and freed of its later encrustations until our own century. Anyone making the pilgrimage to Stuppach should allow plenty of time to feel his way into its now alien world of symbols. The persuasiveness of the colours and forms becomes far more intense if there is also a rational understanding of what the lily on the olive tree, for example, meant to the painter and his contemporaries.
Stuppach now belongs to Mergentheim, where the Teutonic Order was just experiencing its third period of glory when it was presented with the picture in 1532. The first of these periods was during the crusades, when the Knights of the Hospital of St. Mary of the Teutons at Acre nursed their fellow-believers.

Sechs Jahrhunderte lang war Mergentheim eine Deutschordensstadt, und das haben die Mergentheimer bis heute nicht vergessen, obwohl der Orden schon 1809 nach Wien umgezogen ist. Links die Wolfgangskapelle vor einer der Tauberbrücken, unten die in das riesige Schloßareal harmonisch eingefügte barocke Schloßkirche.

Six siècles durant, Mergentheim fut la résidence de l'ordre Teutonique et les habitants de la ville ne l'ont pas oublié jusqu'à maintenant, bien que l'ordre se soit installé à Vienne dès 1809. A gauche, la Wolfgangskapelle devant un des ponts sur la Tauber, en bas l'église du château de style baroque harmonieusement intégrée dans l'immense complexe du château.

Mergentheim was the seat of the Teutonic Order for 600 years, and the Mergentheimers have not forgotten it, although the Order moved to Vienna as long ago as 1809. On the left is St. Wolfgang's Chapel on one of the bridges over the Tauber, below is the Baroque Palace Church, harmoniously incorporated in the immense palace square.

Wahrscheinlich entstand das Mergentheimer Schloß aus einem frühmittelalterlichen Königshof. Daraus wurde zuerst eine Wasserburg, und die wurde vom 16. Jahrhundert an zu einem prunkvollen Hochmeister-Sitz des Deutschen Ordens aus- und umgebaut. Oben sind noch beide Bauformen zu erkennen. Links das Hauptportal von 1628.

Le château de Mergentheim a sans doute été construit à partir d'une ancienne cour royale médiévale. Ce fut d'abord un castel d'eau qui, au 16e siècle, fut agrandi et aménagé pour devenir la somptueuse résidence du grand maître de l'ordre Teutonique. En haut, on distingue encore les deux formes de construction. A gauche, le portail principal datant de 1628.

Mergentheim Palace is probably on the site of an early-medieval royal castle. This was at first converted into a moated castle, and, in the 16th century, rebuilt as a magnificent residence for the Grand Master of the Teutonic Order. The general view reveals both of the building styles, the detail shows the main gateway of 1628.

Zollreiter, die Söldner, die Beamten und die Ordensritter ein Museum, das Amtsgericht oder das Veterinäramt geworden. Im Schloßmuseum wurde allerdings noch einiges zusammengetragen vom herrlichen Meißner Porzellan mit dem Deutschordenskreuz bis zur »Livrée des Deutsch-Ordens-Lakaien Alois« – selbstverständlich ebenfalls mit dem Deutschordenskreuz auf den Knöpfen. Wohl nur von uns her gesehen bedeutend war die Mergentheimer Hofkapelle – dort musizierte nämlich Ludwig van Beethoven im Jahre 1791 als einundzwanzigjähriger Bratschist. Doch das war noch vor seiner Wiener Zeit, und selbst die Musikgeschichte kennt außer einer Ballettmusik kein Werk, das für alle Zeiten mit Beethoven und Mergentheim verbunden ist. Da ist die »Idylle vom Bodensee«, die Eduard Mörike während seiner zehn Jahre in Mergentheim geschrieben hat, schon ein habhafteres künstlerisches Zeugnis. Zu Mörikes Mergentheimer Zeit hatte sich das Städtchen schon zum Bad gemausert, nachdem ein Schäfer seinen Tieren die Quellplätze abgeguckt hatte, aus denen das mineral- und salzhaltige Heilwasser aus den Buntsandsteinschichten emporsteigt. Diese Bittersalze haben der Stadt mit dem weltläufigen Badebetrieb einen Ersatz für die alte Herrlichkeit der Deutschordenszeit gebracht.
In der Umgebung ist jedoch nach wie vor wenig von dieser Weltläufigkeit zu spüren. Das ist nicht immer ein Vorteil für die Hohenloher. Um das Jahr 1933 zum Beispiel brachte das beharrliche Nur-auf-sich-selbst-Sehen für die Judengemeinden Schreckliches.

La vaste château, où logeaient autrefois les chevaliers et toute leur suite d'officiels et de serviteurs, abrite aujourd'hui un musée, le tribunal d'instance et l'office vétérinaire.
Le musée renferme quelques souvenirs de l'ordre lui-même tels que de la merveilleuse porcelaine de Meissen décorée de l'emblème de l'ordre Teutonique et la «livrée d'Alois, laquais de l'ordre Teutonique» – avec évidemment l'emblème de l'ordre sur les boutons. La chapelle de la cour de Mergentheim présente un intérêt pour nous car Ludwig van Beethoven y joua comme violoniste à l'âge de 21 ans en 1791. C'était avant sa période viennoise et peu de choses le rattachent à Mergentheim si ce n'est une musique de ballet. L'«Idylle du lac de Constance» écrite par Edouard Mörike au cours des dix années qu'il a passées dans la ville est un legs artistique plus important pour Mergentheim. Déjà à l'époque de Mörike, Mergentheim s'était élevée au rang de station thermale après qu'un berger ait découvert les sources d'eau minérale grâce à ses moutons qui avaient trouvé l'eau salée à leur goût. Ces eaux, très connues maintenant, ont permis à la ville de compenser la perte de la gloire que lui avait conférée l'ordre Teutonique. Dans les environs cependant, on n'est guère ouvert sur le monde. Une attitude qui n'a pas toujours été à l'avantage des gens de Hohenlohe. En 1933, par exemple, cette tendance à l'introversion a eu de tragiques conséquences pour les communautés juives. Ces citoyens juifs à la campagne se fiaient à leur intégration maintes fois prouvée dans la civilisation allemande et ne pouvaient absolument pas croire que les

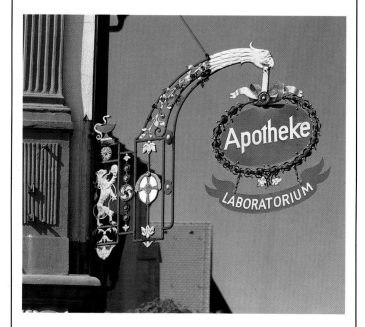

Viele staunenswerte Kleinigkeiten beleben das Mergentheimer Stadtbild von den liebevoll gepflegten Schildern bis zu den altertümlichen Briefkästen, die aber bis heute in Betrieb sind. Selbst daß der junge Beethoven als Bratschist in der Hofkapelle gespielt hat, erfährt der Stadtbummler.

De nombreux détails étonnants animent l'image de la ville de Mergentheim, des enseignes conservées avec amour jusqu'aux anciennes boîtes aux lettres encore utilisées de nos jours. Le visiteur apprend même que Beethoven a joué, étant jeune, comme altiste dans l'orchestre de la cour.

The overall impression given by Mergentheim is enlivened by many charming details, ranging from lovingly-preserved signs to the old-fashioned post boxes still in use. An interesting point for music-lovers: Beethoven played the viola in the palace band here as a young man.

Diese jüdischen Bürger auf dem Land beharrten auf ihrem vielfach bewiesenen Deutschtum und wollten nicht wahrhaben, daß die Nationalsozialisten selbst die ordensgeschmückten jüdischen Frontkämpfer des Ersten Weltkrieges als Staatsfeinde ansahen. Deshalb blieben viele von ihnen viel zu lange in der angestammten Heimat und wurden in den vierziger Jahren getötet. Niederstetten gedenkt aber auch bis heute des tapferen Pfarrers Hermann Umfrid, der damals als Einzelgänger die Juden in Schutz nahm. Auch Umfrid kam um.

In der zweiten Hälfte dieses Jahrhunderts nehmen hier die wehmütigen Schilderungen von etwas Letztem zu, das der Besucher gerade noch hätte erleben können, wenn er nur wenige Jahre früher gekommen wäre. In Wildenstein arbeitete der letzte Besen- und Bürstenbinder; in Wildenhäusle der letzte Bauerntöpfer; in Creglingen war das letzte einklassige Gymnasium mit einem Lehrer, der seine Schüler allein in allen Fächern bis zum Abitur brachte; in Bölgental bei Kirchberg lebte der letzte Gänsehirte; in Laibach und Rengershausen gingen die letzten Scharwächter am Sonntag während des Gottesdienstes mit dem Spieß durch das Dorf, um auf das Diebsgesindel aufzupassen; in Kocherstetten starb der letzte Gemeindediener, der noch der »Fronmeister« hieß, weil seine Vorgänger den Zehnten für die Herrschaft eingesammelt hatten; und an der Brettach ratterten bis zur Flurbereinigung die letzten hölzernen Mühlen. Und, und, und – sogar vom letzten Ausgedingebauern wird erzählt, der noch den

nazis iraient jusqu'à considérer comme ennemis de l'Etat des juifs qui avaient été décorés sur le front de la première guerre mondiale. C'est pourquoi nombreux sont ceux qui restèrent trop longtemps dans leur patrie traditionnelle et furent tués dans les années quarante. A Niederstetten, on honore encore la mémoire du pasteur Hermann Umfrid qui à l'époque fut l'un des rares à prendre les juifs sous sa protection. Umfrid fut également tué par les nazis.

Dans la deuxième moitié de notre siècle, les descriptions nostalgiques des choses que le visiteur aurait pu voir s'il était venu quelques années plus tôt sont devenues de plus en plus populaires. C'est à Wildenstein, par exemple, qu'a travaillé le dernier faiseur de balais et de brosses; à Wildenhäusle, le dernier potier paysan; Creglingen a eu le dernier lycée à une classe et un seul maître pour conduire tous ses élèves jusqu'au baccalauréat; Bölgental près de Kirchberg peut se vanter d'avoir eu le dernier gardien d'oies; à Laibach et Rengershausen, les derniers gardiens du village ont patrouillé dans les rues pendant l'office dominical munis de leurs lances pour éloigner les voleurs; à Kocherstetten est mort le dernier appariteur et le long de la Brettach les derniers moulins en bois ont claqué jusqu'à l'époque du remembrement. Et, et, et – il est même question du dernier habitant qui saluait encore à l'ancienne manière du pays de Hohenlohe en souhaitant «Bonne santé!» Pour ne pas pleurer sur de tels trésors perdus il suffit de penser que dans cent ans notre vie aura également le charme du passé.

The nursing order gradually developed into a military one, which was awarded the region of East Prussia for colonization before it had even been conquered. When the Knights were driven out of East Prussia, they went to Mergentheim in 1525 and made it their seat – they had had an estate there, given to them by the House of Hohenlohe, since 1219. This was the beginning of prosperity for the town, and even today almost every second house bears the arms of the Teutonic Order – a black cross on a white ground. In 1809, Napoleon forced the Knights to leave the town hurriedly for Vienna, and this has still not been forgotten or forgiven in Mergentheim. At the time there were clashes between the townspeople and the troops of the King of Württemberg (who was intent on profiting from his alliance with Napoleon), and the Mergentheimers were even refractory on the question of the prayer they were instructed to offer up for their new master. Then, to show them who was boss, the king had his imposing coat of arms carved in stone, and set above the portal of the former residence of the Teutonic Order. It looks magnificent to us today, but to the townspeople at that time it was an ominous sign of their new servitude.

The spacious castle, which once provided accomodation for the knights and all their retinue of officials and servants, now houses a museum, the district court, and a veterinary office. The museum contains a few relics of the Order itself, such as some wonderful Meissen porcelain, decorated with the Teutonic Order's emblem, and the "livery of

alten hohenlohischen Gruß geboten hatte: »D' Gsundheit is' mer lieb.« Vor Trauer schützt da nur die Einsicht, daß auch unser Leben in hundert Jahren verklärte Vergangenheit sein wird.

Der ländliche Main-Tauber-Kreis ist das Armenhaus Baden-Württembergs mit »viel Land, viel Wind und wenig Menschen«. Viel zu viele junge und tatkräftige Bürger brechen dort aus in größere Verhältnisse, und die Alten bleiben so sehr hocken, daß zum Beispiel der Bürgermeister von Niederstetten erst nach der Kreisreform vor wenigen Jahren auch einmal die schöne Stadt Tauberbischofsheim besuchte. Die war nämlich inzwischen der neue Zentralort geworden.

Gerade wegen der hier auch im Autozeitalter noch herrschenden übergroßen Beharrlichkeit soll es sogar einen »Kellermann-Stammtisch« geben, an dem Haudegen jedes Alters und Kalibers (und eines jeden nur möglichen Grades der Ernsthaftigkeit) zusammenkommen im Geiste des Bauernbuben Franz Christoph Kellermann aus Weiler bei Rothenburg. In diesem winzigen Ort stehen bis heute nur ein Dutzend schön gemauerte Wohnhäuser, und im Jahre 1735, als Kellermann geboren

La circonscription rurale de Main-Tauber est la maison des pauvres du Bade-Wurtemberg avec «beaucoup de terres, beaucoup de vent et peu de gens». Trop de jeunes quittent cette région pour entreprendre de plus grandes choses et les vieux sont si sédentaires que par exemple le maire de Niederstetten n'avait jamais visité la ravissante petite ville voisine de Tauberbischofsheim avant que la réforme des limites de la circonscription n'en fasse le nouveau centre de celle-ci.

Cette sorte d'attachement exagéré à certaines choses, qui persiste même à l'époque de l'automobile, fait qu'il y a des traditions qui subsistent et qui ne manquent pas d'étonner les étrangers. C'est ainsi que l'on dit qu'il existe même une «société Kellermann» qui se réunit inofficiellement dans un café du coin et qui accueille les vétérans de tous âges, calibres et rangs dans l'esprit de Franz Christoph Kellermann de Weiler près de Rothenburg. Ce minuscule village, qui aujourd'hui encore ne compte pas plus d'une douzaine de belles maisons, n'était certainement pas très différent lorsque Kellermann y est né en 1735. A l'âge de 17 ans, Kellermann, un mercenaire né, le quitte et s'engage dans un régiment fran-

the Teutonic Order's Lackey, Alois" – also, of course, with the emblem of the order on its buttons. The Mergentheim court band is of interest to us because the 21-year-old viola-player Ludwig van Beethoven played there in 1791. That was before his Viennese period, and there is little to connect him with Mergentheim apart from some music for a ballet. The "Idyll of Lake Constance", written by Eduard Mörike during the ten years he spent in the town, is a more substantial artistic legacy for Mergentheim. By Mörike's time, Mergentheim had achieved recognition as a spa after healing waters had been discovered by a shepherd (with the aid of his sheep, which were interested in the salty water). These waters, now widely known, have compensated the town for the loss of the reflected glory of the Teutonic Order . There is, however, no sign of wider interest in the surrounding countryside, or of the people there taking much interest in the outside world. This kind of attitude has not always been of advantage to the Hohenlohe people. In 1933, for example, this inward-looking tendency had tragic results for the Jewish communities. These rural Jewish citizens relied on their thorough,

▶ Zwei Gewässer, die Brettach heißen, verwirren den Besucher Hohenlohes: Am einen Bächlein, das in den Kocher fließt, liegen am Oberlauf hinter Mauern der Ort und das Schloß Maienfels; die andere Brettach fließt in die Jagst, und an ihr liegt Beimbach, in dessen alter Wehrkirche noch die Kirchenstühle der Ortsnotabeln stehen. Der reiche Schultes brauchte sich nicht neben seine Bauern zu setzen.
Körbeflechten ist zwar aus der Mode gekommen, aber mancher alte Bauer hält bis heute nichts von dem Kunststoffzeug und flicht sich seine Körbe selber.

▶ Deux cours d'eau qui tous deux s'appellent Brettach déroutent le visiteur de la Hohenlohe: sur les bords de l'un d'eux qui se jette dans le Kocher s'élèvent la localité et le château de Maienfels; l'autre Brettach se jette dans la Jagst et sur ses rives se trouve Beimbach où dans l'ancienne église fortifiée il y a encore les chaises des notables de l'endroit. Le riche maire n'avait pas besoin de s'asseoir à côté de ses paysans.
Tresser des paniers est certes passé de mode mais certains vieux paysans n'apprécient toujours pas les objets en plastique et préfèrent tresser eux-mêmes leurs paniers.

▶ Hohenlohe has two streams called the Brettach, to the confusion of visitors. On the upper reaches of the one that flows into the Kocher, lie the village and castle of Maienfels, snug behind protective walls. The other Brettach flows into the Jagst, and on it lies Beimbach, in whose ancient fortified church the pews of the local notables are still to be seen.
Basket-weaving is out of fashion now, but some of the older farmers do not think much of plastic substitutes, and prefer to weave their own.

wurde, hat es dort wohl ganz ähnlich ausgesehen. Jedenfalls lief der Franz Christoph als ein geborener Landsknecht mit 17 Jahren davon und ließ sich anwerben bei einem französischen Husarenregiment. Kellermann diente unter den Bourbonen, unter Robespierre (der ihn allerdings einsperrte), unter Napoleon und wieder unter den Bourbonen und war 1820, am Ende seines Lebens, französischer Reichsmarschall, Pair von Frankreich (das wurde übrigens auch sein Sohn) und Präsident des Ordens der Ehrenlegion. Ob er sich da noch an das freche Lumpenliedchen erinnerte, das er auf den benachbarten Tanzböden gedichtet hatte? »Ei Bauer schau raus,/ dei lieber Bua kummt./ 's Geld hat er versuffa,/ etz kummt er, der Lump!«
In die europäische Geschichte ging Kellermann ein als Herzog von Valmy. In Valmy war die Schlacht, die durch den Schlachtenbummler Johann Wolfgang von Goethe in die Sphäre des Unvergeßlichen gehoben wurde mit dem oft wiederholten und so selten zutreffenden Briefzitat: »Von hier und heute geht eine neue Epoche der Weltgeschichte aus. Und ihr könnt sagen, ihr seid dabei gewesen!« Wer das heute zur Unkenntlichkeit umgebaute Geburtshaus dieses Soldaten besucht, der wirklich den Marschallstab im Tornister getragen hat, der sollte auch noch hinübergehen nach Lichtel, wo auf einer Anhöhe gleich an der Straße einer der alten Tortürme in der Rothenburger Landhege steht. Im Unterholz des Waldsaums, der sich über den Höhenrücken zieht, liegen noch die Wälle, zwischen denen die Hegereiter die Grenze kontrollier-

çais de hussards. Il sert sous les Bourbons, sous Robespierre qui du reste le fait emprisonner et est en 1820, à la fin de sa vie, maréchal de France, pair de France (ce que deviendra également son fils) et président de l'ordre de la légion d'honneur. Se souvenait-il alors encore de la chanson canaille qu'il avait composée lorsqu'il était gamin? «Eh, paysan regarde/ton cher fils arrive/il a bu tout l'argent/et il revient maintenant, le gredin!» Kellermann est entré dans l'histoire européenne comme duc de Valmy. La bataille de Valmy, dont il prit le nom, a été immortalisée par Goethe dans une lettre fréquemment citée: «D'aujourd'hui et de ce lieu date une ère nouvelle dans l'histoire. Et vous pouvez dire que vous y avez été!»
Kellermann fut un soldat qui avait vraiment son bâton de maréchal dans sa besace! La maison où il est né a été reconstruite et rénovée à tel point qu'on ne la reconnaît plus, mais celui qui la visite doit également aller jusqu'à Lichtel où se trouve encore sur une hauteur à côté de la route l'une des anciennes tours qui marquaient la limite extérieure de la juridiction de Rothenburg. Dans le taillis à la lisière de la forêt qui s'étend sur la crête des collines, on peut encore voir les remparts derrière lesquels patrouillaient les sentinelles. Directement devant se trouve dans ce qui était à l'époque territoire étranger pour Rothenburg une ancienne forêt appelée le Hochzeitswald. Ses chênes, dont certains ont sans doute plus de 300 ans, sont aujourd'hui des «monuments» protégés. D'une certaine façon, ce sont vraiment des monuments car ils ont été

and well-proven integration in the German culture, and simply could not bring themselves to believe that the Nazis regarded even bemedalled Jewish frontline fighters from the first world war as enemies of the state. Consequently, many of them stayed far too long in their traditional homeland, and were killed in the 1940's. In Niederstetten, the memory of Pastor Hermann Umfrid, who at the time was one of the few to take the Jews into his protection, is still cherished. Umfrid himself was also killed by the Nazis.
In the second half of our century, nostalgic descriptions of last surviving relics of things which the visitor would just have been able to experience himself, had he come here a few years earlier, have become increasingly popular. In Wildenstein, for example, the last besom and brush maker worked; in Wildenhäusle the last peasant potter; Creglingen had the last one-class grammar school with a teacher who taught his pupils in all subjects right up to university entrance level; Bölgental near Kirchberg could boast the last-surviving gooseherd; in Laibach and Rengershausen the last village guards patrolled the streets during the church service on Sunday with their spears to keep thieves and robbers at bay; in Kocherstetten the last village clerk died who was still called "Socage Master", because his predecessors had collected the socage payments, or rents, owed by the tenant peasants to their lords; and, until rationalization came in, the last wooden water-mills clattered away along the Brettach River. And, and, and – there is even a story of the last, ancient local

Die Hohenloher Ebenen sind keineswegs eben. Das flache Hügelland wird von vielen kleinen Bachtälern durchzogen und von kleinen Waldinseln unterbrochen. Die schmalen Sträßchen haben oft noch Biegungen aus der Postkutschenzeit und hemmen den Rase-Trieb derer, die nur das Fahren und nicht die Landschaft genießen können.

Les plateaux de Hohenlohe ne sont nullement plats. Le paysage de collines est traversé de nombreuses petites vallées et entrecoupé d'îlots boisés. Les petites routes étroites ont encore des tournants qui datent de l'époque des diligences et freinent l'ardeur de ceux qui, tout à la frénésie de conduire, ne pourraient apprécier le paysage.

The Hohenlohe upland plateau is anything but flat: its rolling, hilly surface is criss-crossed by small valleys, and broken up by patches of woodland. The narrow, winding roads have the salutary effect of slowing down drivers who are more interested in speed than landscape.

ten, und gleich davor, im damals rothenburgischen Ausland, liegt wie ein natürlicher Park der Hochzeitswald. Seine wohl bis zu 300 Jahre alten Eichen sind heute als Naturdenkmal geschützt. Eigentlich sollte das ein Liebesdenkmal sein, denn der Wald ist entstanden, weil die Hochzeiter vom nahen Weiler Streichental hier seit Jahrhunderten am Hochzeitstag ein Eichenbäumlein gepflanzt haben. Die schöne Sitte ist wiederaufgelebt, und so stehen dort an den wohlgepflegten Bäumlein Schilder wie dieses: »Gepflanzt 1973, Robert und Hannelore Wanck.« Leider haben die älteren Bäume keine Schilder mehr, sonst wäre dieser Eichenhain ein lebendes Kirchenbuch.

Auch Finsterlohr liegt hier nahe mit seiner mächtigen keltischen Fluchtburg, dem »Burgstall« auf der Berginsel über dem Taubertal. Fast fünf Kilometer lang waren die Wälle um dieses Oppidum, und wo sie später vom Wald überwuchert wurden, dort sind sie noch heute eindrucksvoll hoch. Weitum muß vor der Zeitwende keltisches Siedlungsland gewesen sein, denn in Wermutshausen, in Schrozberg, in Langenburg sind die Wälle um die geheimnisvollen Viereckschanzen zu bestaunen, die Heiligtümer der Kelten waren.

Im ganzen Nordosten Hohenlohes fließen die Bäche zur unvergleichlichen Tauber, für die bis heute ein Satz des Volkskundlers Heinrich Riehl aus dem Jahre 1865 gilt: »Ein Gang durchs Taubertal ist ein Gang durch die deutsche Geschichte. Wir durchschreiten hier an der Tauber die Gebiete von lauter gefallenen Reichsgrößen.« Inzwischen sind zu den

plantés au cours des siècles par des nouveaux mariés du hameau voisin de Streichental à l'occasion de leurs noces, d'où le nom de Hochzeitswald, la «forêt des mariages». Cette belle coutume est de nouveau entretenue et c'est ainsi que l'on peut lire sur de jeunes arbres des inscriptions comme celle-ci: «Planté en 1973, Robert et Hannelore Wanck». Les vieux arbres malheureusement n'en portent plus, sans quoi cette forêt ressemblerait vraiment à un registre vivant de la paroisse.

Finsterlohr également, avec son important fort celtique, le Burgstall, sur les hauteurs au-dessus de la vallée de la Tauber, n'est pas très loin. Les remparts de cet oppidum avaient près de cinq kilomètres de long et les parties qui ont été envahies par la suite par la forêt sont toujours remarquablement hautes. Le région environnante a dû en grande partie être colonisée par les Celtes à l'époque préchrétienne car à Wermutshausen, Schrozberg, Langenburg, on trouve des remparts qui entouraient autrefois de mystérieux forts quadrangulaires, de toute évidence des lieux saints pour les Celtes.

Tous les ruisseaux du Nord-Est de la Hohenlohe se jettent dans l'incomparable Tauber dont le folkloriste Heinrich Riehl a écrit en 1865: «Une promenade à travers la vallée de la Tauber est une promenade à travers l'histoire allemande. Le long de la Tauber, nous traversons des territoires de toute une série de puissances qui ont joué autrefois un rôle important dans l'empire.» Entretemps, celles qui s'étaient déjà écroulées à l'époque ont été

who still used the old form of Hohenlohe greeting: "Good health!" It is easy to grow maudlin over such lost treasures until one remembers that in a hundred years' time even our lifestyle will have a nostalgic charm. The rural Main-Tauber district is Baden-Württemberg's poorhouse, with "a lot of land, a lot of wind, and few people". Far too many of the younger people leave this area for greater things, and the old ones are so sessile that, for example, the mayor of Niederstetten had never been to the lovely little nearby town of Tauberbischofsheim until after the reform of the district boundaries which made it into the new district centre.

This kind of exaggerated steadfastness, which persists even in the age of the motorcar, leads to the survival of some traditional institutions which are a never-ceasing source of surprise to the outsider. It is rumoured that even a "Kellermann Society", which meets on an informal basis at a local pub, still exists, and welcomes veterans of all ages, types, and ranks in the spirit of Franz Christoph Kellermann from Weiler near Rothenburg. This tiny place, which still boasts a dozen fine houses, could not have looked much different when Kellermann was born there in 1735. Kellermann, a born mercenary, ran off at the age of 17 and joined a French regiment of hussars. He served under the Bourbons, under Robespierre (who imprisoned him, though) under Napoleon, and then again under the Bourbons. In 1820, at the end of his life, he was a Marshal of France, a Peer of France (as was his son after him), and President of the Legion

Das reiche Rothenburg hat einmal 163 Dörfer, Weiler und Höfe besessen, dazu gehörte auch viel Land im Osten von Hohenlohe. Bei ihrer Ortschaft Lichtel bauten die Rothenburger als Zollstation diesen Turm in ihre Landwehr ein. Die Wälle der Landwehr waren allerdings mehr eine deutlich markierte Grenze als eine wirkungsvolle Befestigung.

La riche Rothenburg possédait autrefois 163 villages, hameaux et fermes et de nombreuses terres également dans l'Est de la Hohenlohe. Près de Lichtel, les Rothenburgeois élevèrent cette tour comme poste frontalier dans leurs fortifications. Ces remparts étaient toutefois plus une frontière bien délimitée qu'une fortification efficace.

It its heyday, Rothenburg owned 163 villages, hamlets and farmsteads, and with them a lot of land in the east of Hohenlohe. Near the village of Lichtel, the Rothenburgers built this tower in their ramparts to serve as a toll station. The ramparts that surrounded the Rothenburg territory, however, were intended more to mark the boundary than to serve as an effective fortification.

»Reichsgrößen«, die schon damals dahin waren, auch noch das Königreich Württemberg und das Großherzogtum Baden vergangen, dazu die Nachfolgeländer vor dem heutigen Land Baden-Württemberg. Das Taubertal hat das alles fast unverändert überstanden, und deshalb ist die Liedzeile von Viktor von Scheffel noch immer nicht abgegriffen, der gedichtet hat: »Ich will zur schönen Sommerszeit ins Land der Franken fahren!«

Je näher das Tauberwasser dem Main kommt, um so flacher werden seine Ufer. Schon von Mergentheim an neigen sich Felder, Wiesen und Wälder immer sanfter dem versteckten Flüßchen im Tal zu, über dessen klar dahinziehendes Wasser die Schwalben huschen und den Uferlehm zu ihren Nestern unter den Dächern der Hofstätten mit den hohen Wagentoren tragen. Kein Gehöft ist hier ohne eine Madonna über der Eingangstür oder in einer Nische an der zur Straße gewandten Hauskante. Der schöne Name »Madonnenländchen« ist mehr als ein Schmucktitel. Die Menschen leben hier noch mit ihren Standbildern, Bildstöcken, Bildtafeln, Gedenksteinen, Sühnekreuzen und Heiligenfiguren am Haus, auf dem Dorfplatz, am Ortseingang, an allen

rejointes par le royaume de Wurtemberg, le grand-duché de Baden et les pays qui les ont suivies avant que soit créé l'actuel Land de Bade-Wurtemberg. Mais la beauté de la vallée de la Tauber a survécu presque intacte à toutes ces vicissitudes et c'est pourquoi ce qu'a écrit Victore von Scheffel est toujours vrai: «Lorsque l'été approche, je veux aller en Franconie!»

Plus la Tauber se rapproche du Main et plus ses rives sont plates. Dès Mergentheim, champs, prairies et forêts s'inclinent en pente de plus en plus douce vers la petite rivière au-dessus de laquelle filent les hirondelles qui ramassent sur ses berges la boue pour construire leurs nids sous les toits des fermes aux grandes portes cochères. Toutes les fermes ont ici une Madone au-dessus de la porte d'entrée ou dans une niche creusée dans le coin de la maison qui fait face à la route. «Le pays de la Madone, le nom qu'on donne à cette région, est plus qu'un joli qualificatif. Les gens ici vivent encore avec leurs statues, leurs colonnes et leurs images votives, leurs croix et les figures des saints sur leurs maisons, sur la place du village, à l'entrée du village, à tous les croisements importants et en

d'Honneur. One wonders whether at that stage he still recalled the cheeky doggerel rhyme he made up at home while a boy: "Heh, farmer, look out,/ Your dear son's a – coming./ He's drunk all the money,/ Now he's coming, the lout!" Kellermann went down in European history as the Duke of Valmy. The battle of Valmy, from which he took his name, was immortalized by Goethe in his frequently-quoted letter: "A new epoch in the history of the world started here today. And you can boast that you were here!"

Kellermann was a soldier who really did carry a field-marshal's baton in his rucksack! The house where he was born has been rebuilt and renovated beyond recognition, but if you should visit it, it is also worthwhile going across to Lichtel, where one of the old towers that marked the outer limit of the Rothenburg jurisdiction still stands on a knoll by the road. In the undergrowth of the line of woodland that runs over the crest of the hills the ramparts can still be seen behind which the town's guards rode. Directly in front of it, in what was then foreign territory for Rothenburg, lies an ancient forest called the Hochzeitswald. Its oak trees, some of which

▶ Mitten in der freien Landschaft erhebt sich zwischen Gröningen und Wallhausen die Anhäuser Mauer, die einstmals die nördliche Seitenwand des gotischen Chores eines ansehnlichen Klosters war. Zu Zeiten des Bauernkrieges herrschte dort ein strenger Paulinerabt, den seine Bauern so haßten, daß sie das Kloster plünderten und anzündeten. Davon erholte sich das Kloster nie mehr, und von 1700 an wurde es als ein öffentlicher Steinbruch benützt. Um die angeblichen Schätze des unvergessenen Abtes zu finden, wurde 1870 das Gewölbe der Gruft gesprengt.

▶ Un mur (Anhäuser Mauer) s'élève au milieu du paysage entre Gröningen et Wallhausen. Ce fut autrefois le côté nord du choeur gothique d'un imposant monastère. Il y avait à l'époque de la guerre des paysans un abbé très sévère que ses paysans haïssaient tant qu'ils pillèrent et incendièrent le couvent. Le monastère ne se releva plus de ses ruines et, à partir de 1700, les bâtiments furent utilisés comme carrière publique. Pour retrouver les prétendus trésors de l'abbé inoublié, on fit sauter la crypte en 1870.

▶ This wall – once part of the north side of the Gothic chancel of an important abbey – rises like a monument in the open landscape between Gröningen and Wallhausen. During the Peasants's War (1525) the abbot there was a strict master who was so hated by the peasants that they plundered the abbey and set light to it. The abbey never recovered from this assault, and from 1700 onwards it was used as a quarry. The crypt was blown up in 1870 in an effort to find the supposed treasure of the still unforgotten, hated abbot.

Hohenloher Impressionen: oben ein Christophorus an der alten Tauberbrücke von Mergentheim, daneben die Zeichen eines alten Mergentheimer Zunfthauses. Unten links ein Hausschmuck in Untermünkheim. Oben rechts ein Apothekenschmuck in Öhringen und darunter eine Madonna aus Steinbach unterhalb der Comburg.

Des images de Hohenlohe: en haut, un saint Christophe sur le vieux pont de la Tauber de Mergentheim, à côté les emblèmes d'un ancien siège de corps de métier à Mergentheim. En bas à gauche, décor d'une maison à Untermünkheim. En haut à droite, décor d'une pharmacie à Öhringen et en dessous une Madone de Steinbach au-dessous de Comburg.

Impressions of Hohenlohe. Top: a St. Christopher on the old Tauber Bridge at Mergentheim. Centre: an old Mergentheim guild sign. Bottom left: carving on a house in Untermünkheim. Top right: carved corbel on a chemist's shop in Öhringen. Bottom right: a Madonna at Steinbach below

In Mulfingen an der Jagst steht die Wallfahrtskapelle St. Anna mit einem Altar, der der Riemenschneiderschule zugerechnet wird.

A Mulfingen sur la Jagst se trouve la chapelle de pélerinage Ste.-Anne avec un autel attribué à l'école de Riemenschneider.

The pilgrimage chapel of St. Anne, in Mulfingen on the Jagst, with its altar, attributed to Riemenschneider.

wichtigen Wegkreuzungen und auf der freien Flur. Es ist, als ob ein jedes für die Menschen wichtige Ereignis hier der Nachwelt in Holz und Stein zur Fürbitte, als Mahnung oder zum Gedenken überbracht werde.

Auch bei der Brücke von Distelhausen ist solch ein steinernes »Bilt aufgerigt worden«. Als ich dort am Tauberufer saß, zischte auf einmal eine Angelschnur an mir vorbei und klatschte ins Wasser. Der Schwimmer blieb an einem Ast am Ufer hängen, doch dann geschah eine halbe Stunde lang gar nichts, bis ein Rotauge anbiß. Dem Fischer hinter mir war das sichtlich lästig, denn er zog den Fisch ganz langsam heraus und warf ihn gleich wieder hinein, ohne danach die Angel weiter auszuwerfen. Wir sind dann nochmals einige Zeitlang schweigend am Ufer gesessen, bis ich erfuhr, daß dieser Angler seit Jahren aus Berlin hier herkommt und dann fast nur noch den Tauberfischen nachsieht, den Döbeln, den Rotaugen, den Forellen, den Hechten und den Karpfen. Die Angel hat er nur als Tarngerät dabei. Die Leute sollten nicht meinen, er habe einen Seelenschaden, weil er sich tagelang einwiegen läßt in den Zauber dieser Flußlandschaft, in das leise Ziehen und Plätschern des Flüßleins und die wenigen Laute der Vögel und Menschen ringsum. Das »Einmal-durchatmen-im-Jahr« nennt er seinen schweigenden Urlaub, und ich erzählte ihm, was ich drüben in der Martinskirche in Tauberbischofsheim im Gästebuch mit junger Schrift geschrieben gefunden hatte: »Ich freue mich, daß ich lebe!«

Dieses Gästebuch liegt mitten in diesem

plein champ. C'est comme si chaque événement d'importance devait être transmis aux générations futures dans le bois ou la pierre comme prière, mise en garde ou souvenir.
Un monument en pierre de ce genre se trouve également au pont de Distelhausen. Alors que j'étais assis au bord de la Tauber à cet endroit, la ligne d'un pêcheur siffla soudain près de moi et plongea dans l'eau. Le flotteur resta accroché à une branche au-dessus de la berge mais cela laissa apparemment le pêcheur indifférent car une demi-heure se passa ainsi. Enfin un gardon mordit à l'hameçon. Le pêcheur, qui devait être assis derrière moi, ne parut pas très enthousiasmé par cette prise car il enroula lentement sa ligne pour finalement rejeter le poisson à l'eau. Nous sommes encore restés silencieux un bon moment jusqu'à ce que je découvre que ce pêcheur venait ici depuis des années de Berlin pour contempler les poissons de la Tauber, les dards, les gardons, les truites, les brochets et les carpes. La ligne n'est qu'un alibi. Les gens ne doivent pas croire qu'il souffre de dépression simplement parce qu'il est assis ici pendant des jours à ne rien faire d'autre que de se laisser envoûter par le charme de ce paysage, le murmure de l'eau et les quelques bruits de fond des oiseaux et de l'activité humaine. «Respirer à fond une fois l'an», c'est ainsi qu'il nomme ses vacances silencieuses et je luis racontais ce que j'avais lu dans le livre d'hôtes de l'église St.-Martin à Tauberbischofsheim écrit d'une main juvénile: «Je suis heureux de vivre!»
Ce livre est ouvert à tous au milieu de l'église et contient un mélange de réflexions où la joie

are probably as much as three hundred years old, are protected "monuments" today. In a way, they really are monuments, too, because they were planted in the course of centuries by newly-weds from the nearby hamlet of Streichental to mark the occasion of their marriage – hence the name Hochzeitswald, which translates as "Wedding Wood". This delightful old custom has been revived, and thus it is possible to read such notices on young trees: "Planted 1973, Robert and Hannelore Wanck." The older trees unfortunately no longer have signs on them, otherwise this patch of woodland would really resemble a living church register.
Finsterlohr, too, with its mighty Celtic hill fort, called Burgstall, on the heights above the Tauber Valley, is not far away. The ramparts of this great oppidum were almost three miles long, and those parts that were later overgrown by woodland are still impressively high. Much of the surrounding region must have been settled by the Celts in pre-Christian times, for ramparts that once surrounded mysterious quadrangular forts, which were evidently sacred places for the Celts, are to be found in Wermutshausen, Schrozberg, and Langenburg.
All the streams of north-eastern Hohenlohe flow into the peerless River Tauber, about which Heinrich Riehl, the folklorist, wrote in 1865: "A walk through the Tauber Valley is a walk through German history. Here along the Tauber, we pass through territories of a whole series of powers that once played an important part in the empire." In the meantime, the

Gotteshaus für jeden Besucher aufgeschlagen da. Leid und Freud, aber vor allem Danksagungen, innige Frömmigkeit und Naiv-Profanes stehen da nebeneinander. So zum Beispiel im Jahre 1982: »Lieber Gott, sorge dafür, daß Deutschland heute Weltmeister wird. Beschütze uns alle!« Und darunter: »Es hat leider nicht geklappt! Danke für den Vizemeister.« Dabei waren die Touristen, die das schrieben, sicherlich nicht dieser Fürbitte wegen hierher gekommen. Die Kirche aus herrlichem rotem Sandstein verlockt jedoch zum Eintreten und fesselt dann jeden, der sie betreten hat. Das neugotische Bauwerk steht genau auf den Grundmauern der Vorgängerkirche aus dem 14. Jahrhundert und wurde innen mit all deren gotischen und barocken Kostbarkeiten ausgestattet. Selbst romanische Schmucksteine sind beim Neubau verwendet worden – Tauberbischofsheim ist ja ein Ort aus dem ersten Jahrtausend, seine frühen Bauwerke gehörten zu einem Frauenkloster der später heilig gesprochenen Lioba aus dem Jahre 735. Noch immer fließt hier wie eh und je der alles reinigende Stadtbach vor der Stadtmauer und am kurmainzischen Schloß vorbei, die Tauberbischofsheimer leben in einem Gehäuse aus dem Mittelalter – ohne darin zu ersticken. Auch früher muß es ihnen in dieser Reblandschaft zuweilen recht gut gegangen sein, denn nicht einmal die Stuttgarter haben ein so schönes Bürgerhaus wie etwa das Tauberbischofsheimer Barockpalais des Weinhändlers Bögner aus dem Jahre 1744.

Der Hohenloher Weinbau bietet hier im

et la douleur, mais aussi les remerciements, les pensées pieuses et profanes s'y côtoient. Ainsi par exemple en 1982: «Seigneur, fais que l'Allemagne soit aujourd'hui championne du monde. Protège-nous!» Et au-dessous: «Ça n'a pas marché! Merci pour la deuxième place.» Les auteurs de ces commentaires n'étaient certainement pas venus exprès dans cette intention. L'église, construite en merveilleux grès rouge, agit comme un aimant sur les passants et fascine tous ceux qui y entrent. La structure néo-gothique est construite précisément sur les fondations de la précédente église du 14e siècle et renferme tous les trésors gothiques et baroques accumulés par l'ancienne église. On y trouve même des éléments romans car Tauberbischofsheim est une ancienne colonie dont les premières constructions englobaient un couvent fondé en 735 par une religieuse qui est devenue sainte Lioba. La rivière qui nettoie tout coule toujours à l'extérieur des murs de la ville et à côté du château qui fut autrefois propriété des électeurs de Mayence. Les gens vivent ici dans une coquille médiévale mais sans y étouffer. Ils ont dû autrefois également connaître des périodes de prospérité dans cette région de vignobles car même Stuttgart ne peut s'enorgueillir d'une aussi jolie maison bourgeoise que le palais baroque construit à Tauberbischofsheim par un négociant en vins du nom de Bogner, en 1774. La viticulture de Hohenlohe offre également quelques surprises dans la région. C'est ici que commence le domaine des bouteilles plates franconiennes, les «Bocksbeutelflaschen» qui complètent

ones that had already fallen then have been joined by the Kingdom of Württemberg, the Grand-Duchy of Baden, and the countries that followed them before the present *Land* of Baden-Württemberg was created. But the beauty of the Tauber Valley has survived all these political vicissitudes almost unchanged, and that is why Viktor von Scheffel's verse still rings true: "Whene'r the summer season nears, Franconia's charms delight me."

The closer the Tauber gets to the River Main, the flatter its banks become. From Mergentheim onwards the fields, meadows and woodlands incline at an increasingly gentle angle towards the little river, above whose clear waters the swallows flit, and from whose banks they collect mud to build their nests under the eaves of nearby farmsteads, with their high-arched barn-doors. The farmhouses here all have a figure of the Madonna above the front door, or set in a niche cut into the corner of the house facing the road. "Madonna country", as this area is called, is more than just a pretty name. The people here still live with their statues, wayside crosses and shrines, memorial stones, penitence crosses, and figures of saints – on their houses, on village squares, by the roadside, at all important crossroads, and even in the open countryside. It is as if every event of any importance to the people has been recorded here for later generations in the form of wooden or stone memorials as reminders, warnings, or as appeals to passers-by for intercession.

A stone memorial of this kind is also to be

◄ Schier beiläufig durchquert die Autobahn das Taubertal, und so rollt der Verkehr auch ganz nah am unbeachteten Grünsfeldhausen vorüber, wo diese achteckige romanische Achatiuskapelle steht. Es ist ziemlich sicher, daß dieser Bau sogar erst das Nachfolgebauwerk einer Kirche ist, die schon im achten Jahrhundert gebaut wurde, als sich das Kloster Fulda hier festsetzte.
► Das ehemalige Kurmainzische Schloß in Tauberbischofsheim.

◄ L'autoroute traverse la vallée de la Tauber sans se soucier de certaines localités comme celle de Grünsfeldhausen où se trouve l'Achatius-Kapelle, une chapelle romane octogonale. Il est pratiquement sûr que cette chapelle n'est qu'une construction élevée après une église construite déjà au 8e siècle lorsque le couvent de Fulda s'établit à cet endroit.
► L'ancien château des princes-électeurs de Mayence à Tauberbischofsheim.

◄ The autobahn cuts across the Tauber Valley, indifferent to its beauty, and so the traffic roars past quite close to Grünsfeldhausen, where this octagonal Romanesque chapel stands. It is fairly certain that an even older building once stood here, built in the 8th century by monks from Fulda Monastery.
► The one-time palace of the Electors of Mainz in Tauberbischofsheim.

240

Taubertal ohnedies manche Überraschung an. Hier beginnen schon die Bocksbeutelflaschen, und damit ist dann die volle Skala der Hohenloher Hausgetränke erreicht, die vom Most der Haller Ebene bis zum Tauberwein geht. Alle diese Tropfen sind unverwechselbar eigenständig. Den »Mouschd« aus wenig Äpfeln und viel Schlankelesbirnen trinken die Bauern vor allem selber. Wenn er gut sein soll, muß er schon einem kräftigen Weißwein ähneln. Weil allerdings die Ernteanteile an Äpfeln und Birnen in jedem Jahr anders ausfallen, gibt es jedes Jahr ein anderes Gemisch und wird eine jede Mostprobe zum Abenteuer.

Dagegen haben es die Hohenloher so ziemlich aufgegeben, in jeder kritischen Tallage, die zur Blütezeit neblige Spätfröste bringen könnte, wie ehedem Wein anzubauen. Wie sich ihre Ahnen geplagt haben damit, ist an den zugewucherten alten Steinriegeln der aufgegebenen Steilhänge von Kocher, Jagst und Tauber zu sehen, wo inzwischen ein Vogel- und Schmetterlingsparadies am anderen entstanden ist. Daß hier bei einiger Mühe aber noch immer Weinbau betrieben werden könnte, zeigen die Quitten- und Kirschenbäume in den Gärten.

Wuselige Schwaben erregen oft Unwillen, wenn sie auf solche scheinbaren Versäumnisse der Hohenloher hinweisen und überhaupt meinen, sich hier auszukennen. Doch Vorsicht: Auch deren freundliche Langmut hat ihre Grenzen. Das beginnt schon bei den mit einiger Mühe noch verständlichen Geheimwissenschaften wie der, welche

l'éventail des boissons de Hohenlohe qui va du cidre du plateau de Hall jusqu'au vin de la Tauber. Toutes ces boissons ont leur caractéristique particulière. La plus grande partie du cidre, fait de quelques pommes et de beaucoup de poires, est consommée par les paysans eux-mêmes. Pour être bon, il doit ressembler à un vin blanc fort. Toutefois, comme la proportion de pommes et de poires récoltées varie chaque année, on obtient chaque année un autre mélange et goûter tous ces mélanges est une aventure en soi.

D'un autre côté, les paysans de Hohenlohe ont pratiquement abandonné leur habitude d'essayer de planter de la vigne presque partout même dans des endroits où des gelées tardives compromettent la récolte. Le mal qu'ont eu leurs ancêtres est attesté par les murets recouverts entretemps de broussailles des versants abrupts abandonnés du Kocher, de la Jagst et de la Tauber et qui sont devenus maintenant un véritable paradis pour les oiseaux et les papillons. Le fait qu'avec quelques efforts on peut néanmoins faire pousser de la vigne ici est démontré par les cognassiers et les cerisiers dans les jardins.

Des Souabes trop zélés se rendent souvent impopulaires lorsqu'ils mettent l'accent sur ce genre de choses qu'ils considèrent comme un péché d'omission de la part des gens de Hohenlohe.Mais attention, la patience de ces derniers a des limites! Il est difficile pour le profane de pénétrer les secrets de cette science de la viticulture, de comprendre pourquoi tel raisin aura tel goût sur tel sol et où est la limite entre les différents bouquets que

found by the bridge at Distelhausen. When I was once sitting near it, by the River Tauber, a fishing-line suddenly hissed past me and dropped into the water. The float got caught in a twig above the bank, but no angler emerged to put things right. After half-an-hour of peace and quiet, a roach took the bait. The angler sitting somewhere behind me was obviously not particularly pleased with this interruption, because he wound the fish in very slowly, and then threw it straight back into the water without making any further effort to fish. We sat for some time in silence still before we got talking, and I discovered that he was from Berlin. He told me that he had been coming here for years, and spent most of his time simply watching the fish go about their business – the chubs, the roaches, the trout, the pike, and the carp. The rod is only for camouflage purposes: he does not want people to think that he is deranged just because he sits there for days, doing nothing but drinking in the magic of this riverscape, the gentle murmur of the water, and the few background noises of birds and human activity. He calls his silent holiday "taking a deep breath once a year", and I told him about the comment in youthful handwriting I had found in the guest book in St. Martin's Church in Tauberbischofsheim: "I'm glad to be alive!" This guest book lies open for all in the church, and contains a hotch-potch of sayings reflecting happiness and pain, expressing thanks, pious thoughts, and naively profane remarks. An example from 1982: "Dear God, please see that Germany becomes World Champion

In wärmeren Jahrhunderten waren die Hänge von Tauber, Jagst und Kocher noch viel mehr als heute mit Reben bepflanzt gewesen. Heute sind viele dieser alten Weinberge auf eine zauberhafte Weise verwildert. Der Weinbau lohnt sich dagegen sehr, wo ihn die Fröste nicht gefährden und der Winter schnell vorübergeht.

Au cours de siècles plus chauds, les versants de la Tauber, de la Jagst et du Kocher étaient encore plus qu'aujourd'hui plantés de vignes. De nos jours, une grande partie de ces anciennes vignes est devenue sauvage d'une façon charmante. La culture de la vigne est par contre très rentable là où les gelées ne la compromettent pas et l'hiver est court.

In former, warmer centuries, the slopes by the Tauber, Jagst, and Kocher rivers were more heavily planted with vine than they are now. Today, many of these old vineyards are picturesquely overgrown. However, the vine is still well worth cultivating in areas where the frosts are not too severe and the winters not too long.

Hohenlohe hat eine beachtenswerte Sammlung von Museen, die seine Bauernkultur bewahren. Außer den vielen Heimatmuseen ist zu nennen das Tauberländer Dorfmuseum in Weikersheim und vor allem das Freilandmuseum Wackershofen bei Schwäbisch Hall, wo ein Hohenloher Museumsdorf entsteht samt Kirche, Rathaus, Schule, Zehntscheuer, Waaghaus und Kelter. Alle Gebäude sind samt der Inneneinrichtung Originale.

La Hohenlohe est dotée d'une remarquable collection de musées qui conservent sa culture. En plus des nombreux musées locaux, il faut mentionner le Tauberländer Dorfmuseum à Weikersheim et surtout le musée en plein air de

Wackershoren près de Schwäbisch Hall où un village-musée de Hohenlohe se crée avec église, mairie, école, entrepôt, office de pesage et pressoir. Tous les bâtiments sont d'origine de même que leurs installations.

Hohenlohe has a remarkable number of museums which preserve past aspects of rural life. Apart from many local museums, there is the Tauberländer Dorfmuseum at Weikersheim, and, above all, the open-air museum at Wackershofen near Schwäbisch Hall, where a whole village has been set up, including typical farmhouses, church, village hall, school, tithe barn, weighbridge, and wine-press. All the buildings and contents are genuine and original.

Traube auf welchem Boden welchen Geschmack annimmt und wo jeweils die Duftgrenze liegt zwischen dem Keuper, dem Muschelkalk, dem Sandstein und dem Gemenge. Und völlig unzugänglich sind manche sprachlichen Feinheiten, wie etwa, daß nur für die Weikersheimer gilt, daß sie »hinter« gehen, wenn sie nach Hall oder Stuttgart fahren. In Richtung Crailsheim aber gehts »nauf«. »Nei« dagegen nach Würzburg und nach Mergentheim »nunter«. Schon bei den Hummeleszüchtern in Blaufelden sagt man das natürlich anders. Auch die konfessionellen Verhältnisse entziehen sich dem raschen Urteil. Ich war nach dem letzten Krieg als hungriger Erntehelfer in Wermutshausen baß erstaunt, als sich das Dorf am Erntedankfest bald nach dem evangelischen Gottesdienst und dem folgenden Mittagessen nahezu leerte. Das Geheimnis war der Erntetanz in einer katholischen Nachbargemeinde, in der die Dörfler viel ausgelassener feiern durften, als es im eigenen Dorf schicklich war. Sogar Bauernehepaare vom Kirchengemeinderat zogen da in allen Ehren mit. Bei den Katholischen war's halt lustiger als daheim, wo gar nichts los war als stille Dankbarkeit dem Herrgott gegenüber. Im Tauberländer Dorfmuseum in Weikersheim ist zu bewundern, was sich eine reiche katholische Bäuerin im Taubergrund hat leisten können als vielfarbig bestickte, mit Bändern verzierte große Feiertagstracht. Dieses Trachtkleid war die Feierabendarbeit eines ganzen Winters für eine einzige Näherin, dabei durfte diese Tracht nur am

donnent des sols différents à un vin. Et certaines subtilités de langage sont absolument incompréhensibles pour un étranger. C'est ainsi par exemple que les gens de Weikersheim disent qu'ils vont «derrière» lorsqu'ils vont à Stuttgart ou Hall, qu'ils «montent» à Crailsheim, qu'ils vont «dans» Wurtzbourg et «descendent» à Mergentheim. Mais il suffit de suivre la route pour Blaufelden et les usages sont différents. Les différences confessionnelles sont également difficiles à saisir pour un étranger. Pendant la dernière guerre, il m'arriva d'aider à la récolte et je ne fus pas peu étonné de voir le village se vider presque entièrement peu après le déjeuner qui avait suivi la fête d'action de grâces protestante. Tous les villageois s'étaient tout simplement rendus à une autre fête d'action de grâces dans une paroisse catholique proche où ils pouvaient fêter avec plus d'entrain que dans leur village où cela n'aurait pas été jugé convenable. Même les membres du conseil de fabrique y emmenaient leurs épouses. Chez les catholiques, c'était plus gai que chez eux où l'on devait se contenter d'exprimer avec recueillement sa gratitude envers le Tout-Puissant.
Dans le Tauberländer Dorfmuseum à Weikersheim, le visiteur peut admirer le beau costume que pouvait se permettre pour les fêtes l'épouse d'un riche paysan catholique: un costume brodé de plusieurs couleurs et orné de rubans. Confectionner un tel vêtement occupait les loisirs de tout un hiver d'une seule femme et celui-ci n'était porté que le premier jour de Noël, de Pâques et de la Pentecôte et

today. Protect us all!" And, directly beneath: "It didn't work. But thanks for the second place." The authors of these comments certainly did not come in specially for that purpose. The church, built of wonderful red sandstone, acts like a magnet on passers-by, and to enter it is to be fascinated. The neo-Gothic structure is built precisely on the foundations of its 14th century predecessor, and houses all the splendid Gothic and Baroque treasures that had accumulated in the old church. There are even some Romanesque elements, for Tauberbischofsheim is an ancient settlement whose early buildings include a convent founded in 735 by a nun called Lioba, who was later canonized. The all-cleansing stream still flows round outside the walls of the town and past the castle that once belonged to the Electors of Mainz: the people here live in a medieval shell, without any suffocating side-effects. They must have had their prosperous periods in this wine-growing country in earlier times, too, because not even Stuttgart can boast such a splendid town house as the Baroque palais built in Tauberbischofsheim by the wine dealer Bögner in 1744. Hohenlohe viniculture has a few surprises to offer in this region, too. Here the flat, Franconian "bocksbeutel" bottles begin, and this completes the full range of Hohenlohe libations, ranging from the cider that is drunk on the plain around Hall to the Tauber wines. Each of them has its own distinctive character. Most of the cider, made of some apples and a lot of pears, is drunk by the farmers themselves. When it is

jeweils ersten Feiertag von Weihnachten, Ostern und Pfingsten und beim Kirchweihgottesdienst getragen werden. Für die jeweils zweiten Feiertage war eine zwar immer noch sehr schöne, aber doch einfachere Tracht vorgeschrieben. Ebenso gab es etwas noch Bequemeres für den Tanzboden. Solch eine Bäuerin mußte viele große Schränke haben, die brauchte sie auch für die Ausgehtracht an Markttagen, für die sonntägliche Kirchentracht (die war im Sommer und Winter unterschiedlich) und für die Arbeitskleidung. Was die Bäuerinnen in den evangelischen Nachbardörfern damals zu solch einem Prunk getuschelt haben, können wir uns heute kaum mehr vorstellen. Denn die Protestanten wirtschafteten ganz gewiß ebenso gut und waren bei ihrem einfacheren Leben eher vermögender – doch selbst die Alltagstracht aus den katholischen Dörfern erschien ihnen schon als ein Ausbund der hoffärtigen Verschwendungssucht. Und ein Kirchenkleid für die Zeit der tiefen Trauer einer katholischen Witwe mit dunkelviolettem Seidenschal und silbernen Borten mußte den Protestanten schon wie ein Hochzeitskleid erscheinen. Bei ihnen war das züchtige

pour la fête annuelle de l'église. Pour le second jour de fête, il y avait un deuxième costume, aussi très beau mais plus simple. Il y en avait également un plus pratique pour danser. Une telle fermière devait avoir de grandes armoires car elle devait pouvoir aussi y ranger son costume des jours de marché, ses robes pour aller à l'église – différentes selon que c'était l'été ou l'hiver – et les vêtements de travail. Mieux vaut ne pas savoir ce que les épouses des fermiers des villages protestants voisins disaient à propos d'un tel luxe. Les protestants savaient certainement mener leurs fermes aussi bien que les catholiques et du fait de leur vie plus simple étaient sans doute plus aisés mais même les vêtements ordinaires des femmes des villages catholiques devaient leur paraître le comble de l'extravagance. Et la robe de grand deuil que portait à l'église une veuve catholique avec son châle en soie violette et ses galons argentés devait faire l'effet d'une robe de mariée aux protestants. Car pour eux le noir pudique était la couleur de tous les jours éclairée seulement de fichus, tabliers, rubans ou jupes d'un brun rouge les jours de fête. Dans les villages catholiques, même les couvertures de baptême étaient

good it resembles a strong white wine. However, as the proportion of apples and pears harvested changes every year, each year produces a variation on the cider theme, and every sampling is an adventure in itself.
On the other hand, the Hohenlohe farmers have pretty well given up their habit of trying to grow wine almost everywhere, even in critical positions where foggy late frosts are a perennial danger. The trouble their ancestors took can be seen from the grown-over walls of the deserted terraces on the steep slopes along the Kocher, Jagst, and Tauber. These slopes have in the meantime become fine breeding grounds for butterflies and birds. The fact that, with some effort, wine could still be grown here, is demonstrated by the quince and cherry trees that abound in the gardens. Over-zealous Swabians often make themselves unpopular when they point out such things (which they regard as sins of omission on the part of the Hohenlohers) or generally act as if they knew their way around here. But careful: even the friendly patience of these people has its limits! It is difficult for the outsider to penetrate the arcane science of which grape takes on what taste on what ground,

▶ Die folgenden Seiten zeigen Eindrücke aus Langenburg (links) und Niedernhall (rechts). Das Fachwerkhaus auf der rechten Seite steht im Freilandmuseum Wackershofen. Der Briefkasten darunter hängt in Mergentheim.

▶ Les pages suivantes donnent des impressions de Langenburg (à gauche) et de Niedernhall (à droite). La maison à colombage de la page de droite se trouve dans le musée en plein air de Wackershofen. La boîte aux lettres au-dessous se trouve à Mergentheim.

▶ The following pages show impressions from Langenburg (left) and Niedernhall (right). The half-timbered house on the right is in the Wackershofen open-air museum (cf. p. 244). The post-box below it is in Mergentheim.

248

Schwarz die Alltagsfarbe, die nur mit Umhängetüchern, Schürzen, Bändern oder braunroten Röcken an Festtagen etwas aufgehellt werden durfte. Selbst die Taufdecken waren in den katholischen Dörfern prächtig bunt und reich bestickt, während die evangelischen Täuflinge einheitlich unter blauweißen Tüchern mit lehrreichen Bibelsprüchen lagen.

Die konfessionellen Unterschiede in der Lebensauffassung sind heute geringer, aber noch nicht verschwunden. Selbst Industriependler können entweder ein katholisch-vorreformatorisches Verhältnis zu ihrem Schöpfer haben und immer bereit sein, mit ihm zu handeln, oder aber in jener eher hadernden Haltung verharren, die Gott für alle Ungerechtigkeiten der Welt verantwortlich macht. Daran hat nicht einmal der Franken sonst so frohes Gemüt etwas ändern können. Die bewegliche moderne Welt kommt ihrer augenzwinkernden Duldsamkeit allerdings sehr entgegen – die Konfessionen vermischen sich jetzt selbst in den kleinsten Dörfern. Und manches andere Aufbocken wider die starre Schicklichkeit, wie zum Beispiel das heitere Aufschneiden beim Wein,

multicolores et richement brodées tandis que les bébés protestants étaient enveloppés uniformément dans un drap bleu et blanc brodé de citations édifiantes de la Bible.
Les différences confessionnelles dans la vie quotidienne sont moins frappantes aujourd'hui mais elles n'ont cependant pas disparu. Même les navetteurs de l'industrie peuvent soit avoir une attitude catholique d'avant la Réformation à l'égard de leur Dieu et être toujours prêts à négocier avec lui, soit faire partie de ce groupe qui tient Dieu responsable de toutes les injustices du monde. Et le caractère enjoué des Franconiens n'a rien pu changer à cela. Mais leur attitude tolérante fait bon ménage avec le monde moderne et mobile et aujourd'hui protestants et catholiques se mêlent même dans les plus petits villages. Et certaines formes de résistance contre le bon ton telles que les compétitions et les fanfaronnades autour d'une bouteille de vin ont même été institutionnalisées. A Vellberg, par exemple, les vantards de Hohenlohe se réunissent chaque année le 1er avril pour le Festival de la galéjade, la «fête de la vérité réduite». Ils s'y mesurent avec des fanfarons aussi célèbres que les Gascons et lorsqu'une délégation de

and where the borderline is between the various bouquets that different types of soil give to a wine. When I was doing harvest work as a hungry young man in Wermutshausen during the last war, I was completely amazed when the villagers all disappeared soon after the Protestant harvest festival service and the subsequent lunch. The answer was that they had all gone off to a harvest festival dance in a nearby Catholic community. There they could celebrate with greater abandon than would be considered seemly in their own village where the expression of quiet thankfulness to the Almighty was all that was permitted.
In the Tauberländer Dorfmuseum in Weikersheim, the visitor can admire the rich costume that a prosperous Catholic farmer's wife donned on festive occasions: an ornate folk costume decorated with masses of coloured ribbons. Sewing this costume took up all of a woman's leisure time throughout a whole winter, and yet it was traditionally worn only on Christmas Day itself, the first Easter and Whitsun holidays, and for the annual church festival. For Boxing Day and the second holidays at Easter and Whitsun there was a second costume, still very ornate,

▶ Vellberg ist heute noch so ummauert, daß es abgeschlossen werden kann wie im 15. Jahrhundert, als der Ort befestigt wurde. Innerhalb der Stöckenburg auf der anderen Seite des Bühlertals lag im 5. Jahrhundert die fränkische Urkirche Hohenlohes.

▶ Vellberg est, aujourd'hui encore, entouré de ses remparts qui lui permettent de s'enfermer comme au 15e siècle lorsque la ville fut fortifiée. Le Stöckenburg sur l'autre versant du Bühlertal possédait au 5e siècle l'église primitive franconienne de Hohenlohe.

▶ Vellberg's town walls are still complete, and the town can be shut off from the outside world as in the 15th century. The first church to be built in Hohenlohe – in the 5th century – stood not far from here.

ist sogar zur Institution geworden. In Vellberg kommen die Hohenloher Aufschneider jedes Jahr am 1. April zusammen beim Lügenbeutelfest, dem »Fest der reduzierten Wahrheit«. Dort messen sich die heimischen Lügenkomödianten sogar mit so berühmten Aufschneidern wie den Gascognern, und als eine Vellberger Abordnung einmal die französischen Brüder von den falschen Kappen besuchte, da versprachen sie, dort kein Wort zu lügen. Was natürlich als die allergrößte Lüge entlarvt wurde. Immerhin, die Vellberger haben postuliert, daß es ohne Lüge auch keine Wahrheit gebe, und das mindestens ist unzweifelhaft wahr. In die Tiefe der Hohenloher Verbindlichkeit aber führen Vellberger Sprüche wie der von der Diplomatie, die jene Kunst sei, bei der so gelogen werden dürfe, daß sogar die Wahrheit erlaubt sei.

In früheren Jahrhunderten haben sich die Vellberger allerdings lieber auf ihre Mauern als auf ihre diplomatischen Fähigkeiten verlassen. Die dreieckige Berginsel über dem Bühlertal ist bis heute von zwei Wehrgängen und von so vielen Gräben, Mauern und Wehrtürmen umgeben, daß nicht einmal die alle Siedlungen ringsum überschwemmenden Heerhaufen des Dreißigjährigen Krieges dort eindringen konnten. Wenn zum Weinfest im Juli der gute weiße Pfedelbacher aus dem Marktbrunnen fließt, dann werden dort die Stadttore geschlossen, und schon sind die Vellberger und ihre Gäste ungestört unter sich. Deswegen werden sie auch sehr beneidet von vielen ihrer Landsleute, die das am liebsten mit ganz Hohenlohe so machen

Vellberg rendit une fois visite à ses homologues français, elle promit de ne pas mentir du tout – ce qui évidemment s'avéra être le plus gros mensonge. Quoiqu'il en soit, les habitants de Vellberg ont postulé que sans mensonge il n'y a pas de vérité et cela du moins est incontestablement vrai. Et certains postulats de Vellberg vous révèlent l'essence même de la politesse des gens de Hohenlohe comme celui sur la diplomatie qui dit que c'est l'art où l'on peut tant mentir que la vérité est aussi permise.

An cours de précédents siècles, la population de Vellberg s'est toutefois plutôt fiée à ses remparts qu'à sa diplomatie. Le sommet triangulaire de la montagne au-dessus du Bühlertal est jusqu'à nos jours encerclé de deux chemins de ronde et de tant de fossés, murs et tours que même les armées qui firent des ravages dans ce coin pendant la guerre de trente ans et envahirent toutes les colonies alentour ne purent pénétrer dans Vellberg. Lorsqu'en juillet, l'excellent vin blanc de Pfedelbach coule de la fontaine de la place du Marché, on ferme les portes de la ville et les habitants et leurs hôtes peuvent festoyer en toute tranquillité. Ce qui suscite l'envie de bien de leurs compatriotes qui aimeraient procéder ainsi avec toute la Hohenlohe. Mais même le monde extérieur ne manquerait pas alors aux gens de Hohenlohe, c'est cette délicieuse région de Hohenlohe qui manquerait au monde!

but somewhat simpler. There was also a more comfortable version for dancing. Such a farmer's wife needed a large bedroom cupboard, for it also had to contain her dress for market days, dresses for church-going – the summer one being different from the winter one – and working clothes. What the farmers' wives in neighbouring Protestant villages said about such luxury is better not thought about. The Protestants were certainly just as successful in their farming, and, due to their simpler life, were probably wealthier, but even the ordinary clothes of the women from Catholic villages must have seemed like the height of sumptuous extravagance to them. And the church clothes for a Catholic widow during the time of deep mourning, with its dark violet silk shawl and silver braiding, must have appeared to the Protestants like a wedding dress. For them, chaste black was the everyday colour, alleviated only slightly on holidays by shawls, aprons, ribbons, or reddish-brown skirts. In the Catholic communities even the Christening blankets were colourfully and richly ornamented and embroidered, while the Protestant babies were wrapped in blue and white cloths stitched with improving biblical quotations.

In the course of time, some forms of resistance against the exaggerated decorum of former days, such as tall-story contests round a bottle of wine, have even become institutionalized. In Vellberg, for example, the Hohenlohe yarnspinners meet every year on 1st April at the Tall Story Festival, the "Festival of Diminished Truth". There they compete with

würden. Doch selbst wenn die Hohenloher dann die Welt nicht vermissen würden – der Welt würde das Schmuckstück Hohenlohe ganz sicher fehlen!

such famous story-tellers as the Gascons, and when a Vellberg delegation once visited their French oposite numbers they promised not to lie at all while they were there – which, of course, turned out to be the biggest lie of them all. Anyway, the Vellbergers have postulated that without lies there could be no truth, and this is certainly no lie. Some Vellberg sayings lead you straight to the heart of Hohenlohe courtesy, like the one about diplomacy, which says that it is the art in which so much lying is allowed that even the truth may be told.

In former centuries, however, the people of Vellberg relied more on their town walls than on their diplomacy. The triangular hilltop above the Bühler Valley still bristles with fortifications such as ramparts, ditches and towers. These were so effective in their time that even the armies that rampaged here during the Thirty Years' War, and overran all the settlements in the area, where unable to touch Vellberg. When, in July, the excellent white Pfedelbach wine flows from the market-square fountain, the Vellberg people shut the town gates and cut themselves and their guests off from outside influences. They are, indeed, greatly envied by many of their compatriots for this, and some Hohenlohers would not mind doing the same for the whole of the region. But even if the inhabitants might not miss the outside world, the outside world would certainly miss access to the delightful region called Hohenlohe!

Rings um Waldenburg kann man geradezu eine Seenwanderung an sechs Seen vorüber machen. Hier der Goldbachsee.

Tout autour de Waldenburg, on peut visiter une demi-douzaine de lacs. Ici le Goldbachsee.

Lake Goldbach – one of the six lakes round Waldenburg. It is possible to go on a walking tour right round the town, passing from one shoreline to the other.

# Ortsnamenregister

# In unserer Bildbandreihe
## sind in gleichem Format und
## gleich hochwertiger Ausstattung erschienen:

Zauber welt der Meere
Kurt Amsler

Horst Krüger / Karl-Heinz Jürgens
Zwischen Erzgebirge und Ostsee

Kirchen und Klöster in Deutschland
Thaddäus Troll

Burgen in Deutschland
Thaddäus Troll

Zauber welt der Mineralien
Medenbach / Wilk

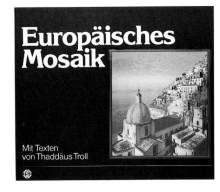

Europäisches Mosaik
Mit Texten von Thaddäus Troll

Paradiese auf Erden
Mit Texten von Thaddäus Troll

Susanne Ulrici
Deutschland Allemagne Germany

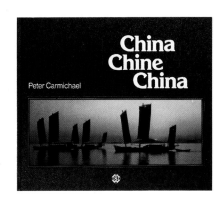

China Chine China
Peter Carmichael

Die Alpen Les Alpes The Alps
Reinhold Messner

Die Schweizer Alpen Les Alpes Suisses The Swiss Alps

Kleemann / van Hoorick
Die Schwäbische Alb

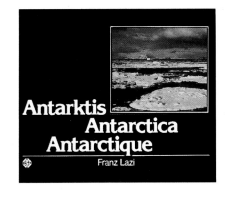

Antarktis Antarctica Antarctique
Franz Lazi

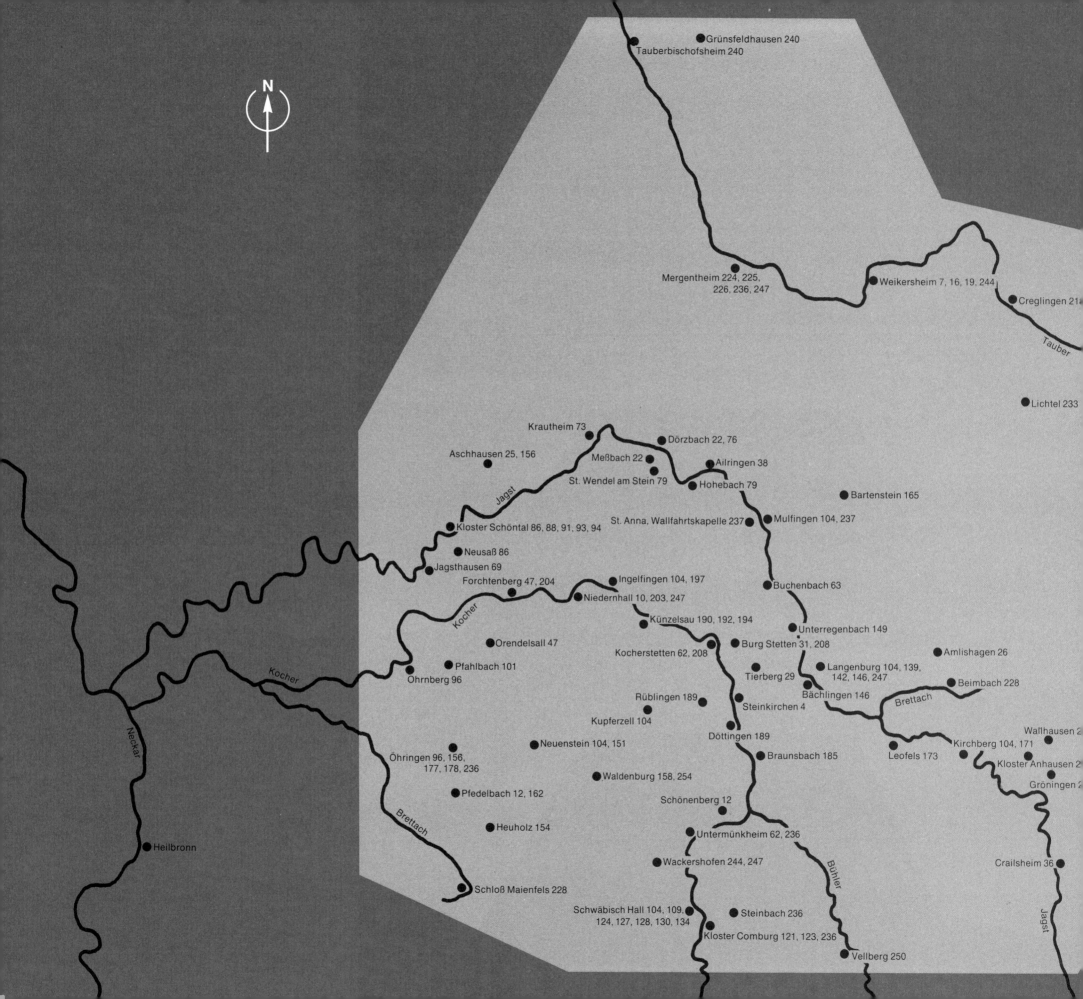

Grünsfeldhausen 240
Tauberbischofsheim 240

Mergentheim 224, 225, 226, 236, 247

Weikersheim 7, 16, 19, 244

Creglingen 21

Tauber

Lichtel 233

Krautheim 73

Dörzbach 22, 76

Aschhausen 25, 156

Meßbach 22

Ailringen 38

St. Wendel am Stein 79

Hohebach 79

Bartenstein 165

Jagst

St. Anna, Wallfahrtskapelle 237

Mulfingen 104, 237

Kloster Schöntal 86, 88, 91, 93, 94

Neusaß 86

Jagsthausen 69

Forchtenberg 47, 204

Ingelfingen 104, 197

Buchenbach 63

Niedernhall 10, 203, 247

Kocher

Künzelsau 190, 192, 194

Unterregenbach 149

Orendelsall 47

Kocherstetten 62, 208

Burg Stetten 31, 208

Amlishagen 26

Pfahlbach 101

Tierberg 29

Langenburg 104, 139, 142, 146, 247

Beimbach 228

Kocher

Ohrnberg 96

Bächlingen 146

Brettach

Rüblingen 189

Steinkirchen 4

Kupferzell 104

Öhringen 96, 156, 177, 178, 236

Neuenstein 104, 151

Döttingen 189

Braunsbach 185

Wallhausen 2

Kirchberg 104, 171

Leofels 173

Kloster Anhausen 2

Waldenburg 158, 254

Gröningen 2

Pfedelbach 12, 162

Schönenberg 12

Brettach

Heuholz 154

Untermünkheim 62, 236

Neckar

Heilbronn

Wackershofen 244, 247

Bühler

Crailsheim 36

Schloß Maienfels 228

Schwäbisch Hall 104, 109, 124, 127, 128, 130, 134

Steinbach 236

Jagst

Kloster Comburg 121, 123, 236

Vellberg 250